战略性新兴产业信息资源保障与服务模式研究

叶继元　袁曦临　著

（国家社会科学基金重点项目“我国战略性新兴产业的信息资源保障体系与服务模式研究”）

科 学 出 版 社

北 京

内 容 简 介

本书是国内首部系统论述战略性新兴产业的信息资源保障体系与服务模式的学术著作。运用信息资源建设等相关理论和定性与定量的研究方法，依据国家创新体系对文献信息资源的需求、战略性新兴产业特点、用户需求特点，提出了适应于战略性新兴产业发展，促进产、学、研互利共赢的信息资源保障体系和网络信息服务新模式，以加快战略性新兴产业集群的知识转化和扩散进程，提升企业自主创新能力和产业发展水平，为科研创新和新兴产业发展提供全过程信息资源保障。

本书拓展与丰富了信息资源建设与信息服务相关理论，对其他产业或领域的信息资源的建设实践、公共政策管理、企业信息咨询、知识管理等相关研究领域和方向亦有重要参考价值。本书适合行政管理、信息政策制定者、信息行业管理者、高科技企业管理者和科研人员、图书情报学科研究者及相关学科研究生群体阅读参考。

图书在版编目（CIP）数据

战略性新兴产业信息资源保障与服务模式研究 / 叶继元等著. —北京：科学出版社，2023.7
　　ISBN 978-7-03-070833-5

　　Ⅰ．①战…　Ⅱ．①叶…　Ⅲ．①新兴产业 – 产业发展 – 信息资源 – 保障体系 – 研究　②新兴产业 – 产业发展 – 服务模式 – 研究
Ⅳ．①F269.24

中国版本图书馆 CIP 数据核字（2021）第 259939 号

责任编辑：王丹妮 / 责任校对：彭珍珍
责任印制：张　伟 / 封面设计：有道设计

科 学 出 版 社 出版
北京东黄城根北街 16 号
邮政编码：100717
http://www.sciencep.com

北京盛通商印快线网络科技有限公司 印刷
科学出版社发行　各地新华书店经销

*

2023 年 7 月第　一　版　开本：720 × 1000　1/16
2023 年 7 月第一次印刷　印张：21
字数：420 000

定价：198.00 元
（如有印装质量问题，我社负责调换）

前　　言

　　随着信息化的发展，信息资源的重要性越来越明显，与材料资源和能源资源一样已成为国家战略资源。信息资源的建设、开发和利用已受到各行各业的重视。作为国家重点发展的战略性新兴产业自然也不例外。

　　在经济全球化趋势日益复杂、技术创新竞争和材料、能源资源危机日益加深的大背景下，战略性新兴产业的发展成为世界各国关注和推动的重点。战略性新兴产业发展目标的实现对我国在中长期内能否完成经济结构调整和发展方式转变，具有举足轻重的作用。

　　战略性新兴产业的发展离不开信息资源的保障与网络信息服务的支撑。因此，对战略性新兴产业的信息资源保障体系与信息服务模式进行研究，不仅是战略性新兴产业发展的必然要求，也是我国信息服务行业迎接知识经济社会挑战，快速成长的契机，更是图书情报学科服务社会经济发展，密切与产业部门的联系，适度拓展学科发展空间的良机，尤其利于信息服务、信息资源组织、信息咨询、知识管理等相关研究领域和研究方向的发展。

　　本书运用信息资源建设理论、资源配置理论、文献、网络计量学理论、学术"全评价"体系/分析框架等，采用德尔菲法、案例研究与比较分析等定性研究方法和问卷调查法、模型假设检验法、统计分析法等定量研究方法，在详细调研国内外相关研究的基础上，对我国战略性新兴产业信息资源的存量、增量和用户需求、服务模式的现状，对相关进展和存在的主要问题进行了分析，对典型战略性企业和信息服务企业、事业性信息机构（诸如中国科学技术信息研究所）、中国高等教育文献保障系统（China Academic Library & Information System，CALIS）、北京东方灵盾科技有限公司（简称东方灵盾公司）等进行了详细考察，根据国家创新体系对文献信息资源的需求，战略性新兴产业的特点、用户需求的特点，围绕新兴产业信息共享的目标，提出了新兴产业信息生态链的管理方式，具体包括信息共享管理、信息产权管理和信息环境管理，建立了适应于战略性新兴产业发展，产、学、研互利共赢的战略性新兴产业信息资源保障体系和网络信息资源服务新模式。在国家宏观层面上提出创建面向知识创新的信息资源现代管理体制，通过信息政策法规的保障，促进信息资源的合理配置与高效利用；在新兴产业集群的中观层面，将计划配置信息资源扩展到以市场为主配置信息资源，构建了我国战略性新兴产业信息资源分级分工保障体系，以适应战略性新兴产业的信息需求；在图书馆、情报所以及各类型科研院所信息中心、信息咨询服务机构的微观层面，架构起具有市场竞争力的信息服务体系，提出以服务为导向、以内容共建为导向，以及以问题解决为导向的三种信息服务模式，由此形成合力，为科研创新和新兴产业发展提供全过程的信息资源保障，加快战略性新兴产业集群的知识转化和扩散进程，提升企业自主创新能力和产业发展水平。应用笔者团队创建的学术全评价体系/分析框架，构建了科技网站信息质量全评价模型，对医药生物技术网站质量进行评价实证研究，对提高科技网站信息质量提出了对策与建议。

　　本书是在国家社会科学基金重点项目"我国战略性新兴产业的信息资源保障体系与服务模式研究"（项目批准号：11AZD082，主持人：叶继元）最终成果结项报告基础上修改而成的。课题组主要成员有朱强、彭洁、刘延淮、华薇娜、郑德俊、袁曦临、范佳佳、王雅戈、谢欢、陈铭、魏瑞斌、郭春侠、杨柳等。毕丽萍在最终成果结项报告整理、汇总和编辑上，做了大量工作。中国科学技术信息研究所、CALIS、东方灵盾公司作为本项目子课题合作单位，提供了大量数据，保障了研究的顺利进行。课题组在一流和重要学术期刊上发表了29篇论文，6篇博士和硕士学位论文。经过全国哲学社会科学工作办公室组织各位同行专家的评审，项目最终成果结项报告被鉴定为"优秀"。本书是我国国内首部系统论述战略性新兴产业的信息资源保障体系与服务模式的学术著作。在基本概念、研究思路、实现路径、需求市场和体制机制建设等方面有所创新。全书主题明确，结构清晰，观点新颖，论证充分。所构建的战略性新兴产业的信息资源保障体系与服务模式等内容，在一定层面上丰富与拓展了现有信息资源建设与信息服务理论，对我国其他产业或领域的信息资源的建设实践亦有重要参考价值。

　　本书各章由叶继元、袁曦临、郑德俊、范佳佳、王雅戈、谢欢、陈铭、魏瑞斌、郭春侠、杨柳、毕丽萍、吴琼等撰稿，叶继元、袁曦临负责全书的修改、统稿工作。

　　感谢中国科学技术信息研究所、CALIS、东方灵盾公司等机构提供的大量数据，感谢全国哲学社会科学工作办公室邀请的各位专家对研究成果的充分肯定和鼓励，感谢本书所引用、参考的国内外论著的作者。

　　本书的出版得到了国家社会科学基金和南京大学文科"双一流"建设经费支持。科学出版社的编辑们为本书的及时出版付出了辛勤的劳动，在此表示衷心感谢。

　　战略性新兴产业包括面广，信息资源也涉及很多类型，由于水平有限，有不少问题有待深入研究。书中不当之处，敬请读者指正。

叶继元

2021 年 12 月 12 日于南京大学和园

目　　录

第1章 绪 论

进入 21 世纪以来，科学技术发展日新月异，国际竞争也日趋激烈。尤其近年来，伴随资源环境和产业转型压力加剧，主要发达国家纷纷颁布规划、采取行动，重视创新投入，明确部署信息网络、新能源、生物、节能环保等新兴产业与高科技产业，种种迹象表明，全球新科技革命和产业革命又进入一个新的历史性突破关头，全球战略性新兴产业蓬勃发展的势头将持续较长时期。

我国正处在经济社会发展的战略转型和全面建成小康社会的关键时期，工业化、城镇化加速发展，面临着日趋紧迫的人口、资源、环境压力，现有发展方式的局限性、经济结构状况以及资源环境的矛盾也越来越突出。要实现 21 世纪中叶基本实现现代化的宏伟目标，必须深入贯彻落实科学发展观，缓解资源环境瓶颈制约，促进产业结构升级和经济发展方式转变、增强国际竞争优势，必须把握世界科技革命和产业革命的历史机遇，加快培育发展物质资源消耗少、环境友好的战略性新兴产业。

1.1 研究背景

战略性新兴产业是指以重大技术突破和重大发展需求为基础，对经济社会全局和长远发展具有重大引领带动作用，知识技术密集、物质资源消耗少、成长潜力大、综合效益好的产业。从 2009 年国务院首次召开战略性新兴产业发展座谈会，到 2010 年以国务院常务会议形式框定七大战略性新兴产业发展目标，并于 2012年召开国务院常务会议讨论通过《"十二五"国家战略性新兴产业发展规划》，进一步明确了七大战略性新兴产业的重点发展方向和主要任务，至此大力发展战略性新兴产业才落到了"实处"。具体来看，七大战略性新兴产业包括节能环保产业、新一代信息技术产业、生物产业、高端装备制造产业、新能源产业、新材料产业和新能源汽车产业。2016 年，经李克强总理签批，国务院印发了《"十三五"国家战略性新兴产业发展规划》（以下简称《规划》），对"十三五"期间我国战略性新兴产业发展目标、重点任务、政策措施等作出全面部署安排。根据战略性新兴产业发展新变化，对《战略性新兴产业重点产品和服务指导目录》（以下简称《目录》）2013版作了修订完善，形成了《目录》2016版。《目录》2016版依据《规划》明确的5大领域8个产业，进一步细化到40个重点方向下174个子方向。并在更广领域形成大批跨界融合的新增长点，平均每年带动新增就业100万人以上。产业结构进一步优化，产业创新能力和竞争力明显提高。

目前，节能环保、新一代信息技术、生物、高端装备制造产业已经成为国民经济的支柱产业，新能源、新材料、新能源汽车产业成为国民经济的先导产业；创新能力得到大幅提升，掌握了一批关键核心技术，在局部领域达到世界领先水平；形成一批具有国际影响力的大企业和一批创新活力旺盛的中小企业；并建成一批产业链完善、创新能力强、特色鲜明的战略性新兴产业集聚区。到2030年，战略性新兴产业的整体创新能力和产业发展水平有望达到世界先进水平，为经济社会可持续发展提供强有力的支撑。2020年10月中国工程科技发展战略研究院发布的《中国战略性新兴产业发展报告2021》，对战略性新兴产业发展新形势、新趋势及未来发展布局作出重点阐述，指出当今世界正经历百年未有之大变局，"十四五"乃至更长一段时期内，我国战略性新兴产业将面临更加严峻的内外环境，需要在产业布局优化、创新能力提升、发展环境营造、国内需求释放及深化开放合作等方面采取更加科学有效的针对性措施，从而推动产业进一步发展壮大。

1.1.1 战略性新兴产业发展态势与变化趋向

目前战略性新兴产业处于快速发展阶段，由于市场潜力巨大，已成为各国角逐的重点。无论是从战略性新兴产业本身的内涵特点来看，还是从美国和日本的经验教训以及当前发达国家的主要做法特点与发展趋势来看，培育和发展战略性新兴产业必须充分认识市场的基础性作用、政府前期的引导作用、企业科技创新的核心作用以及国际合作的桥梁作用。

首先，随着传统成本型产业的竞争优势真正逐渐消退，几乎所有行业的价值链体系都开始更多地向研发和创新倾斜，而长期以来我国战略性新兴产业的发展所依托的全球化所带来的技术扩散红利，在未来将会面临显著弱化，这将对我国战略性新兴产业领域自主创新能力的提升提出更高的要求。

其次，由于发达国家和主要新兴经济体都在加紧布局战略性新兴产业，美国推出"再工业化"战略以及"先进制造伙伴计划"等，德国推出"工业4.0"，日本推行"第四次工业革命"计划等。发达国家与新兴国家间的国际竞争正越来越从错位竞争向正面竞争转变。为维护现存的产业优势,并保证其未来的竞争优势,发达国家必然会加大技术壁垒和对技术转移、跨国投资等方面的控制,我国战略性新兴产业将面临更多挑战。

与此同时,战略性新兴产业的发展对现存的产业治理框架和体系也提出了挑战,目前在新型生物技术伦理问题、个人数据隐私保护强度以及互联网平台垄断认定等方面,世界各国的新兴产业制度体系和规则都落后于技术的发展,不同国家的处理方式差异极大。这些规制问题将成为未来战略性新兴产业发展的重大不确定因素。

总之,我国目前的战略性新兴产业面临着重大变化,处于不确定性的发展过程中。

一方面,随着我国产业技术水平的不断提高,与国际产业的技术代差在缩小,这就要求我国战略性新兴产业的创新必须要向基础性创新、引领性创新转型,要加强前瞻性基础研究、应用基础研究,突出关键共性技术、前沿引领技术、现代工程技术和颠覆性技术创新,改变长期以来我国战略性新兴产业采用的引进、消化、吸收、再创新的道路。另一方面,我国经济正在进入双循环和高质量发展阶段,内需对产品和服务的质量要求相较于国际先进的距离在快速缩小。因此,战略性新兴产业在"十四五"时期的发展必须重视国内市场作用,发挥我国工业体系完整、发展纵深巨大的独特优势。

而随着战略性新兴产业规模的快速扩大,战略性新兴产业布局与政策也在调整和变化中。2019 年国家发展和改革委员会(简称国家发改委)下发了《关于加快推进战略性新兴产业集群建设有关工作的通知》,在 12 个重点领域公布了第一批国家级战略性新兴产业集群建设名单,共涉及 22 个省(区、市)的 66 个集群,说明国家已经开始战略性新兴产业的相关布局工作,见表 1-1 和表 1-2(中国工程科技发展战略研究院,2020)。

表 1-1 首批国家级战略性新兴产业集群建设重点领域分布

领域	个数
人工智能	4
集成电路	5
新型显示器	3
下一代信息网络	3
信息技术服务	7
网络安全	1
生物医药	17
节能环保	3
先进结构材料	5

续表

领域	个数
新型功能材料	9
智能制造	7
轨道交通装备	2
合计	66

资料来源：《关于加快推进战略性新兴产业集群建设有关工作的通知》

表 1-2　2019 年全球技术驱动独角兽重点领域与典型企业

领域	重点方向	典型企业	估值/亿元
新一代信息技术	人工智能	商汤科技	400
	云计算	Samsara Networks	300
	大数据	Palantir Technologies	1000
	虚拟与增强现实	Magic Leap	400
生物技术	新药研制	明码生物	100
	基因技术	碳云智能	70
	医疗器械	联影医疗	300
绿色技术	新能源汽车	小鹏汽车	300
	新能源	ReNew Power	150
	储能	Northvolt	150
先进制造技术	智能装备	大疆	1000
	增材制造	Desktop Metal	150
新空间开拓技术	火箭	SpaceX	2500
	卫星	OneWeb	200

资料来源：《2019 胡润全球独角兽榜》

从表 1-2 不难发现，以技术创新为主要驱动力的战略性新兴产业的技术集群主要包括以下五大类。

（1）新一代信息技术。人工智能、云计算、大数据、虚拟与增强现实等领域仍旧是创新的热点，此外，量子信息、第五代移动通信、物联网、区块链等新兴技术也在不断加快应用普及。这一系列新技术引领数字经济新范式的到来。

（2）生物技术。合成生物学、基因编辑、脑科学、再生医学等技术正为解决人类面临的健康、环境、能源、食物等问题，提供以生物技术为基础的更高效、更低廉、更环保的解决方案，并推动新药创制、基因技术应用服务、新型医疗器械制造、生物农业等新兴产业增长点。

（3）绿色技术。分布式发电、先进储能、能源互联网、高效燃料电池等技术正在推动一场能源革命，低碳、清洁、高效的新型能源体系正在加速形成。

（4）先进制造技术。智能机器人、工业互联网等技术正在推动制造业向智能化、服务化、绿色化转型，超材料、纳米材料、石墨烯等新材料又为制造创新提供了巨大的发展空间。

（5）新空间开拓技术。深空、深海、深地探测技术的进展，直接带来了对太空、海洋等空间的开发与利用。

目前人类经济社会正处在后工业经济向创意经济变革的阶段，创意经济与数字化技术结合，催生了数字创意新产业形态；数字创意产业已经成为新经济发展的重要引擎，推动各行各业创新，促进理念和体制创新。2016 年和 2019 年我国又分别发布了《2016 中国数字创意产业发展报告》和《数字创意产业蓝皮书：中国数字创意产业发展报告（2019）》；这些报告高屋建瓴地总结了数字创意产业的发展特征和未来的发展趋势。2016 年数字创意产业被纳入《"十三五"国家战略性新兴产业发展规划》，当时预计到 2020 年我国将形成文化引领、技术先进、链条完整的数字创意产业发展格局。

1.1.2　战略性新兴产业对信息资源的现实需求

战略性新兴产业培育发展成功与否的基础在企业，企业是市场经济的主体、技术创新的主体、扩大投入的主体、产业成长的主体；而政府发挥着助跑器和催化剂的作用，即发展方向上的引导作用、人才流动上的引导作用和资金流向上的引导作用。但政府如何做到统筹全局、通盘考虑高效整合地制订规划、出台政策对战略性新兴产业进行引导？企业如何具备自主创新、对技术发展方向的科学定位、对市场需求的准确预测与快速响应以及参与国际竞争的实力？战略性新兴产业发展过程中的风险性如何降到最低？要解决这些问题，准确的信息资源的获取和利用至关重要。

显然，在信息化环境下，战略性新兴产业的发展离不开信息资源的支撑与保障。当前信息资源已成为社会生产力中最新、最活跃、最具生命力的要素，信息资源的开发利用水平成为一个国家综合国力的体现，是社会经济进步的重要保证。在国家可持续发展战略中，决策支持、信息保障、信息黏合、资源替代等各种重要作用日益显著，已成为其他领域范围内可持续发展目标的催化剂。

对战略性新兴产业的信息资源保障体系与服务模式进行研究，是战略性新兴产业发展的必然要求。

1. 信息资源对于战略性新兴产业发展的重要性

战略性新兴产业相对而言要求智力密集和资金密集，对信息资源要求高，依赖大，资源消耗和能源消耗少。正如美国第 39 任总统卡特所言：精确有用的信息就如同我们身体所需要的氧气，经常提供重要信息的火花，会点燃创造和发明的天才之火。战略性新兴产业是实现过去、现在与未来有机相连、有序传递的产业，既要依托已有优势，又要立足现实产业状况，还要关注长远发展方向。这种既强调对过去的传承，又重视对当前现实情况的把握，还要求科学准确预测未来的宏伟系统工程培育与发展，亟须多元化、立体化、网络化和全球化的信息资源体系的保障。

以企业创新过程为例，企业自主创新的全过程可以分为：创新决策、研究开发、创新成果商业化三个阶段。在自主创新的决策阶段，企业不仅需要充分掌握自身情况，衡量企业自身的实力，还必须结合掌握到的市场需求，以及国家政策、新技术新工艺、专利标准等信息，作出正确的判断和决策，制定企业在一定时间内的创新战略。在研究开发阶段，企业的创新信息需求内容与企业选择的创新内容有关。企业实施产品创新最需要可以支撑企业研究开发工作的科学技术信息和专利、标准信息等；实施工艺创新最需要新技术、新设备、新工艺信息；实施服务创新最需要市场信息（如服务的供求情况等）和用户信息（如消费心理、消费偏好等）；实施管理创新的信息需求主要集中在内部管理信息和国家相关政策法律法规等信息上。在创新成果的商业化阶段，企业不仅要充分掌握相关的市场信息，还要掌握相关的国家政策、自然环境、社会环境等信息。由此可见，在企业自主创新的过程中，对信息的需求贯穿于整个创新过程的始终。

在发展和培育战略性新兴产业的过程中，无论是企业的技术创新，公共研究机构和教育培训机构的知识创新、政府机构的制度创新，还是企业的原始创新抑或集成创新等，其创新过程的本质都是信息知识的生产、转移与扩散，都离不开大量信息资源、信息网络与信息服务的支持。此外，政府的规划决策、企业的资源整合等，一切主体的活动对知识信息的依赖都是不言而喻的。

2. 现有信息资源保障、服务模式与服务体系有待完善

产业发展路径在于"知识信息的转移、扩散—科技发明—成果转化—产业兴起"。由此看出，大量的信息资源存量、高效的信息流通机制、给力的信息服务模式与完备的信息服务体系对于战略性新兴产业的发展是必需的。

在信息资源方面：一是信息总量不足。从世界范围看，占世界人口 20% 的发达国家拥有 80% 的信息量，而占世界人口 80% 的发展中国家却只有 20% 的信息量（赵云泽，2003）。在互联网中，中文信息的输出输入量也不高。二是外文信息短缺。从国际联机检索终端获得的文献线索约有 50% 在国内信息机构查不到原始文献。人均信息资源开发利用程度比发达国家低 2~3 个数量级。与此同时浪费与短缺并存。数据库建设亦因部门之间条块分割，各自为政，缺乏分工与协作，造成数据库死库、

空库不少,重复建设率高。三是信息分布不平衡(金泽龙,2003)。尽管近些年有所改善,但问题没有最终解决。我国信息资源从东部向西部、从城市到乡村梯度递减,并主要集中在北京、上海、广东、山东、江苏等少数省市和城市文化圈。例如,专利文献是世界上反映科技发明成果发展水平最迅速、最系统、最全面的信息资源,是科学技术竞争情报中最活跃的因素。但由于专利文献中的技术关键内容常用不直观的语言表达,不经专业技术人员深入研究分析,难以直接查出;不同国家的专利使用不同语言,无法用单一语言检索;大量涉及化学和生物学技术的专利,不用文字表达,而使用化学结构图形和基因序列方式表达,无法用关键词检索;反映技术主题的关键词有很多同义词,同义词收集不全,会造成大量漏检和误检;外国专利翻译成中文,专利权人名称翻译得不统一,造成大量漏检。

我国目前提供信息知识服务的机构包括为数众多的图书馆、情报研究所和提供各种信息咨询的中介服务机构等。例如,针对技术创新的信息服务中介机构就有如下类型:创业服务中心、生产力促进中心、工程技术研究中心、情报信息中心、知识产权事务中心和各类科技咨询机构、技术产权交易机构、常设技术市场、人才中介市场等,这些机构的首要任务就是提供信息服务。但它们多集中在大中城市,分布不均匀,且专业化水平低,彼此独立,协同程度低,服务功能单一。企业需要的能够提供直接和专业的技术服务的机构数量严重不足,而且这些服务机构的性质各异,归属不同,相互之间缺乏联系与合作,各行其是,不能发挥整体优势。我国与技术创新相关的信息平台并不少,但部门分割、区域分割严重,各自建网使得力量分散、规模小、相互之间缺乏联系、信息更替慢、内容陈旧、信息资源共享程度低,需要政府统一规划、加强指导,对信息资源进行整合,构建全国统一、覆盖面广、容量大、内容更新快、针对性强的创新信息服务网络,切实发挥基础信息平台在自主创新和战略性新兴产业发展中的作用。

对战略性新兴产业的信息资源保障体系与服务模式进行研究,将拓展与丰富信息资源建设与信息服务理论。知识经济时代,从国家宏观层面、区域性中观层面到企业、信息用户个体微观层面,信息资源的作用被提升到前所未有的高度且备受关注。国内学界对信息资源的研究一直以来主要关注于以下主题:信息产业化、信息系统、企业信息化、电子商务、信息政策、知识管理、电子政务、档案信息资源管理、网络信息组织、信息资源共享。国内学者也出版了一些信息资源管理、信息资源建设和信息服务方面的教材或专著,主要关注信息资源基础理论、图书馆资源建设、信息资源共享理论、信息需求理论与服务方法的探讨。对产业信息资源配置、行业信息资源管理和企业信息资源整合与服务研究缺乏更多的关注,与社会产业部门实践相配套的信息资源规划与信息服务研究仍处于分散零碎的状态。因此,对战略性新兴产业的信息资源保障体系与服务模式进行研究,有助于拓展与丰富信息资源建设与信息服务理论。

1.2　基本概念与理论基础

1.2.1　基本概念

关于信息、文献、信息资源保障体系等基本概念，有的已有共识，有的大体有共识，有的则没有。为了便于阅读和理解，特将本书研究中涉及的重要概念和术语，结合笔者的最新思考，进行界定和解释。

1. 战略性新兴产业

战略性新兴产业（strategic emerging industries，SEI）是以重大技术突破和重大发展需求为基础，知识技术密集、物质资源消耗少、成长潜力大、市场需求旺，就业机会多、综合效益好，对经济社会全局和长远发展具有重大引领带动作用的产业。其具有以下一些特征：全局性、技术性、增殖性、环保性。但也存在风险性大、产品成本高、对服务设施要求高、市场拉动较难等局部特征。2010 年我国重点培育和发展的战略性新兴产业主要包括节能环保、新一代信息技术、生物、高端装备制造、新能源、新材料、新能源汽车七大产业。有些省市在此基础上有所增删，例如，《江苏省"十二五"培育和发展战略性新兴产业规划》中提出了十大战略性新兴产业：新能源、新材料、生物技术和新医药、节能环保、新一代信息技术和软件、物联网和云计算、高端装备制造、新能源汽车、智能电网和海洋工程装备等十大战略性新兴产业（李喆，2017）。《2016 年政府工作报告》首次提出"数字创意产业"。2016 年数字创意产业被纳入《"十三五"国家战略性新兴产业发展规划》，与新一代信息技术、生物、高端制造、绿色低碳产业一起，并列成为五大 10 万亿元级战略性新兴产业之一。数字创意产业分为数字内容和创意设计两大类和 8 大细分领域——在线教育、虚拟现实、影视、游戏、动漫、网络文学、工业设计、人居环境设计。

2. 信息

信息（information）是所有事物的存在方式和运动状态的反映，包括本体论信息和认识论信息。本体论信息不以人的意识为转移，它无处不在，无时不在，有的已被人类所认识，有的则尚未被人类所认识。已被认识到的信息则是认识论信息。认识论信息是指主体对事物存在方式和运动状态的具体描述，包括数据、知识、智慧等。

3. 数据

数据（data）是通过声音、语言、体态、符号、文字、信号、图形、视频反映的认识论信息。它仅是认识论信息中的一种类型，包括"有意义、有价值、有关联"的数据（狭义的信息）和暂时没有意义、价值、关联的数据。数据是信息的子集，或更准确地说是认识论信息的子集。数据是用适合于通信、解释和处理的形式表示的信息，包括分散的、彼此无关联的事实、数字或符号等。简言之，数据是机器（如计算机）能够处理的信息单元。

4. 知识

知识（knowledge）是认识主体对所有事物的存在方式和运动状态变化规律的抽象化描述，是系统化、有价值、有用的信息。它是认识论信息的子集，但不是数据的子集，与数据是交叉关系。智慧则是针对问题能够灵活运用、有策略地解决问题的知识，智能则是付诸行动的智慧（叶继元等，2017）。

知识是人类通过信息对自然界、人类社会以及思维方式与运动规律的认识与概括，是人的大脑通过思维重新组合的系统化了的信息，是信息中最有价值的部分，如热力学第一定律等。人通过感觉器官获得关于外部世界的信息，然后利用已有的知识进行综合、分析、整理形成个人的知识。个人知识存储在大脑中，利用符号系统，比如语言、文字，加以表达，借助媒介进行传播形成人类共同的知识。

知识按照不同的分类标准，可以有不同的类型。但是，多数学者都同意将知识划分成两种基本类型，即显性知识和隐性知识。

显性知识是指那些可以借助符号系统加以表达的知识。这些符号系统包括语言、文字、数字、计算机编码等。借助符号系统，显性知识存储在书籍、期刊、报纸、网络、硬盘、U 盘等载体上。人们可以通过学习、训练、教育获得这些知识。隐性知识是指存在于人脑中的隐性的、非结构化、不可编码的知识。这些知识仅仅存在于人脑中，难以借助符号系统加以表达、传播。隐性知识来自人的实践和学习的直接经验，也可以通过和有经验的人交流获得。

5. 信息资源

信息资源（information resource，or information resources）是人类存储于载体（包括人脑）上的可利用（整序）的信息集合，从属于认识论信息。信息中的载体信息和主体信息是信息资源的最基本的组成部分。

如果信息资源中的"资源"是英文的复数（resources），那么这里的信息资源则不仅是指信息本身，而且涵盖利用信息的设备、人员等集合体。信息资源这一术语自 20 世纪 90 年代以来，在国内外文献中被广泛使用，然而有关信息资源的定义，国内外有多种观点，目前尚无统一公认的定义，但一般认为，信息资源比文献资源概念的外延大，"可利用"是其一大特点。根据不同的标准可以划分出不同的信息资源类型。例如，按照描述对象分可分为自然信息资源、生物信息资源、人工信息资源等；按表现形式可分为文字信息资源、图像信息资源、声音信息资源和数据信息资源；按照开发程度可分为潜在信息资源与现实信息资源。潜在信息资源是指个人在认知和创造过程中存储在大脑中的信息资源，该类型信息资源易于忘却消失，并难以为他人直接利用。现实信息资源按照表述方式又可分为口语信息资源、体语信息资源、文献信息资源、实物信息资源和网络信息资源。文献信息资源是以语言、文字、声频、视频、图像、数据等方式记录下来的信息资源，如图书、期刊、专利、标准、档案、磁带、缩微胶片、磁盘等。由于信息资源的概念外延很广，而战略性新兴产业的科研、政策、市场等主要需要利用文献信息资源（纸质和数字信息资源），因此本书主要考察信息资源中的最主要的一个类型——文献信息资源（孟广均，2008）。

6. 文献信息资源

文献信息资源（documentation resource）的定义目前是众说纷纭。国际上，《文献情报术语国际标准（草案）》（ISO/DIS5127）将文献定义为："在存贮、检索、利用或传递记录信息的过程中，可作为一个单元处理的，在载体内、载体上或依附载体而存储有信息或数据的载体。"《国际标准书目著录（总则）》认为，"文献是指以任何实体形式出现的，作为标准书目著录的书目文献实体"。

国内对文献的定义有很多。李纪有等在《图书馆专业基本科目名词简释》中将文献定义为"为了把人类的知识传播开来和继承下去，人们用文字、图形、符号、声频和视频等手段将其记录下来：或写在纸上，或晒在蓝图上，或摄制在感光片上，或录制在唱片上，或存储在磁盘上。这种附着在各种载体上的记录，统称为文献"。《理论图书馆学教程》（南开大学图书馆学系，1986）中为突出"知识"将文献定义为"记录有信息与知识的一切载体"；国家标准《文献著录总则》中认为，文献是记录有知识的一切载体。2017 年 5 月全国科学技术名词审定委员会预公布的《图书馆·情报与文献学名词》认为，文献是记录有知识和信息的一切载体。本书在吸收这些概念合理内核的基础上稍加修改：文献是记录有知识或有用信息的一切载体。之所以将"和"修改成"或"，是因为信息是知识的上位概念，二者连用，逻辑上有瑕疵，换成"或"则无此问题，意为绝大多数文献是记录知识的载体，但亦有一些仅记录"信息"的载体。之所以在信息之前加上"有用"二字，是因为文献记录的是经过加工、有序、有意义的信息，以避免"文献"一词含义的泛化。

　　文献包括了文献信息和文献客体两个部分。文献信息是指以文献形式被记录的信息。它经过人类有目的的、系统的加工和筛选，并用相应的文献符号系统，比如文字、数字等，加以表示，反映了人们的认识水平。文献客体由文献记录系统、文献符号系统和文献载体系统三部分组成。文献记录系统包括各种物理和化学的记录方式。文献符号系统是文献信息的替代者，包括了文字、数字、声音……文献载体系统是文献信息的物质载体，如甲骨、竹帛、纸、光盘、硬盘……

　　按照不同标准，文献有不同的类型。按照载体类型，文献可以分为纸前文献、纸质文献、现代非纸质文献（缩微文献、视听型文献、机读文献等）；按照写作方式分为著述、编述、抄纂、翻译著作；按照出版加工形式分为专著、报纸、期刊、专利文献、标准文献、会议文献、产品样本、档案资料、"灰色文献"、学位论文和各种工具书；按照生产加工层次分为，一次文献、二次文献、三次文献……

　　图书（尤其是学术图书、专著）、报纸、期刊、会议文献、专利文献等成品文献属于一次文献，即人们对自然和社会信息进行初次加工而形成的文献。这类文献是主要的文献信息源。但是它数量庞大、增长迅速且分散、不系统，不方便管理和使用。为了更好地管理、查找、利用一次文献，通过整理、提炼和浓缩，按照其外部特征（题名、作者、出版者和出版地、出版时间、版本……）和内容特征序化形成二次文献——目录、书目、索引、文摘。二次文献是一次文献外在特征和内容特征的汇集，利用二次文献查找一次文献更方便，并且可以迅速了解一次文献的内容。利用二次文献，选择有关一次文献进行加工整理，形成的新的文献即成为三次文献。综述、年鉴、百科全书、手册、专题报告属于三次文献的范畴。

　　7. 图书

　　图书（book）是指用文字、图画或其他符号将有关信息内容记录在纸张、磁性材料等不同载体上，具有相当篇幅、以单本卷册形式非连续出版的读物。图书包括单册书、丛书、多卷集。诸如《学术规范通论》《青年自学丛书》《鲁迅全集》等。所谓"相当篇幅"，是指有一定的页数或文字量。按照联合国教育、科学及文化组织的有关标准，除封面外 50 页及以上篇幅、非定期的印刷出版物即为图书。图书与连续出版物（含期刊）和小册子是同位概念。按照不同的分类标准，可以将图书分成各种类型。例如，从文字看，可有中文图书、英文图书等；按载体分，可有印刷型、电子型图书等；从内容学理分，可有学术图书、非学术图书、准/半学术图书。

　　8. 学术图书

　　学术图书（academic/scholarly book）是指内容涉及某学科或某专业领域，具有一定创新性,对专业学习、研究具有价值的图书,通常在书中有文献注释或参考文献,书后有索引。它包括学术著作、学术专著、学术论文汇编/论文集、会议录、大学及以上程度的教材/教科书和参考书(专业参考书:比较完备地汇集某一学科、主题的知识、资料、事实,按照特定的方法加以编排,供学科专业人员检索查考而不是供系统阅读的书)、某学科百科全书等工具书、学术随笔等。其"著作方式",多数是"著""撰",少数是"编著"(编著是一种著作方式,汇集其他多个作者、多种作品的思想、观点和内容资料,但有作者自己独特见解的陈述和成果,凡无独特见解陈述的书稿,不应判定为编著),极少是"编"。但是中专科及以下层次的教材、通俗读物、时事读物、一般的字典、词典等不包括在内。

9. 学术著作

学术著作(academic/scholarly writing,works)是指以问题或专题为中心,具有创新性和逻辑性,能自圆其说的学术图书。它包括学术专著、学术进展评论、著作性研究指南、手册等。其"著作方式",多数是"著""撰",少数是"编著",一般没有"编"。

学术专著(academic/scholarly monograph)是对某一学科或领域或某一专题进行较为集中、系统、全面、深入论述的著作。一般是对特定问题有独到见解,且大多"自成体系"的单著或二三人合著的学术著作。它包括单本专著、多卷集专著、专著丛书等。诸如《资本论》《国富论》《中国近三百年学术史》"三联·哈佛燕京学术丛书""中国思想家评传丛书"等。与学术论文相比,学术专著的篇幅较大,内容所涉及的问题一般也较专深,更具专业性、系统性、全面性、深入性。其论述或论证具有广度和深度。撰写人一般是单独作者或几个作者,一般不会像学术论文那样一份成果作品的作者署名多到数十个或数百。与学术著作相比,学术专著的创新层次较高,一般具有原创性,而学术著作中有许多著作是集成创新或应用创新。学术专著的"著作方式",都是"著""撰",没有"编"或"编著"。

10. 期刊与学术期刊

期刊与学术期刊(periodical and academic journal)是具有统一题名,具有卷期等序号,定期出版的连续出版物。学术期刊是以探讨某学科、领域的问题为中心、以学术交流为宗旨、以刊载学术论文(或论文汇编、摘编、译编等)、学术评论、学术研究动态等为主要内容,具有学术出版资质、出版规范、实行同行评议制的期刊。其特征是学科性、学理性、探索性、专业性、资料性、准确性、规范性和交流性。通常包括学报、会刊等期刊,诸如《中国科学》《南京大学学报》《中国科学院院刊》等。但以生活性、消遣性、普及性等内容为主的期刊不包括在内。

11. 专利文献

专利文献（patent document）是由政府专利机构公布或归档的与专利有关的所有文献，包括各种类型的专利说明书等。专利是政府机关或者代表若干国家的区域性组织根据申请而颁发的享有独占权的一种文件，这种文件记载了发明创造的内容，并且在一定时期内产生这样一种法律状态，即获得专利的发明创造在一般情况下他人只有经专利权人许可才能予以实施。在我国，专利分为发明、实用新型和外观设计三种类型。作为技术信息最有效的载体，专利文献相比一般技术刊物所提供的信息早 5~6 年，而且 70%~80% 发明创造只通过专利文献公开，并不见诸其他科技文献，因此专利更具有新颖、实用的特征。

12. 研究报告

研究报告（research report）是个人或团体的研究进展或研究成果的记录。该记录是有条理、翔实描述科学研究的成果、进展，或某项实验及其评价的结果，或论述某项科学问题的现状和发展的文件。

研究报告大多是向上级或某个机构报告研究工作进度和结果的学术性文件，可以是阶段性成果报告，亦可为最终研究成果报告。一般文字比较长，应系统地提供工作进程的充分信息，各种统计数据比较详细，包括有关背景知识、题目由来、研究目的、意义、过程、方法、数据处理和证明过程等内容，可以提出正反两方面的结果和经验，以便有关人员和读者判断和评价。

研究报告亦包括科技报告（scientific and technical report）。科技报告是在科研活动的各个阶段，由科技人员按照有关规定和格式撰写的，以积累、传播和交流为目的，能完整而真实地反映其所从事科研活动的技术内容和经验的特种文献。它具有内容广泛、翔实、具体、完整，技术含量高，实用意义大，而且便于交流，时效性好等其他文献类型所无法相比的特点和优势，是记录某一科研项目调查、实验、研究的成果或进展情况的报告。每份报告自成一册，通常载有主持单位、报告撰写者、密级、报告号、研究项目号和合同号等。按内容可分为报告书、论文、通报、札记、技术译文、备忘录、特种出版物。大多与政府的研究活动、国防及尖端科技领域有关，发表及时，课题专深，内容新颖、成熟，数据完整，且注重报道进行中的科研工作，是一种重要的信息源。查寻科技报告有专门的检索工具。

13. 标准文献

标准文献（standard documents）有狭义和广义之分。狭义是指按规定程序制定，经公认的权威机构（主管机关）批准的一整套在特定范围（领域）内必须执行的规格、规则、技术要求等规范性文献，简称标准。广义是指与标准化工作有关的一切文献，包括标准形成过程中的各种档案、宣传推广标准的手册及其他出版物、揭示报道标准文献信息的目录、索引等。标准文献是一项重要的技术基础，是任何组织提高竞争力必须具备的关键要素。现代社会的各行各业都与标准紧密相连，标准已成为发展市场经济和建设和谐社会的重要技术支撑，成为产业发展的重要技术依据，成为国际贸易的重要技术性措施，成为科技创新成果转化为生产力的桥梁和纽带。

标准是战略性新兴产业开发新技术和新产品的可靠依据。战略性新兴产业进行技术开发和产品设计，必须遵守国内外各项标准，在各项标准的基础上实现自主创新。标准反映了当前科学技术的发展水平，国外先进的标准有利于战略性新兴产业提高工艺水平，加快科研进步。

14. 信息资源评价

信息资源评价（information resource evaluation）是指利用科学合理的评价体系（评价主体、目的、标准、方法等）对信息资源的规模、内容、价值进行优劣等的判断和分析。

15. 信息资源保障体系

信息资源保障体系（guarantee system of information resources）是指在一个国家或一个地区范围内，图书馆、信息中心等各类型的信息机构协调合作，根据统一的规范，建立一个有层次、相互联系的信息资源保障结构和利用系统。

战略性新兴产业的信息资源保障体系则是信息资源保障体系的一个组成部分，是以促进战略性新兴产业发展、建设和知识创新为目的，以最大限度地满足战略性新兴产业用户个性化、专门化、系统化和高效率信息需求的信息服务系统。

文献保障体系是信息资源保障体系的重要组成部分，是由管理部门、图书文献机构、文献资源等诸要素相互联系与依存的文献资源收藏利用系统。其目的是实现信息资源的共建、共享，提高文献的获取能力，发挥最大的社会效益和经济效益。

16. 文献保障率

文献保障率（document support rate）是信息保障率的重要组成部分，是指一个国家、地区或机构收藏文献完备程度的一个比率。具体公式为：某年度某类别馆藏图书种数/某年度出版某类别图书的种数（有的研究者称之为文献覆盖率，是指图书馆馆藏文献量与读者对文献合理需求种数之间的比率）（蒋鸿标，2013）。2019 年出版的《图书馆·情报与文献学名词》认为：文献覆盖率是指"在一定时间、一定范围内，图书馆收藏的文献种数与已出版的相关文献种数之比。"本书认为，文献保障率，既是指"覆盖率"，更是指"合理需求的满足率"。

17. 信息资源服务模式

信息资源服务模式（service model of information resource）是指图书情报等机构根据用户需要，提供信息资源的方式，这种方式不断重复出现，已被归纳成经验、原则或规律、理论，可供参照、应用和推广，包括信息资源云服务模式、开放型服务模式、主动型服务模式、服务经营型服务模式、柔性管理型服务模式、信息检索型服务模式、嵌入式信息服务模式、个性化服务模式、人本化服务模式、信息推送服务模式、交互式信息服务模式、信息共享空间服务模式、移动信息服务模式等。

1.2.2　相关理论基础

下列理论或原理、原则、定律等，对本书研究具有指导意义。

1. 信息资源建设理论

信息资源建设理论（construction theory of information resource）包括基础理论、文献信息资源建设、网络信息资源建设；或是指基础理论、文献信息建设、数字信息资源建设、信息资源共建共享。

信息资源建设是人类对无序状态的各种媒介信息进行选择、采集、组织、开发等活动，使之形成可利用的信息资源体系的全过程。

信息资源体系，是指在微观上，不同内容、层次、载体、语种组成的一个相互联系、依存的系统，满足读者信息需求；在宏观上，统筹规划、合理配置、科学布局，满足社会需求。

2. 资源配置理论

资源配置理论（resources allocation theory），亦称资源最优配置，是指在市场经济条件下，不是由人的主观意志而是由市场根据平等性、竞争性、法制性和开放性的一般规律，由市场机制通过自动调节对资源实现的配置，即市场通过实行自由竞争和"理性经济人"的自由选择，由价值规律来自动调节供给和需求双方的资源分布，用"看不见的手"优胜劣汰，从而自动地实现对全社会资源的优化配置。

3. 文献增长定律

文献增长定律（law of literature growth）是普赖斯（D. Price）于 1961 年提出的

科学文献的指数增长规律。普赖斯在其著作《巴比伦以来的科学》中考察统计了 1665 年至 1900 年科学期刊的增长情况，发现科学期刊的数量大约一开始是 50 年增长一倍，后每 50 年增长 10 倍，1000 年内增长 1000 倍。每年增长率为 5%~7%。

4. 信息资源共享原理

信息资源共享原理（principle of information resource sharing）是指图书馆在自愿、平等、互惠的基础上，通过建立图书馆与图书馆之间和图书馆与其他机构之间的各种合作、协作、相互协调关系，利用各种技术、方法和途径，共同提示、共同建设和共同利用信息资源，以最大限度地满足用户信息资源需求的全部活动。

5. 吉尔德定律

吉尔德定律（Gilder's Law）是指主干网带宽的增长速度至少是运算性能增长速度的三倍。因为运算性能增长速度主要是由摩尔定律决定的，所以根据每两年运算性能提高一倍计算，主干网的网络带宽的增长速度大概是每八个月增长一倍。而主干网的网络带宽的不断增长意味着各种新的网络应用方式的出现和网络用户的使用费用的不断降低。

6. 梅特卡夫定律

梅特卡夫定律（Metcalfe's Law）则为互联网的社会和经济价值提供了一个估算的模式。梅特卡夫定律是由以太网的发明人罗伯特·梅特卡夫（Robert Metcalfe）提出并以他的名字命名的。其简单描述是：网络的价值与网络使用者数量的平方成正比。这个貌似简单的陈述，却为包括互联网在内的，许多重大发明存在并被利用的实际价值，提供了一个简洁的数学结论。

7. 摩尔定律

摩尔定律（Moore's Law）是指当价格不变时，集成电路上可容纳的晶体管数目，约每隔 18 个月便会增加一倍，性能也将提升一倍。1965 年该定律提出，集成电路的复杂度（可被间接理解为芯片上可容纳的晶体管数目）每年增长一倍。后来在 1975 年，改为每两年增长一倍，性能也将提升一倍。这一说法逐渐成为后来的标准定义并被英特尔公司使用。流传很广的另一个版本是每隔 18 个月增长一倍。

8. 文献计量学

文献计量学（bibliometrics）是运用数学方法对文献进行定量化研究，以揭示其发展规律的学科。它是集数学、统计学、文献学于一体，注重量化的综合性知识体系。其计量对象主要是：文献量（各种出版物，尤以期刊论文和引文居多）、作者数（个人、集体或团体）、词汇数（各种文献标识，其中以叙词居多）。包括文献增长定律、布拉德福定律、洛特卡定律等。文献计量学最本质的特征在于其输出务必是"量"。目前，文献计量学已成为图书情报学和文献学的一个重要学科分支，也是专门、重要的研究方法，国内外研究活跃。与文献计量学相关的学科有科学计量学、信息计量学、网络计量学。

9. 核心期刊效应

核心期刊（core journal）原本含义是指某个学科领域论文数量相对集中的少数几种期刊。核心期刊的概念源于布拉德福定律（与二八法则极为相似）。布拉德福定律根据论文在期刊上的分布数据，划分出核心区、相关区和边缘区期刊。在核心区的期刊即为核心期刊。20世纪70年代引入中国后，核心期刊概念、统计指标等均有一些变化，从最初的载文量扩展到引文量、文摘量等，还加上了"专家评审"。目前中国对核心期刊的定义引申为：某个学科领域刊文量或刊文率、引文量或引文率、文摘量或文摘率、转载量或转摘率、利用量或利用率较高，且得到一些同行专家认可的约占期刊总数 20%的高影响期刊。核心期刊效应（core journal effect）是指形成核心期刊的原因，即优势累积原理和马太效应。

10. 补充计量学

补充计量学（altmetrics）是指利用数学方法对社交网络数据、线上线下的所有数据进行统计、分析、研究，以揭示其发展规律的学科，是对传统的以引文指标为主的文献计量学有所补充和发展的新兴学科。互联网的出现彻底改变了人们的生活与工作方式，吉尔德定律、梅特卡夫定律和摩尔定律的出现，促使了网络计量学的发展，而网络上不仅有文献的利用，还有各种评论、点赞，各种交流的痕迹，这些都可以收集起来，进行分析和利用。国外创造了一个新词，即 altmetrics（补充计量学，或替代计量学）。

1.3　既有研究成果述评

1.3.1　国外战略性新兴产业研究

战略性新兴产业是我国首次提出的一个新概念，在国外文献中有相近的概念，诸如主导产业、新兴产业、战略性产业、优势产业等。战略性新兴产业首先是新兴产业的一部分，是新兴技术和新兴产业深度融合的产物。

1. 主导产业的研究

美国经济学家罗斯托最早提出主导产业这一概念，认为一个或几个新的制造业部门的迅速增长是经济转变的强有力的、核心的引擎，经济增长的过程就是新旧主导部门连续更替的过程（罗斯托，1988）。同一时期，美国发展经济学家艾伯特·赫希曼和日本的产业经济学家筱原三代平等对主导产业理论特别是主导产业选择标准进行了大量研究。Trajtenberg 依据比较优势理论，认为每个国家都应根据"两利相权取其重，两弊相权取其轻"的原则，集中生产并出口其具有"比较优势"的产品，进口其具有"比较劣势"的产品，通过贸易交换，双方不需要生产所有商品从而获得最优效益。因此，每个国家要发展具有比较优势的产业，尤其是那些具有潜力、对国民生产意义重大且能带动整个产业结构发展的产业，形成能够充分发挥本国优势的产业结构（Trajtenberg，1990）。Kremer（1993）认为，要根据产业的竞争状况来确定区域的产业选择，因为拥有竞争能力的产业其生命力也会更持久，对社会经济的影响也更大。Keizer 等（2002）认为，主导产业是一个区域经济发展的核心动力，应该具备较强的发展前景、较大的产业关联性和庞大的就业效应，这也是主导产业选择的重要依据。

在技术经济范式提出来之后，Freeman 和 Perez（1988）认为，技术经济范式具有在整个经济中的渗透效应，即它不仅导致产品、服务、系统和产业依据自己的权利产生新的范围，而且直接或间接地影响经济的几乎每个其他领域。战略产业或主导产业的选择，必须考虑该产业的技术经济范式，以一个或几个主导技术构成不同产业的技术基础；这些主导技术群决定一定时期内特定产业增长的模式和水平。并且，随着科学技术的发展，主导技术群会发生变化，战略产业或主导产业的技术基础也会随之改变，进而改变经济发展的模式，从而导致主导产业的更迭。也就是说技术经济范式演变的过程就是打破常规和建立新范式的过程，也是主导产业或战略产业选择或演变的过程。

2. 新兴产业的研究

美国著名管理学家 Porter 从产业动因出发，将新兴产业定义为由于科技创新、新的顾客需求或相对成本结构的改变而出现的某项新产品或新服务（Porter，1980）。新兴产业是处于产业发展初级阶段的产业，这个阶段涵盖了萌芽期和成长期。波特认为新兴产业是新建立的或重新塑型的产业，它是采用新兴技术进行生产、产品技术含量高的产业，其出现的前提是社会科技创新、产业本身相对成本降低（波特，2002）。Agarwal 和 Bayus（2004）认为，新兴产业由少数公司的先导活动所创立，这些公司通常面对更大的不确定性和风险，而且由于资源的迅速获取也能从先导活动中获益。McGahan 等（2004）提出新兴产业处于产业发展生命周期的暂时阶段。Blank 认为，新兴产业是充满未知的产业，通常由一个新的产品或创意所形成，处于发展的早期阶段，存在很多不确定性，如对产品的需求、潜在的增长潜力和市场条件等都不确定，而且无法遵循原有轨迹。从产业表现出发，可以认为新兴产业是指那些完全新的或者由于行业环境改变而经历显著新增长的产业（Blank，2008）。换言之，新兴产业可能是现有的产业，也可能是那些在经过一段休眠或调整后重新出现的产业。

新兴产业在较长时间中被国外研究者相对忽视（Chandler and Lyon，2001）。比如，国外文献回顾显示，2000 年之后发表的企业方面的文章中，关注产业层面的论文不超过 10%（Dean et al.，2007）。研究新兴产业有太多挑战（Davidsson and Wiklund，2001）。原因主要有理论和实证两方面，相对于产业经济和产业发展等理论研究，实证方面是新兴产业研究中的困难所在，通常是产业成熟了才能确定是新兴产业（MacMillan and Katz，1992）。而且，许多新兴产业发展失败后，进行研究的可能性就更小了。因此，随着时间推移，学者们会停止研究那些不能得到证实的理论（Aldrich and Ruef，2006）。从战略角度看，新兴产业无疑代表着企业竞争的重要环境，但是在实践中却没有能够揭示这一环境中新兴产业展开的关键过程。比如，战略联盟的形成。Lant 和 Phelps（1999）等关注战略联盟形成的内在机制和关键路径已经有二十余年了，但是，很少有研究能够给出真正的回答以帮助企业对机会与威胁进行识别和反应（Mehra and Floyd，1998）。

从政治方面来看，新兴产业为国家和社会带来收入：新兴产业可以刺激经济增长和增加就业，刺激环境友好型技术的发展（Russo，2003）。然而在更多情况下还是要看国家怎样刺激和规划新兴产业（Eliasson，2000）。尽管金融危机已经强调了在各行各业不同部门的相互依赖性，但现实回答要更为复杂，且会因不同国家的情况而有所不同（Romanelli，1991）。

总之，新兴产业研究面临的复杂性和持续性需要来自多个领域的学者的合作和关注，涉及和企业研发各分支领域有关联的各种学者，比如组织社会学家、企业历史学家这些看似不相关的人。有必要推进新兴产业研究，让学者、企业管理者、政府决策者更好地理解和进行新兴产业情况的交流。

3. 新兴产业创新研究

新兴产业的形成与发展可以有多种路径，常见的有四种（Lee et al.，2008）：产业新生、产业分化、产业派生和产业融合。Baldwin 和 Clark（2000）以计算机产业为例论述了通过模块分割、替代、扩展、排除、归纳、移植可实现多样性技术创新，分析了模块化对处于不同发展期产业开放式创新的驱动作用。Mark Dodgson 和 Roy Rothwell 在其编著的《产业创新手册》中，对产业创新的来源、产出、创新的部门和行业特征等作了相关的研究，指出产业的创新与发展不仅仅是政策、技术、组织的作用，它还受国家的或者是区域的宏观环境的影响。营造良好的产业发展环境，是创造产业竞争优势、增强产业竞争力的重要因素之一（道格森和罗斯韦尔，2000）。日本学者南亮进认为，日本工业实现迅速进步就是因为日本具备了很强的模仿创新的"社会能力"（南亮进，1992）：一是拥有优秀的企业家、技术人员和劳动力；二是经营组织的现代化；三是情报网的发达，在日本国内的技术普及方面，工业行业协会、产业行会发挥了较大的作用；四是装备产业的发达。此外，经济的支持也是产业创新的后盾，巨额的资金投入新的学科和技术领域，能为产业的发展奠定坚实基础。正是因为以上的配套环境或者说是综合环境的驱动作用，部分产业资源可以重新配置或者通过生产要素的重新组合，使得某些产业获得了新的竞争优势或者创造了全新的产业。已有研究表明，诸如隐含经验类交谈等非产业联系是促进产业集群创新的重要因素。但这种非正式交流往往建立在熟人圈的基础上。对于可能属于不同国家、存在文化差异的园区内的企业来说，在相互间的产业联系、信任感等尚未建立之前，这种非正式交流的机会较少（Wickham，2005）。

4. 战略性产业创新及管理研究

美国经济学家 Hirschman 最早提出"战略性产业"这一概念，他将处在投入和产出中关联最密切的经济体系称为"战略部门"（Hirschman，1958）；Teece 从产业特征出发，将战略产业定义为具有强大竞争力，且具有规模经济、学习型经济和网络经济特征的产业（Teece，1991）。Hirschman 提出了著名的"不平衡增长战略"，他认为，增长在国家间或区域间的不平等是增长本身不可避免的伴生物和前提条件，核心区或增长点的增长动力主要来源于"核心"内所出现的集聚经济效益和"动态增长气氛"，在投入产出关系中关联最密切的经济体系是"战略部门"，这可以理解为战略产业（赫希曼，1991）。经济学家克鲁格曼（Krueger）提出了识别战略性产业的两项标准：一是看该产业是否有大量的"租"存在，二是看该产业是否存在着外部经济。超额收入被称为"租"（rent），"租"的根源来自对某种生产要素的需求提高而供给却因种种因素难以增加而产生的差价。他认为，战略性新兴产业应该具有较大的"租"，其资本或劳动的回报率应特别高，且存在较广泛的外部经济；战略性新兴产业要真正掌握关键核心技术，否则就会受制于人，因而必须做好战略决策储备、科技创新储备、领军人才储备和产业化储备（克鲁格曼，2000）。

Edquist（2001）指出创新系统运行中的系统失灵主要有：创新系统的功能不适宜或缺失、组织不适宜或缺失、制度不适宜或缺失、要素间交流或联系不适宜或缺失。Edquist（2011）提出创新系统失灵的四种形式为：基础设施失灵、制度失灵、交互失灵、能力失灵。Ou 和 Lin（2010）认为战略性新兴产业发展的核心是战略性新兴技术产业化的实施，而这取决于战略性新兴产业创新体系的形成和发展，建立连接科研工作者的知识库、构建技术体系是中国战略性新兴产业的创新体系构建的两个重要基础，战略性新兴产业技术体系应制定以下四种能力：技术选择和识别的能力，组织协调能力，技术市场的能力应用以及政府的大力支持。邓龙安（2012）探讨了战略性新兴产业发展的条件和科学技术价值的创新活动，研究了战略性新兴产业的技术创新体系，提出了战略性新兴产业技术创新体系的建设路径和创新体系策略。刘文霞和王永贵（2015）以战略性新兴产业中后发企业为研究样本，围绕"技术能力如何影响后发企业的技术追赶"，得出了新兴工业化国家的后发企业技术创新能力和技术赶超的关系，提出了技术追赶战略、技术追赶路径和技术创新能力的演化观，认为制造业技术追赶路径选择是技术能力提升过程的结果，技术追赶战略和技术追赶路径有多种选择。姜义平（2012）认为培育和发展战略性新兴产业已成为国家竞争力的一个重要来源。产业核心竞争力主要取决于产业创新能力的发展，而后者取决于产业平台系统的水平，对新兴产业平台建设提出了一些对策。Xu 等（2015）基于技术二次创新理论，指出了发展中国家新兴产业技术创新模式及其特点，以中国一平板显示器制造商为例，从创新生态系统的角度阐述了其技术发展过程中的环境、战略和能力演进，针对发展中国家企业如何利用新兴产业中的后发优势在二次创新过程中提高竞争力提出了一些建议。吴邵波等（2016）认为新兴产业创新生态系统的技术学习可以实现技术知识的积累，最终实现整个创新生态系统的价值。新兴产业创新生态系统的技术学习有模仿学习、人员流动、非正式交流等多种方式。因此，有必要采取多种措施来克服技术交流过程中知识交流的障碍，提高技术学习的效率。

　　MacDonald（1985）认为新兴行业企业的管理人员面临着应对由不断变化的经营状况所产生的日常危机的重大挑战。如果公司最终能够生存下去，就必须成功地解决这些技术学习中的挑战，作出正确的战略选择。Olleros（1986）研究显示开创新技术商业化的公司频繁消亡，建议对新的新兴产业和技术驱动的竞争战略的优点和局限性要有更为现实和清醒的看法。Sawabe 和 Egashira（2007）提出了一种基于 Agent 的具有局部网络外部性的仿真模型来分析新经济知识投资战略的相互作用，发现研发知识流动和溢出是相邻 Agent 非合作博弈的结果，当引入 Agent 的异质性时，获得稳定的公开共享的新的经济知识的可能性增加了。贺正楚等（2010）依据不同地区的经济发展和社会环境，对如何选择和发展战略性新兴产业进行了研究，建立了基于层次分析法和模糊综合评估方法的评价模型，并采用上述模型对新能源汽车制造业选择进行了评价。朱瑞博（2010）认为培育战略性新兴产业的关键在于掌握技术经济范式的内在要求和发展趋势，构建具有中国特色的开放式创新网络，实施产业组织模式、体制和机制创新战略，从而产业资本主导金融资本,形成一个有机的耦合系统。Zhao 等(2013)介绍了广东 LED 产业和政府的政策支持,并提出一个包括"技术推动"因素的互动模式,从"市场拉动"和"创新商业模式"来分析新兴产业的发展,认为新的商业模式可以促使公司以较低的风险不断提高技术水平进入能源市场,从而有效地解决新兴产业"技术不成熟"与"成熟市场"难题。Guo 和 Hui(2013)讨论了区域战略性新兴产业商业模式创新,建立了战略性新兴产业的商业模式创新评价指标体系和多级模糊综合评价模型。Song 和 Gnyawali(2017)讨论了新兴产业中企业技术能力和 CEO 从业经历对企业创新能力的影响情况。

5. 国家、地区的相关政策计划

2009 年 9 月美国政府出台《政府的创新议程》(The Administration's Innovation Agenda),将新能源、生物医药、智能电网、健康信息、交通的技术开发和产业发展作为国家优先发展的领域。《美国创新战略:确保经济增长与繁荣》将清洁能源、生物技术、纳米技术和先进制造业、空间技术、卫生医疗技术等列为国家重点优先领域。美国 2010 年总统预算将"支持构建面向 21 世纪生物经济的研究基础"作为科技优先领域之一。自 20 世纪 70 年代"新公共管理改革"提出用经营企业的思想来管理公共服务以来,美国的政府政策体系开始围绕市场展开,近年来扶持战略性新兴产业发展的政策体系最显著的特点就是"尊重"市场。以美国为代表的产学研相结合的市场化培育模式,已经有效地促成了联邦政府、州政府、企业界、科研机构与大学联合研究开发的生产机制,市场化培育模式对美国战略性新兴产业的发展起到了重要的推动作用。特别是产业集群理论,给新兴产业的发展提供了有效的理论指导。美国硅谷被称为世界上最具创新能力的高新技术产业集群。硅谷有着美国最大的生物科技和信息技术企业群落,而这两大产业正是两大战略性新兴产业。新能源汽车产业方面,Satyapal 等论述了氢能源的储备对氢能源动力汽车的重要性,美国能源部(The U.S. Department of Energy)为了研究开发氢能制定了"氢能源储备计划"(Hydrogen Program Plan),未来美国能源部还计划与国际氢能经济和燃料电池伙伴计划(International Partnership for the Hydrogen and Fuel Cells in the Economy,IPHE)委员会合作(Satyapal et al.,2007)。

日本的产业发展同样由政府主导,政府选择主导产业,并加以大力扶持,以此来促进产业成长,进而推动产业结构升级,这种政府主导的发展战略在模拟创新阶段,效果十分显著,但随着日本通过模仿改制已经站到国际前沿,整体上失去可以模仿的技术标杆时,就产生了传统支柱产业发展停滞,而新兴产业发展缓慢的问题。原因在于其基础研究和原始创新能力相对薄弱,因此当面对日趋复杂的经济结构,新兴技术与相关市场都具有极大的不确定性时,仅仅凭借政府的认知和决策能力,可能带来预测失误的风险。在当前环境下,开拓新兴产业的主角应回归企业，企业在追求创新垄断收益的过程中，才有可能逐渐研发出新兴的主导技术，并在此基础上形成新兴主导产业群。政府的职能更多的是建立有利于创新的制度环境和激励机制，如建立官民合作开发体制，共同分担研发风险。日本的产业发展升级和新兴产业发展的路径为本书的研究提供了良好的研究范本。

2009 年 3 月，欧盟宣布到 2013 年以前，将投资 1050 亿欧元发展绿色经济，以保持在绿色技术领域的世界领先地位。英国从高新科技特别是生物制药等方面，加强产业竞争的优势。英国政府 2010 年发布了《国家基础设施规划》，投资 2000 亿英镑重点促进低碳经济、数字通信、高速交通系统和科学基础研究方面的科技基础设施建设。2011 年 9 月 19 日《英国海洋产业增长战略》提出了基于产学研合作和产业增长战略的科技资源整合与共享新战略。2011 年 7 月，俄罗斯联邦政府确定了科技优先发展的领域以及 27 项关键技术清单，包括纳米技术产业、信息通信技术、远景武器、军事与特种设备种类、交通运输与航天系统、能源效率与节能以及核能技术等。2011 年 1 月 12 日，德国政府批准通过了《纳米技术 2015 行动计划》，要求在气候能源、健康、交通、安全和通信等领域加强纳米技术应用研究。2009 年，韩国制定《新增长动力规划及发展战略》，将绿色技术、尖端产业融合、高附加值服务等三大领域共 17 项新兴产业确定为新增长动力。2007 年，加拿大政府发布的《让科学技术成为加拿大优势》确定了环境、资源、能源、生命科学以及信息通信 4 个国家重点发展领域。巴西把生物燃料、生物柴油作为重点。印度提出要发展信息、生物技术、空间技术等。

1.3.2　国外战略性新兴产业信息资源管理研究

1. 信息资源建设研究

战略性新兴产业研究处于当代科技发展的前沿和先导领域，产业分工越来越细，专业化程度越来越强，其发展模式体现出一种"以信息为中心"的新模式，即以系统的观点去理解产业发展，将信息作为产业发展的重要组成部分。通过信息资源保障体系的运作来支持和促进创新活动已经成为世界各国国家创新战略的重要组成部分。在当今能源短缺和环境污染问题日益严重的背景下，各国都开始关注高新技术、新科技、新兴能源等相关产业。Blankenhorn（1997）强调了信息对于工程类新兴产业的重要性。Greenfield（1998）描述了新兴产业的信息资源管理整体解决方案，并通过英孚美（数据库软件商之一）数字媒体解决方案对新兴产业的信息进行管理。Daft 和 Lengel（1986）认为不确定性和模糊性是影响组织信息加工的两大主要因素，对于新兴产业中的公司经理们来说，主要问题不是缺少数据而是缺乏清晰性。Scheel（2002）指出新兴产业需要科技支撑，而新技术的发展和维持需要创新网络，这些创新网络由各虚拟中心构成，为新兴产业的发展提供稀缺的信息资源。Ragu-Nathan 等（2001）对技术政策问题、商业需求以及信息资源与新兴产业发展的战略需要等问题进行了论述，考察了信息与战略性新兴产业之间的关系。McIntyre（2008）认为对于能源公司来说，需要一个全新的、整合性的信息平台，而管理信息系统对新兴产业中的企业具有广泛的作用，如关键业绩指标追踪、诚信记录、事件追踪、任务管理以及紧急计划和反应等。Meng（2011）指出现代服务产业（modern service industry）作为一个重要的战略产业，需要采取服务导向的架构去更有效地提高信息共享的整合性、可测量性、可移植性、一致性以及统一性。Kluver（2005）考察了中国信息产业发展状况，认为信息技术产业已成为我国的支柱性战略产业，与此同时该产业又为其他产业提供信息资源服务，且中央政府和地方政府在计划、协调和培育信息资源共享方面起到了重要作用。

对于知识密集型的战略性新兴产业而言，仅仅依赖产业集群内的知识很容易使集群中的企业因脱离知识前沿而被"锁定"在旧的技术范式里，成为缺乏创新活力的"技术孤岛"。并且，知识在产业集群的流动和扩散也不是自由和均匀的，存在阻碍和差异。由此产生了集群"知识守门人"（knowledge gate-keepers）的概念，集群中弱知识吸收能力的企业不能直接获取集群外部知识，必须通过强知识吸收能力的企业将集群外部获取的复杂和高度编码的知识转化为情景化和便于理解的形式扩散给它们，这些强知识吸收能力的企业在集群中扮演"知识守门人"的角色。由此可见，对于战略性新兴产业来说，为了增进集群获取外部知识的有效性，信息资源保障体系建设的立足点应从"整体的保有和保障"转向"有针对性的流动和扩散"，支撑知识创新的信息资源保障体系需要将信息资源的增量和存量重新配置和整合，促进集群吸收外部知识的能力以及更新本地能力存量，以此促进产业发展和知识创新。

在欧洲，芬兰是最早将国家创新系统纳入科技发展体系的国家之一，在知识创新、信息资源建设等方面取得了显著成绩，特别是在信息资源规划方面，探索出了信息资源配置的有效方案。芬兰已经建立起一个发达、成熟的开放式国家创新系统（open national system of innovation），在知识与技术转移层面，各大科技园、大学以及政府相关部门领导下的技术中心，共同担负创新成果转移、推广和商业化应用的重任，产学研之间有着密切的合作。芬兰的国家创新体系建设是政府主导型的，其经验对我国有借鉴和参考价值。

2. 战略性新兴产业信息资源保障体系研究

美国在国家信息资源保障体系建设方面，鼓励信息机构以市场需求为导向，各自调整经营策略，同时在政府层面通过制定一系列信息政策法规，使处于分散状况的信息机构形成基本完善配套的体系，满足社会对信息资源的需求。以医学信息资源的保障体系建设为例，美国国家医学图书馆（National Library of Medicine）信息资源建设保障与服务的特点是：重视信息资源建设与开发的长期规划、信息资源服务密切联系社会信息需求、形成系列化的信息资源产品体系、注重带有人文关怀的资源产品推广宣传、经常开展信息资源与服务评价，取得了较大成功。

在信息资源配置保障方面，芬兰政府从国家创新系统中的信息流动的机理出发，在政府推动下，围绕创新主体信息需求分析、信息资源开发、信息服务与信息资源应用这一信息流，形成以多元投入、动态分布和集成配置为主体的综合化信息资源配置机制体系，其成效显著。

日本科学技术振兴机构（Japan Science and Technology Agency，JST）是实施日本"科技立国"战略的核心力量。JST 建立了日本最完善的科技信息体系。著名的《科学技术文献速报》即由日本科学技术情报中心（The Japan Informationcenter of Science and Technology，JICST）发行，JST 也提供、整合在线服务，拥有 J-STAGE[①]等数十种科技信息数据库。

作为发展中国家的巴西，其信息资源保障体系的建设更多体现出的是一种国家间、政府间、高校间、民间等不同图书馆系统之间的多层次合作体系。其中，高校图书馆联盟是其信息资源保障的主要形式。巴西教育部公共基金会支持的巴西国家科学与技术电子图书馆联盟（The Brazilian National Electronic Library Consortium for Science and Technology，CAPES），其信息服务面向高等教育联盟院校，以及获得 CAPES 认证的研究院、国家及地方性公立高等院校等。

国外图书馆向企业提供地方、国家和国际公司邮件列表，以及供应商检索、市场研究报告、财政情况报告、公司信用查询、竞争情报、法律研究、新闻监测、企业贷款、定题服务、剪报等服务。例如，大英图书馆提供商业咨询服务、文献传递服务、专利咨询服务、读者服务、研究服务、社会政策信息服务、研究室租借服务等（Spencer et al.，2004）。Massis 提出新图书馆的建设规划应包含商务中心，以帮助企业寻求项目启动机会，获得市场信息，预测市场和产品发展趋势（Massis，2014）。图书馆有必要向用户提供可访问的数据和信息以支撑经济发展需求，图书馆应该指导如何获取、分类、管理和提供多样化的信息资源，馆员应更了解订阅、编目、版权管理和在线获取信息方法（Carden，2004）。Feldmann（2014）认为图书馆应该考虑撰写市场研究报告等深层次加工信息产品和服务而非简单堆砌数据，这更符合企业高效工作的需求。

---

① 全称为 Japan Science and Technology Information Aggregator，Electronic，日本科学技术信息集成系统。

3. 战略性新兴产业信息资源服务研究

目前在信息服务领域，"用户主导"（user-oriented）成为趋向，通过创新服务机制，创建服务品牌，实现从传统的有形馆藏文献资源服务向知识内容服务为核心的知识化服务转变，信息服务日益社会化、网络化、个性化。2010 年太平洋邻里协会（Pacific Neighborhood Consortium）联合会议的主题是：从数字内容到知识价值（From Digital Content to Knowledge Asset）。重点探讨了数字资源的管理，知识资产的转变等议题，即海量的信息资源如何被人类所获取使用从而变成知识资产。以德国为例，德国政府以应用为主导、以客户为中心，加强了大型基础和地方数据库建设的力度，如北莱茵-威斯特法伦州（Nordrhein-Westfalen，简称北-威州）信息中心既是该州的统计局同时又是州政府的全面信息服务商，该中心建立了中央数据库，专门提供人口分布地图、地理信息、矿藏信息等数据，并提供相应分析软件。用户通过该中心可以获得人口密度、农业分布、交通、土地开发等有价值信息。

由于战略性新兴产业包括的产业范围较广，对每个国家的所有产业均进行文献综述，工作量太大，课题研究时间不允许。下面针对代表性国家的一个新兴产业进行较深入的综述。美国的生物医药产业起步最早，具备了全球先进的技术水平，产业链较为成熟，已经形成了多个发展比较突出的产业集群，产业发展环境优越。对美国生物医药产业的信息资源保障体系与服务模式研究的梳理，可以给我国的发展提供借鉴，便于构建适合我国国情的生物医药产业信息资源保障体系。

美国生物医药产业的信息服务，很多是基于美国国家医学图书馆开展的。美国国家医学图书馆的前身是 1836 年成立的美国公共卫生部部长办公室图书馆。该图书馆经过不断发展，收集了包括医学、生物等领域的各种信息资源并建成数据库，这些数据库是生物医药产业研究宝贵的信息资源。美国国家医学图书馆目前已经成为世界上最大的生物医学信息中心以及最大的研究型图书馆之一，承担着生物医学信息和健康信息长期保存、管理和利用的任务。以下将具体介绍美国尤其是美国国家医学图书馆在生物医药产业信息资源保障中提供的主要信息服务。

1）健康信息服务

1998 年，美国国家医学图书馆就致力于为全民提供健康信息服务。该图书馆联合公共图书馆、大学医学图书馆和医院图书馆等参加建设健康信息服务项目。MedlinePlus（https://medlineplus.gov/）是美国国家图书馆和美国医师学院基金会共同研发的健康信息服务网站，该网站对帮助用户通过网络获取信息起到了重要的作用，网站的信息一般来自权威机构，如美国国家卫生研究院、美国其他政府机构等。MedlinePlus 网站主要包括如下服务模块，分别是健康主题、字典、数据库、组织机构、信息交换中心、出版物/新闻、图书馆及目录等。该网站一方面帮助公众了解健康信息，另一方面也为医药行业的发展提供及时准确的新闻信息。在这个网站中，用户可以了解到各种各样的医疗信息，有些晦涩难懂的医学术语能够通过视频动画等方式呈现，方便用户直观感受理解，网站提供的医药信息也能够满足大众的日常健康需求。

美国的健康信息服务相较于我国是处于领先地位的，我国目前还没有建设完善的医药健康信息服务体系，政府机构、专业性图书馆、公共图书馆在健康信息服务中发挥的作用仍较小。公众在遇到健康问题时，缺乏专业性的网站提供帮助，只能通过搜索引擎查找信息，更没有网上专家咨询通道，相当一部分的寻医问药网站充斥着各种医药广告信息。

2）灾害应急信息服务

美国国会图书馆 2002 年就提出将图书馆纳入危机管理中，加强图书馆在危机管理和信息传播中的作用。美国国家医学图书馆自从成立以来就注重参与到各种突发灾害的应急援助服务中，2008 年美国国家医学图书馆的"灾害信息管理研究中心"正式成立，开始收集、组织和传播卫生信息资源，与政府、企业、社区保持联系，做好灾害的准备、响应和恢复工作（Featherstone et al.，2008）。图书馆提供灾害应急的信息服务，能够使图书馆馆员参与到国家的建设中来。

3）科学研究信息服务

早在 1879 年，美国陆军外科医生图书馆办公室（The Library of the Surgeon General's Office，United States Army）就开始每月发布医学文献索引，每年大约出版 85 种医学期刊，2 万篇学术文章。这是对管理全世界出版的医学信息的首次尝试，为生物医药产业的研究打下了坚实的基础（Crawford，2016）。美国国家医学图书馆负责编辑出版"医学索引"，每个月出版一期，汇总收集了世界著名医学期刊上的论文，编制电子版的医学索引，称为"Medline"，这是世界上最著名的医学目录数据库，为生物医药产业研究者开展科学研究提供了强有力的文献资源保障。

除了提供文献信息，美国国家卫生研究院图书馆还购买了 3D 打印机，用以帮助专家进行科学研究。科学家可以利用 3D 打印机，设计制造器官，如 2016 年，科学家用 3D 打印机制作了一个卵巢给老鼠移植。3D 打印机还可以进行更加复杂的应用，如在钛打印机或者生物打印机上打印定制的髋关节、牙齿等。3D 打印机在医学和牙科方面将提供非常大的帮助，但是 3D 打印技术也需要医学院进行教授，图书馆未来还可能建立 3D 打印实验室（Walker，2017）。

数字图书馆技术在生物医学成像上也发挥着作用。通过数字图书馆，可以将生物医学研究产生的各种影像档案进行数字化存储，经过加工组织后，利用信息技术和信息系统构建数据库，使这些影像资料能够被交流和使用。互联网和数字技术的发展深刻地影响着学术交流、出版和合作研究，在数字时代，图书馆能为科学研究提供更加精准与细致的服务。

4）学科信息服务

随着时代的发展，图书馆馆员的角色定位也在发生着变化。美国国家医学图书馆的馆员，在战略信息的传递规划、图书馆教育等方面有了新的职业发展。为了生物医学研究的需要，图书馆馆员需要将图书馆资源进行信息系统集成，同时也要加强与用户之间的交流，他们的角色不是局限于图书馆管理员，而是生物医学科学研究的参与者，为生物医学研究提供个性化的信息服务。在提供生物医学信息服务的同时，图书馆馆员要不断提高自身的信息素养与专业背景，适应信息化时代图书馆转型带来的角色转变，要从单纯的图书馆管理员转向主动为用户提供专业性、学科性信息服务的知识导航者（Wong et al.，1997）。

在生物医药产业的科学研究中，会产生大量的生物医学数据，数据的分享对于研究成果转换成知识和产品有着至关重要的作用。世界上的医院和研究实验室拥有丰富的生物医学数据，如果这些数据能在学者专家中分享，那么就能非常显著地促进生物医药产品的发展。美国的数字图书馆项目就是开发和共享信息资源，以促进生物医药产业的研究与实践。

图书馆在医学项目中应担任数据管家的角色，如在美国国家卫生研究院的临床和转化科学奖（Clinical and Translational Science Awards，CTSA）项目中，健康科学图书馆就发挥了建设数据网络的作用，在 CTSA 项目与大学的合作中，图书馆馆员可以有机会学习生物信息学并且与临床研究者进行交流（Rambo，2009）。美国国家医学图书馆在科研项目中扮演数据管家的角色，可以帮助项目参与方组织与协调各种信息资源，参与项目建设的图书馆馆员也能够得到机会学习相关知识，是互赢的结果。此外，在科研项目管理方面，图书馆馆员因为对整个项目有个清晰的回顾，所以可以系统地参与到项目的评审中，确保项目的每一个步骤清晰（Morris et al.，2016）。

1.3.3 国内战略性新兴产业研究

国内关于战略性新兴产业的研究文献很多，有关信息资源建设和保障体系、信息服务的研究文献也较多，但对战略性新兴产业的信息资源保障体系和服务模式研究的文献却不多。下面对信息资源建设和保障体系、信息服务研究，主要是对战略性新兴产业、战略性新兴产业信息资源保障体系与服务模式研究进行文献综述。

除了高频词战略性新兴产业，其他高频词汇有新兴产业、物联网、技术创新、产业结构、自主创新、创新、战略性、产业发展、科技创新、产业集群、发展战略等，以及相关高频词汇，如影响因素、产业政策、光伏产业、新能源汽车、产业结构调整、传统产业、转型升级、战略、SWOT^①分析、人才培养、产业链、低碳经济、新能源、战略新兴产业、产业升级、路径、经济增长、问题、物联网产业、产业融合、发展路径、知识产权、因子分析、可持续发展、风险投资、协同创新、文化产业、对策建议、政策、上市公司、税收政策等。纵览国内近些年战略性新兴产业领域研究现状，从宏观管理与发展视角梳理出六个方面加以阐述。

1. 关于培育与发展战略性新兴产业意义的研究

国内学术界普遍认同发展战略性新兴产业是应对国际形势和发展国内经济的双重需要。加快培育与发展战略性新兴产业是应对未来国际竞争、构建国际竞争优势、掌握发展主动权的迫切需求，也是转方式、调结构、走新型工业化道路的根本要求，更是我国推进现代化建设、全面建成小康社会、实现中华民族伟大复兴的必然要求。对于提高自主创新能力、产业结构升级、转变经济发展方式、实现经济可持续发展、促进就业等有重大意义。万钢（2010）认为，依靠科技创新发展战略性新兴产业，对当前调整产业结构起到重要支撑作用，同时能够引领未来经济社会可持续发展的方向。王忠宏和石光（2010）认为，战略性新兴产业市场空间巨大，可以拉动中国经济增长、扩大就业、增强自主创新能力、抢占科技制高点，从而转变经济发展方式、实现内生增长、改善人民生活水平、提高生产力，战略性新兴产业选择依据包括国家意志、市场需求、技术自主、产业关联、就业带动、绿色低碳。霍国庆等（2012）研究发现，战略性新兴产业与大国崛起之间存在耦合性，国家制度创新激发创新活力和科技创新，创新成果的规模性应用又推动战略性新兴产业发展，战略性新兴产业快速成长能够提升国家竞争力，为大国崛起奠定基础。霍国庆（2012）提出应重视战略性新兴产业基础研究体系，完善制度创新、科技创新与产业创新协同发展机制以促进战略性新兴产业良性发展。战略性新兴产业选择标准或者说发展条件主要有五个方面：①自主创新能力；②产学研机制；③现有产业基础；④本土市场需求；⑤政策机制。这些标准判断战略性新兴产业时宏观成分与理论性强，有必要具体化和量化处理。

2. 关于战略性新兴产业选择依据的研究

贺正楚和吴艳（2011）结合战略性新兴产业特点和主导产业理论，以实证方法构建了战略性新兴产业的评价指标体系和选择模型，认为政府支持、资源环境、市场需求、战略新兴性等方面在选择战略性新兴产业时至关重要。霍国庆等（2012）认为战略性新兴产业是处于成长初期的战略产业，战略效应是判

---

① S（strengths）是优势、W（weaknesses）是劣势、O（opportunities）是机会、T（threats）是威胁。

断和选择战略性新兴产业的重要依据。对战略性新兴产业战略效应分析并确定其各级指标，通过专家问卷调查及层次分析法确定各级指标权重，构建战略性新兴产业战略效应的预测模型。应用利克特量表对战略性新兴产业 23 个子产业的战略效应进行了综合分析。对我国战略性新兴产业结构调整及未来战略性新兴产业选择提出了相关政策建议。

3. 关于战略性新兴产业技术创新的研究

强化技术创新是产业更替的驱动力，是战略性新兴产业的核心要素。战略性新兴产业的竞争，归根结底是核心技术的竞争。姜江（2017）认为，发展战略性新兴产业要坚守创新发展理念，以创新思维贯穿战略性新兴产业发展的全方面，坚持创新驱动、供给创新、制度创新。王宏起等（2014）提出构建战略性新兴产业突破性技术创新路径："外围模块—核心模块"路径、"核心模块—架构规则"路径和"架构规则—核心模块"路径。武建龙和王宏起（2014）认为，从模块化视角来看，战略性新兴产业突破性技术创新就是要实现影响产业深刻变化的关键模块技术、主导架构规则技术或其两者的共同突破。结合具体产业技术创新重点和我国产业发展基础，战略性新兴产业突破性技术创新路径主要有：外围模块高端渗透、关键模块重点突破、架构规则颠覆重构和模块架构耦合升级四个路径。姜大鹏和顾新（2010）提出加强企业中心建设、推进科技体制改革，促进技术服务部门、科研机构与企业之间的联系，从引进技术向消化创新与参与国际合作转变，以提升企业自主创新能力。谯薇（2010）认为要通过加强产学研合作和知识产权保护，鼓励企业技术创新和加速技术成果扩散等来提高新兴产业的创新能力。陈柳钦（2011）从体制创新、产学研合作、技术产业政策相协调等方面论述推进战略性新兴产业自主创新的路径和对策。朱瑞博和刘芸（2011）认为战略性新兴产业自主创新的不同阶段面临着不同的机会窗口，并提出了培育战略性新兴产业自主创新的具体建议。康健（2017）借助案例分析，从组织资源获取角度，提出战略性新兴产业创新能力的提升途径，其中包括加强行业协会建设、优化科技中介服务、强化产学研协同创新、推进产业研发体系及技术标准建设等。

4. 关于政府角色的研究

王博宇（2012）认为坚持市场主导地位和企业主体地位的同时，应重视政府规划和引导。完善以企业为主体、市场为导向的产学研相结合的技术创新体系，促进创新成果产业化以提升产业核心竞争力。钟清流（2010）从战略性新兴产业成长条件角度指出政府不应以投资优先，而应以激活创新动力及创造成长条件优先，要坚持政府引导、市场推动相结合，加强规范市场经济秩序和健全法治环境，政府在战略性新兴产业发展过程中要做组织引导者而不是主攻手，摒弃政府主导重引进与盲目投资、轻机制设计和政策调控,工作重点是以机制设计去激活内因条件,并以调控政策改善外部环境。王新新(2011)提出重视适应战略性新兴产业发展的体制机制建设,建立协调推进机制、完善市场运作机制、健全政策扶植机制和强化科学考评机制。万军(2010)在研究总结日本政府在发展新兴产业中发挥作用的经验基础上指出,由于高科技发展的不确定性,由政府来主导产业科技发展方向的做法不可取,政府应定位于创新的制度安排。

5. 关于战略性新兴产业扶持政策的研究

傅培瑜(2010)指出政府的激励政策是战略性新兴产业发展的外部动力,应积极地引导鼓励人才、资本流动到战略性新兴产业。贾建锋等(2011)认为需要设立战略性新兴产业发展专项资金,建立稳定的财政投入增长机制,支持重大关键技术研发、重大产业创新发展工程、重大创新成果产业化、重大应用示范工程、创新能力建设等,同时加强财政政策绩效考评。魏巍(2012)以钻石模型中政府影响产业发展的四个主要方面作为政策指标选取的切入点,结合国内外政府促进战略性新兴产业发展的具体情况,确定政策指标并构建政策体系。韩霞和朱克实(2014)认为要优化研发投入结构,整合行业研发资源;推进组织协调与合理规划,助力产业良性发展;强化知识产权助推战略,完善产业发展的促进机制。洪勇和张红虹(2015)对新兴产业系统要素完善与系统运行优化进行研究,基于"政策内涵—政策功能—政策目标"传导机制,指出在系统要素完善与优化目标上,政策设计的功能定位分别是提供产业资源供给;完善基础设施和产业制度,完善、优化和提升交互关系及成长能力。

6. 战略性新兴产业发展策略及效率研究

万钢(2010)指出要把握好四个规律:科技超前部署规律、新兴产业发展规律、政策引领和推动作用规律及人才聚集和成长规律。李晓东(2015)提出战略性新兴产业市场培育机制路径,包括正确处理好政府和市场的关系,形成市场推动战略性新兴产业发展的新常态,促进市场与产业发展互动及促进战略性新兴产业规模化发展。喻登科等(2012)提出了以价值链、知识链和物联网为媒介的三种战略性新兴产业集群发展路径。刘名远(2013)通过演化博弈模型分析战略性新兴产业决策的内在行为机理,分析其结构趋同效应及成因并提出策略选择。周丽艳(2017)认为信息技术服务业属于战略性新兴产业,其发展关乎信息产业竞争力提升、产业结构调整以及经济发展方式转变。信息技术服务业亟须商业模式创新,将信息、服务、终端的纵向整合不断深化,提出网络嵌入性对商业模式和绩效的关系呈正向驱动作用。

以上文献表明,战略性新兴产业发展壮大关乎民族经济兴衰,对于提升国家未来国际竞争力至关重要，需要政府规划引导、产学研协同、以企业为主体、以市场为导向，依靠人才、技术、资金、网络平台等优质创新要素的持续涌入才能有序发展（王健，2008）。

1.3.4　国内战略性新兴产业信息资源保障体系和信息服务研究

我国在信息资源保障体系建设方面与欧美相比稍晚，但也已形成相当多研究成果。

1998 年启动的中国高等教育文献保障系统项目，采取"整体规划、合理布局、相对集中、联合保障"的建设方针，初步实现了高校系统的联机公共检索目录（online public access catalog，OPAC）检索、馆际互借、文献传递、协调采购、联机编目等功能。

2000 年科技部联合财政部、国家经贸委、农业部、卫生部和中国科学院等相关部委，成立了"国家科技图书文献中心"（National Science and Technology Library，NSTL），收集和开发国外理、工、农、医等学科领域的科技文献信息资源，面向全国提供信息服务。

2002 年，中国科学院启动国家科学数字图书馆建设项目，旨在建立和维护中国科学院全院网络共享的科技信息保障环境。

从上述我国信息资源保障体系的建设成果可以看出，信息资源保障体系建设已经实现了从单个图书馆的藏书保障建设，发展到以联合目录为平台，整合各单个图书馆独立馆藏形成联合文献保障体系，进而发展为跨越传统图书馆行业边界，扩大到网络信息资源的信息资源保障体系建设阶段。到目前为止，这些信息资源保障体系建设项目的研究视野和建设仍定位在图书馆与情报机构上，着眼于一个特定系统和特定范围的整体保障能力，架构文献信息保障体系的出发点，也主要是以面向"完整学科拼图"为目标的，按照学科构成来分工建设信息资源，以保证各学科的一次信息资源达到完整和数字化。由此带来的问题主要体现为：信息资源保障体系仍处于条块分割、各自为政、资源重复、分散的状态，迄今为止仍未能形成一个覆盖全国各系统和行业间的文献信息资源保障体系；且在建设信息资源保障体系的过程中，政府的主导作用过于强势，不少地区、部门、领域甚至出现了政府包办一切的现象。信息资源保障系统运行缺乏活力，实际效益不明显。

随着知识社会的到来，社会对信息资源保障的要求已经发展为如何满足科研、产业创新的信息需求，如何围绕国家创新体系提供信息资源保障。目前已经有一些相关研究项目对此进行了关注，相关研究成果为信息资源保障的建设实践提供了一定的理论指导。

2005 年由罗爱静主持的教育部人文社会科学研究项目"网络信息资源建设政策法规体系研究"，武汉大学信息资源研究中心马费成教授主持的教育部哲学社会科学研究重大课题攻关项目"数字信息资源的规划、管理与利用研究"，以及2006 年武汉大学信息资源研究中心胡昌平教授组织的国家社会科学基金重大项目"建设创新型国家的信息服务体制与信息保障体系研究"，丰富了信息资源建设和保障体系、服务体制的研究。

尽管在信息资源保障领域已经取得了许多进展，但始终缺乏对信息用户和相关社会因素的深入研究，研究成果往往与实际需求和信息实践脱节，忽视了信息资源保障体系应面向现实问题和社会需求。

在信息服务研究领域，国内业界经历了由"重藏轻用"到"藏用并举"再到"以人为本、以用为主"的转变；服务手段上实现了由传统手工操作方法向自动化现代化发展的转变；在服务内容上，完成了从传统文献信息服务向多元文化知识服务的拓展；在服务方式上，经历了从馆藏文献资源服务到多样化的服务方式的延伸。随着计算机技术、现代通信技术和网络技术的应用，数字图书馆的发展使得信息资源的利用方式和用户的信息行为均发生了变革，以"用户为中心"的服务思想成为信息服务的主流；相关的研究热点包括：个性化信息服务、学科服务、学科馆员、嵌入式服务等。

国内信息服务的理念深受国外研究的影响。1997 年国际图书馆协会联合会（International Federation of Library Associations and Institutions，IFLA）开始将"营销"这一概念引入图书馆服务的管理与研究中，成立了管理与营销专业组（Management and Marketing Section）。大英图书馆外借部作为国际性馆际互借机构，通过馆际互借，为大英图书馆的发展获得了可观的经济资助。BLDirect[1]（大英图书馆在线数据库）可以让用户直接付费看到电子文献。BLDirect 还与 Google Scholar 学术搜索引擎合作，用户可从 Google 搜索结果中显示的链接，直接在线购买 BLDirect 的文献资料。2008 年之后国内关于图书馆服务与发展模式的讨论大幅增加，学者围绕资源、用户、技术和服务等问题，各抒己见。随着"以用户为中心"理念的形成，面向服务的架构（service-oriented architecture）的概念被引入信息服务领域。

目前，在战略性新兴产业信息资源保障体系与服务模式方面，我国学者霍国庆、李天琪、张晓东等，对我国战略性新兴产业信息资源的服务体系的相关内容进行了研究。霍国庆、李天琪、张晓东调研了七大战略性新兴产业在我国31 个省、自治区和直辖市的分布情况：68 个地级市布局了 6~7 类战略性新兴产业，一半以上（约 55%）的地级市布局了 3~5 类战略性新兴产业。利用社会

---

[1] https://bldirect.co.uk/。

网络分析了七大产业分布特征，根据分布特征探讨战略性新兴产业信息资源需求特点，最终形成我国战略性新兴产业信息资源保障体系的模式（霍国庆等，2012）。张晓东和霍国庆（2013）分析了战略性新兴产业的发展条件，利用社会网络分析了战略性新兴产业在我国各省区市的发展规划。根据战略性新兴产业信息资源服务的对象，将战略性新兴产业服务模式分成一站式、咨询式和自助式三种服务模式，综合讨论、对比分析了这三种服务模式的优缺点，形成了一个适应我国战略性新兴产业信息资源服务的最佳模式，来提升我国战略性新兴产业信息资源的竞争力。张晓东等（2012）指出关于战略性新兴产业的信息资源服务没有得到广泛的关注，并评价了我国战略性新兴产业信息资源服务的能力，提出我国战略性新兴产业信息资源服务模式的三个假设。霍国庆等（2015）通过对广州、江苏、新疆、青海的部分企业家和产业管理者进行问卷调查，发现我国不同地区及不同类型战略性新兴产业存在更多的共性信息资源需求，具体表现在其所面临的发展障碍、所需要的信息资源种类以及信息资源服务对象都具有较多的共性。

还有一些学者对战略性新兴产业的科技查新、信息服务平台和情报体系建设等问题进行了探讨。贺正楚和吴艳（2013a）对"赛迪网"的信息资源服务体系和网站服务平台进行了分析，指出我国战略性新兴产业网站服务平台规模较小，种类相对单一，应立足于国家层面建设综合的、成熟的、有效的信息服务平台，并提出相关建议。二人还分析了如何构建信息资源服务体系和战略性新兴产业网络服务平台，设计网络服务平台架构和各服务功能模块，并分析了"战略性新兴产业数据库"网站，给出了战略性新兴产业信息资源服务体系和网络服务平台建设的意见和建议。邓胜利和周婷（2012）根据战略性新兴产业的发展，提出围绕企业全球化经营、企业技术创新和企业知识网络化进行信息服务重组，建立战略性新兴产业信息资源保障联盟。刘芳（2013）分析了战略性新兴产业在商业信息、科技信息和政策信息方面的需求，战略性新兴产业信息需求的特点和流通现状，总结了科学图书馆的优势和在信息服务中存在的问题，提出要调整资源结构，并要采取灵活的信息服务手段。李欣和黄鲁成（2016）提出基于文献计量和专利分析的战略性新兴产业研发竞争态势分析模型，并以OLED①产业为例，验证了该模型的客观性、可行性和有效性。彭靖里等（2014）针对我国在编制战略性新兴产业发展规划中普遍存在的突出问题，在对技术竞争情报与技术预见概念及其相互关系讨论的基础上，分析了技术竞争情报和技术预见在战略性新兴产业发展中的促进作用。王吉（2017）分析比较了五种常见的反竞争情报模型，分别是 Phoenix 模型、米勒模型、公开信息保护模型、企

---

① organic light emitting diode，有机发光二极管。

业信息站风险分析模型及竞争情报和反竞争情报整合模型。根据战略性新兴产业企业发展周期的特点，探索性地为其选择反竞争情报模型给出了建议。申红艳等（2016）将产业竞争情报理论引入区域战略性新兴产业风险评估工作中，在探讨产业竞争情报在区域战略性新兴产业风险评估中的作用的基础上，分析了政府主导的区域战略性新兴产业在发展中面临的风险因素和区域战略性新兴产业风险评估对产业竞争情报的需求。刘珺（2015）从国内外战略性新兴产业的信息资源服务管理方面的研究成果出发，评价了我国在战略性新兴产业信息资源服务创新方面的能力以及存在的利弊，同时探讨已有的几种服务模式，并进行了理论分析，从而提出了符合我国国情的信息资源服务创新模式。李彬（2014）根据信息资源保障体系的概念，将战略性新兴产业信息资源服务体系划分为四个部分，分别是管理与运行机制、信息来源、信息服务对象、信息服务内容与方式。前两个部分是信息服务体系的关键，关系着信息服务体系的发展方向。战略性新兴产业信息服务对象主要由管理主体、运营主体、研发主体三个部分构成，是信息服务体系的核心部分，其中管理主体是各级政府部门，运营主体是各类企业，研发主体是科研机构或者高校科研团队。信息服务内容与方式对战略性新兴产业信息服务的具体操作进行了规定，如开展文献检索、市场调研、信息咨询等服务，要求有图书馆、信息存储系统、学科门户等相关信息基础设施。

一些学者在大数据领域利用一些新型的研究方法对战略性新兴产业的各方面进行了研究。潘玉辰（2016）分析了大数据环境下战略性新兴产业的信息个性化需求，并以此构建个性化信息服务框架。该框架由四个层次的系统要素构成，具体的信息服务模式包括五个方面，分别是个性化信息定制服务模式、个性化信息导航服务模式、个性化信息推送服务模式、个性化信息检索服务模式和个性化社区服务模式。陈瑜等（2015）利用信息可视化工具 Citespace Ⅱ 对国内外战略性新兴产业创新研究的文献进行了分析，探索了战略性新兴产业创新研究的前沿问题及演化过程。车尧等（2015）从专利情报分析视角引入社会网络分析概念，借鉴社会网络分析的中介中心性理论，将其应用于战略性新兴产业下风能企业的专利情报研究。袁润等（2013）利用可视化分析工具 Thomson Innovation 制作的专利地图和文本聚类图，对新能源领域中的风能产业核心专利和核心技术领域进行了识别。孙振（2014）从信息生态理论的视角出发，建立战略性新兴产业信息资源服务体系。他们认为，信息生态理论下战略性新兴产业信息服务模式是信息服务流程的结构化体现，在信息流转的串联和信息交互的作用下，以服务客体为中心，内容资源系统、服务策略和信息管理环境有机结合形成生态运行的环形链式关系，从社会、自然环境中吸取能量和物质基础，并随着服务主体的积极传动，最终实现提升信息服务有效性。

　　还有一些专家从战略性新兴产业的某行业或某地区出发，研究了这个行业或这个地区发展战略性新兴产业的问题。杨银厂等（2015）提出荷兰战略性新兴产业发展的空间逻辑，认为新兴产业空间布局是区域条件因素和机会窗口理论的结合。李双燕（2014）针对目前陕西省战略性新兴产业发展中存在的融资、人才、科技成果转化及项目执行效率问题，提出构建"陕西省战略性新兴产业信息网络服务平台"的建议。卜焕林（2016）构建了一个以扬州市LED产业内企业群体和政府部门为服务对象的产业情报服务平台，并详细介绍了该平台的功能定位、基本架构和服务方式。王成杰（2015）提议建设"吉林省战略性新兴产业标准化信息资源服务平台"，为吉林省战略性新兴产业的发展，提供专题性、专业化、类别明确、体系健全的标准化信息服务。

　　现有文献较全面地从产业特征、信息需求、行业特点、城市发展规划、信息服务平台、情报体系建设等方面研究了战略性新兴产业信息资源管理的内容。但研究内容中缺少国外信息资源保障体系的研究。虽然战略性新兴产业是我国于2009年才提出的概念，但是国外信息与通信技术产业、生物、新材料、新能源产业的发展已经很迅速，针对这些产业的信息资源保障体系应该也在日臻完善。

　　在战略性新兴产业信息资源保障体系与服务模式的研究中，很多是基于理论层面的研究，研究内容呈现固定化的模式。较多文章是从战略性新兴产业信息需求开始分析，引出建立相关产业数据库，或者建立产业信息资源共享平台，或者从宏观层面上建立信息资源保障体系。在战略性新兴产业信息资源保障体系和服务模式方面，缺乏各个产业信息资源保障体系的对比研究，缺乏已经实施的具体保障体系案例研究。研究内容理论化说明了我国对于战略性新兴产业信息资源保障体系与服务模式的研究还不充分，还处于研究的初始阶段，已经成功运作的信息资源保障体系较少，缺乏可以借鉴的经验总结。对于如何全面完善战略性新兴产业的信息资源保障体系、如何创新性地建立战略性新兴产业的信息资源服务模式还没有深入地进行探究。

　　综上所述，如何在信息资源保障体系的研究中调整研究视角，改变以往仅仅局限于图书馆系统内部的资源共享的惯性思维模式，根据国家创新体系对文献信息资源的需求，统筹规划，精心布局，有效地整合全社会的信息资源，以及充分利用这些资源，探索产学研共同发展、互利共赢的网络信息服务新模式，加快战略性新兴产业集群的知识转化和扩散进程，提升企业自主创新能力和产业发展水平。本书认为，在国家宏观层面上通过信息政策法规的保障，促进信息资源的合理配置与高效利用；在新兴产业集群的中观层面，建立具有问题针对性的，以促进信息和知识资源转移、扩散的信息资源保障体系；在图书馆、情报所以及各类型信息咨询服务机构的微观层面，架构起具有市场竞争力的信息服务体系，形成有效能的信息服务机制；由此形成合力，为科研创新和产业发展提供全程的信息资源保障，逐步形成具有国际先进水平的信息服务能力，提高我国战略性新兴产业的科技创新能力和国际竞争能力，这将会是信息资源建设和管理领域未来研究的一个方向。

第2章　战略性新兴产业信息需求调研

在信息化环境下，战略性新兴产业的发展离不开信息资源的支撑与保障。从政府部门制定相关政策规划，到战略性新兴产业企业的技术生产等都离不开信息资源的需求，了解不同主体信息资源需求特点及内容，对于研究战略性新兴产业发展与信息资源保障和服务之间的关系，构建面向战略性新兴产业的信息资源保障体系及服务模式均有重要的指导作用。而建立和提供信息资源保障与服务的前提和基础，是了解战略性新兴产业真实的信息需求。

企业要想实现对技术发展方向的科学定位、对市场需求的准确预测与快速响应，具备自主创新能力，参与国际竞争，同时将战略性新兴产业发展过程中的风险性降到最低，所有这些都离不开信息资源的支撑与保障，都与准确信息资源的获取和有效利用有关。因此，在信息化环境下，信息资源已成为战略性新兴产业发展过程中最活跃、最具生命力的要素和重要保证。温家宝曾表示，选择战略性新兴产业的最重要依据有三条："一是产品要有稳定并有发展前景的市场需求；二是要有良好的经济技术效益；三是要能带动一批产业的兴起。"（温家宝，2009）其中，"需求"是排在第一位的。需求在市场的末端拉动，科技创新在产业的起点推动，两者合力才能制造出使顾客满意的产品，减少资源浪费和产能过剩，从而带来经济的稳定发展。培育战略性新兴产业，就是要将科技研发的最前端与市场应用的最后端融为一体，快速打造完备的产业链条，实现从"产学研用"到"用产学研"的转变。

2.1　企业发展创新过程中的信息需求

从知识创新的角度来看，产业发展的路径其实就是"知识信息的转移、扩散—科技发明—成果转化—产业兴起"。现代企业的生产经营活动中，需要各种类型的信息支持，所有这些信息需求及相关行为的集合就成为通常所说的企业信息需求。企业的信息需求往往比较复杂，种类繁多且各不相同。

2.1.1　企业信息需求类型框架

著名信息行为学者、英国情报学家威尔逊（T. Wilson）认为，信息需求的本质源于人的基础性需求，即心理、认知和感情三方面的需求；个人的信息需求及其消费行为源自其所处环境，是从真实生活的渠道和关系中建构起来的。同理，探索企业发展各个管理和运行环节中信息需求的特点，也需要从企业组织及其员工的基础性信息需要、信息消费行为及其环境入手，研究他们对于成果转化、知识发展、技术生产到市场拓展等多方面的需求变化和行为规律。

价值链分析法由美国管理学家迈克尔·波特提出，该分析法将企业的价值增加活动分为基本和支持性活动两部分。其中，基本活动包括企业的进料后勤、生产、发货后勤、销售和售后服务等部分。企业的支持性活动包括采购、研究与开发、人力资源管理、企业基础设施（财务管理、战略计划）等，基本活动和支持性活动一起构成了企业的运营价值链，如图 2-1 所示。对于某个具体的企业来说，并非任何一个环节都能创造价值，只有一些特定的活动才能为企业真正创造价值，这些能够真正创造出价值的活动，就称为价值链中的"战略环节"，企业要保持竞争优势，就要着重关注这些能够产生价值的环节。

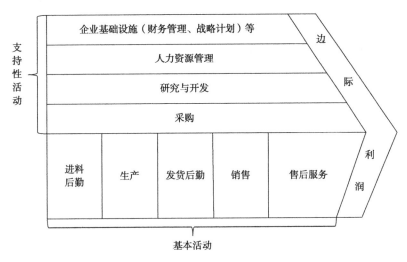

图 2-1　波特价值链模型

在波特价值链模型中，每一个增值的环节都需要特定的信息支撑，并产生某种信息内容，由此形成特定的企业信息需求周期，本书将价值链模型引入信息资源管理领域，结合战略性新兴产业的特征，重点关注企业在增值环节对信息需求的部分，将企业的信息需求分为研发信息、商务信息及政策管理信息三个方面，如图 2-2 所示。

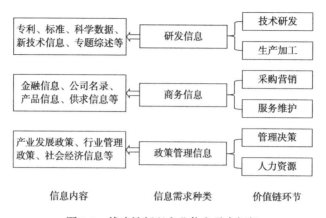

图 2-2　战略性新兴产业信息需求框架

2.1.2　企业生命周期中的阶段需求

任何企业都会经历发展与成长的动态轨迹，包括发展、成长、成熟、衰退几个阶段。美国当代著名的管理学思想家伊查克·爱迪思（Ichak Adizes）博士提出了企业生命周期理论，如图 2-3 所示。其精髓是：创新力与控制力的统一和平衡是企业可持续发展的关键，二者失衡是企业由盛而衰乃至走向死亡的病因。这一论断对于战略性新兴产业尤其具有针对性。

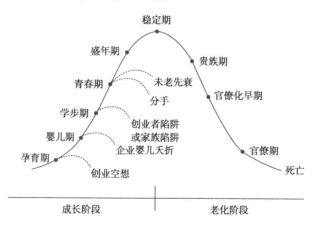

图 2-3　爱迪思企业生命周期阶段

战略性新兴产业的核心环节是科技创新，而实现科技创新的首要前提之一是对大量信息资源的占有和快速高效地实现知识信息的转移和扩散。企业自主创新的全过程可以分为创新决策、研究开发、创新成果商业化三个阶段。围绕创新的不同阶段，企业对信息资源的需求呈现出不同的特点。

在自主创新的决策阶段，企业不仅需要充分掌握自身情况，衡量企业自身的实力，还必须结合掌握到的市场需求、国家政策、新技术新工艺、专利标准等信息，作出正确的判断和决策，制定企业在一定时间内的创新战略。

在研究开发阶段，企业的创新信息需求内容与企业选择的创新内容有关。企业实施产品创新最需要可以支撑企业研究开发工作的科学技术信息和专利、标准信息等；实施工艺创新最需要新技术、新设备、新工艺信息；实施服务创新最需要市场信息如服务的供求情况等，用户信息如消费心理、消费偏好等；实施管理创新的信息需求主要集中在内部管理信息和国家相关政策法律法规等信息上。

在创新成果的商业化阶段，企业不仅要充分掌握相关的市场信息，还要掌握相关的国家政策、自然环境、社会环境等信息。

由此可见，对信息的需求贯穿于整个创新过程。同时，企业在信息源的需求上，也已经从图书期刊，拓展到专利、标准等，在信息渠道上，由社交活动、用户反馈等非正式渠道逐渐转变为门户网站、科研单位和图书情报机构等正式渠道。

2.1.3　战略性新兴产业信息需求维度

战略性新兴产业的一个核心特征是"知识技术密集"，发展战略性新兴产业的关键是实现知识创新，发展和培育战略性新兴产业的过程涉及多方主体，包括政府、企业、高校、科研院所等，贯穿从政策制定、产品研发以及产品生产不同主体的各个过程，既包括政府机构的制度创新、企业的技术创新，也包括公共研究机构和教育培训机构的知识创新，但究其本质都是信息知识生产、转移与扩散的过程，即知识创新的过程，其基础在于及时、全面地掌握国内外最新研发动向。无论政府的规划决策，还是企业的资源整合等，一切主体的活动必须建立在充分占有信息资源的基础之上。这不仅是知识创新的基础，也是整个战略性新兴产业发展（包括产业体系规划、产业布局、区域布局等）的基础。

战略性新兴产业主客体的复杂性以及生产研发的全局性，决定了战略性新兴产业信息资源的需求结构具有随环节深入的层层递进性，同时也反映出建立国家层面、地区层面和实体企业层面的三级信息资源保障体系具有很大的现实意义。在战略性新兴产业发展过程中，各主体由于不同的职责而产生不尽相同的信息需求，可以将我国战略性新兴产业信息资源的需求内容分为纵向（政府、企业、个人）与横向（行业）两个方面，具体涉及政府、企业、个人、行业四个维度。

1. 政府维度

目前，我国战略性新兴产业整体创新水平还不高，一些领域核心技术受制于人，一些改革举措和政策措施落实不到位，新兴产业监管方式创新和法规体系建设相对滞后，还不适应经济发展新旧动能加快转换、产业结构加速升级的要求，迫切需要各级政府部门以全球视野前瞻布局前沿技术研发，不断催生新产业，加强统筹规划和政策扶持，全面营造有利于新兴产业蓬勃发展的生态环境，创新发展思路，提升发展质量，加快发展壮大一批新兴支柱产业，推动战略性新兴产业成为促进经济社会发展的强大动力。这就需要政府高度关注颠覆性技术和商业模式创新，在全面、准确掌握战略性新兴产业报告等信息资源的基础上把控产业发展全局，并督促若干战略必争领域形成各自独特优势，促进战略性新兴产业集聚发展，掌握未来产业发展主动权，为经济社会持续发展提供战略储备、拓展战略空间。政府在制定战略性新兴产业的相关政策和实施措施时都需要及时准确的信息作为基本保障，党政领导部门需要有权威性的最新社会信息，根据这些信息制定重要决策，保证决策的正确性与可行性（赵雁，2006）。例如，在招商引资过程中，需要引进新兴产业相关的高新技术企业，其中包括企业的孵化、升级，人才引进、产品开发等各个方向的优质资源。而招商过程中的企业信息需要从多个渠道进行挖掘和分析，但是这些企业信息的获取并非易事，仅通过官方渠道获取的表面信息往往是不够的。因此，在招商过程中政府需要多渠道、及时获取经过汇总、整理的战略性新兴产业相关信息支持决策，推动由招商引资向引资、引智、引技并举的转变。由此可见，战略性新兴产业信息资源保障体系的建立迫在眉睫。

所谓创新引领，就是科技创新引领产业升级，制度创新引领经济转型。政府部门在实施创新引领战略中具有主要作用，中央政府在于科学制定产业政策、发布整体规划，地方政府在于科学招商引资、合理引导产学研合作。产学研合作表面上看是企业与高校或科研单位之间的合作，但是在实际操作过程中，在许多场合人们把"产学研"叫作"政产学研"或"官产学研"，从这些就可以看出政府对合作的成败往往起着重要作用。这是因为产学研合作之初大都是企业成长初期、新产品的试制期或新技术的研发期，这个时期离不开政府的有力引导和政策支持，如中小企业科技融资就需要政府相关政策的推动才可能完成。政府依托科研机构和企业研发基础，提升产业创新能力，推动研究机构、创新人才与企业相对集中，促进不同创新主体良性互动。政府领导在制定产学研政策和确定产学研项目时，也都离不开相关的决策信息支持。

概括地说，政府需要的信息服务分为基础型服务和信息支持型服务。基础型服务包括借阅、查阅等服务，为政府提供原始信息。信息支持型服务是指以已有的战略性新兴产业信息资源为基础，根据各地产业基础和特色优势，坚持因地制宜、因业布局、因时施策，为政府的决策提供信息支持，同时针对不同领域和业务范围的领导提供个性化定制服务，为加快形成点面结合、优势互补、错位发展、协调共享的战略性新兴产业发展格局提供保证。

　　面向战略性新兴产业的政府信息需求内容包括，针对战略性新兴产业各项决策所需的各个方面的信息，如社会经济总体运行信息、国家自然资源、人力资源、信息资源等，也包括制定法律规范时要考虑的社会现实和国民意愿，如社会民众的需求，与政策制定相关各方的利益均衡方面的信息；从信息的范围来看，既牵涉到国内经济发展、公共建设等方方面面，也涉及国际外交事务。信息需求形式趋向于多样化，包括战略性新兴产业研究报告、简报、论文、技术报告、图书专著等形式的信息资源。

　　2. 企业维度

　　发展战略性新兴产业的主体必然是企业，企业在技术、行业乃至产业创新中均发挥着主体作用。目前我国战略性新兴产业国际化趋势日益显著，要求各企业须全面掌握国内外战略性新兴产业信息，在世界范围内寻求技术、资金、人才、市场等资源的最佳组合，使产品更具竞争力。高新技术企业是技术和知识密集的场所，技术进步是增强企业竞争力的主要途径，高新技术企业依赖战略性新兴产业信息的积累与创新，实现持续的技术进步和新产品研发，具有高投入、高成长、高竞争、高收益和高风险的特征。因此，企业需要及时追踪和掌握有关专利、标准及有关本行业的科研发展、技术进步信息。因此，对于学科专业前沿趋势这类信息的需求，如专利信息、标准信息和技术报告等在电子、通信、机械、塑料、医药生物工程、信息工程等领域企业的新产品研发过程中显得尤为突出。

　　此外，如何通过扩大社会资本的拥有量，实现对内外部资源的获取，提高竞争优势，已成为中小高新技术企业普遍关心的关键问题。

　　3. 个人维度

　　针对个人层面，企业员工和高校领导是该群体的主体。其中，企业研发人员是战略性新兴产业的灵魂，他们需要大量的、准确的战略性新兴产业信息提供创新支持。对于战略性新兴产业的研发人员来说，拥有的战略性新兴产业信息越多，越有可能作出科学决策和创新；高校是教育实践单位，是战略性新兴产业政产学研协同发展的一大助力，校领导既是教育工作的组织管理者，也是学校教育活动的实践者。他们不仅要不断研究和解决各种具体问题，还要及时制定学校的科学发展战略和具体实施措施，从而领导学校不断发展，满足战略性新兴产业发展的人才需求。高校领导的这些决策工作都需要战略性新兴产业的信息支持。

　　4. 行业维度

　　战略性新兴产业是一个涉及不同行业的统称，不同的行业之间以及同一行业内部不同的研发方向都有着自己独特的信息需求，这些信息需求来源于本行业或者本领域的最新科研产品本身。全球行业发展现状、国内行业走势、行业发展趋势及关联行业走势等信息可以帮助一个企业在分析自身所处行业的发展阶段及如何在行业中处于领先地位提供充分的指导。及时了解竞争对手动向并分析竞争格局，对于企业来说，已成为获得应对竞争的关键信息的必要举措。战略性新兴产业涉及了很多的产品，这些产品必然要涉及大量相关的信息支持，我们可以按图索骥，为相关用户提供产品的各种信息（诸如研究进展信息、知识产权信息、市场营销信息等）。通过归纳梳理不同产业的相关产品（特别是国家重点支持发展的产品），有助于我们在信息组织的具体操作上有的放矢，更好地为我国战略性新兴产业的发展提供智库信息支持作用。

2.2　传统、新兴产业企业信息需求调研

目前关于企业信息需求的相关研究并不多见，特别是对于传统制造业与新兴产业信息需求及其利用程度差异的研究更为不足。有鉴于此，本书选择两个具有典型意义的企业，其一为传统制造业代表性企业，其二为战略性新兴产业代表性企业，对这两类有典型意义的企业信息需求状况进行深入调查，以期对企业信息需求及其利用状况能够有一个真实的了解（吴琼，2014）。

基于上述认识和思考，在调研方法上考虑采用提纲式访谈与问卷调查相结合的方式，调查问卷从企业信息需求的目的、类型、来源和信息保障机制等几方面展开。深度访谈分别围绕企业的生产、市场及管理三大职能部门，各选取 15 人、11 人、4 人作为采访对象，采访对象为企业内部各部门的中层管理人员或业务骨干代表。调查对象选取江苏省内两个有代表性的大型企业，分别为传统工业企业代表"江苏熔盛重工有限公司"和新兴产业代表"国电南瑞科技股份有限公司"。为便于对比分析，两家企业分别填写 30 份有效问卷，共计 60 份问卷。

江苏熔盛重工有限公司（简称熔盛重工）是一家大型重工企业集团，业务涵盖造船、海洋工程、动力工程、工程机械等多个领域。

国电南瑞科技股份有限公司（简称南瑞科技）成立于 2001 年，由南瑞集团作为主发起人，公司业务覆盖智能电网领域、轨道交通控制及工业控制领域、新能源控制领域、节能环保领域，专业从事电网调控技术、电网安全稳定控制技术、变电技术、配电技术、农村电气化技术、用电技术、风电光伏等电气控制技术、轨道交通控制技术、工业控制技术、节能和环保技术的研发应用，提供专业的全方位解决方案和产品设备。

在企业信息需求问卷的设计上，根据企业的价值链模型，将企业信息需求的

基本内容分为技术研发、商务与政策管理信息三大类；同时，借鉴企业在竞争情报方面的需求，又分别从三大类需求内容中提炼出关注度较高的子级信息类目，子类目主要有 8 项，分别为：高级管理信息、零部件及市场需求信息、竞争合作者信息、企业内部信息、政策信息、社会环境信息、技术创新信息、行业标准信息。本次调查采取访谈与问卷调查相结合的方式，为期 1 个月。

2.2.1　信息需求的目的指向

企业在生产过程中遇到困难，解决困难的渴求形成信息需求的初衷，信息需求的目的决定了所需的信息内容及企业运作的核心关注点，一般情况下，企业信息需求以了解政策、市场及行业情况为主。

如图 2-4 所示，通过访谈发现，无论是传统产业还是战略性新兴产业，"掌握行业情况"成为信息需求的最主要目的，占比达 45%；其次是"熟悉市场变动信息""明确国家政策法规""了解竞争者与合作者""了解社会环境""技术创新、自主研发""掌握企业内部情况"，各方占比较为均衡；以"树立高效管理理念"和"基于准确决策"为目的的信息需求相对较少。

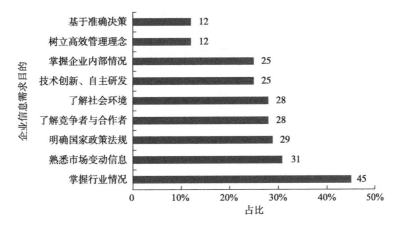

图 2-4　企业信息需求的目的指向（占比）

2.2.2　信息需求内容

如图 2-5 所示，调查发现调查对象对于"行业、标准信息""技术创新信息""社会环境信息""政策信息"关注度较高。两家企业这四类信息累加数量在其各自全部信息需求类型中的占比均超过 50%。对比两家企业，发现在信息关注方面有一定区别。相较熔盛重工，南瑞科技更趋向于"技术创新信息"与"竞争合作者信息"。

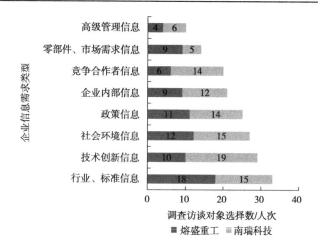

图 2-5　企业信息需求的关注趋向

本书进而对技术研发、商务及政策管理信息进行细分调查，并对熔盛重工和南瑞科技两家不同类型的企业进行了一定的对比，发现在细分信息领域，两大企业存在一定差异。

如表 2-1 所示，在研发信息中，对"专业期刊、图书""标准信息""科学数据""科技动态""科技成果"的关注度较高，平均占比达 10%以上。

表 2-1　研发信息需求内容统计

研发信息	总计		熔盛重工		南瑞科技	
	样本数	占比	样本数	占比	样本数	占比
专业期刊、图书	20	13.42%	6	9.09%	14	16.87%
标准信息	20	13.42%	9	13.64%	11	13.25%
科学数据	16	10.74%	6	9.09%	10	12.05%
科技动态	16	10.74%	9	13.64%	7	8.43%
科技成果	15	10.07%	7	10.61%	8	9.64%
专利信息	12	8.05%	5	7.58%	7	8.43%
科技成果转化信息	10	6.71%	7	10.61%	3	3.61%
科技项目	9	6.04%	2	3.03%	7	8.43%
专家信息	7	4.70%	2	3.03%	5	6.02%
新技术信息	7	4.70%	4	6.06%	3	3.61%
行业大型企业研发动态	6	4.03%	5	7.58%	1	1.20%
技术交易信息	5	3.36%	3	4.55%	2	2.41%
专题技术综述	3	2.01%	1	1.52%	2	2.41%
仪器设备信息	3	2.01%	0	0%	3	3.61%

　　熔盛重工在研发信息的关注方面较为平均，而南瑞科技则比较有倾向性，更关注"专业期刊、图书""标准信息"和"科学数据"三个方面。

　　在商务信息类中，对"销售/供求信息""产品信息"及"竞争对手"信息关注度较高，两大企业在商务信息方面无较大差异，分布均比较均衡。在政策管理信息中，两企业对"产业发展激励政策""企业发展政策""行政管理政策"等各项需求均较不明显，且基本呈均量分布，无明显差别。

2.2.3　信息来源渠道

　　信息来源渠道是指企业获取信息的渠道，而信息源是企业所获得信息的来源。在互联网尚不发达时期，企业获取信息的渠道主要为口头交流、报纸新闻等媒体、公开的纸质出版物等。随着网络信息普及度提高，获取信息更容易，企业的信息来源渠道也变得多种多样，信息源繁多。

　　对信息源的调查显示，企业在"专业数据库、网站""大众媒体、新闻""论坛博客、E-mail"等方面利用度较高，如图 2-6 所示。

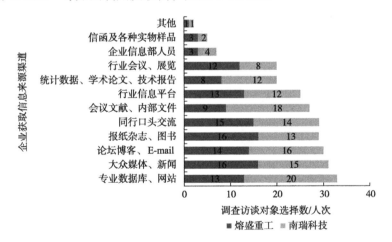

图 2-6　企业获取信息来源渠道统计

　　如图 2-6 所示，在信息源中，两企业对"大众媒体、新闻""论坛博客、E-mail""同行口头交流""行业信息平台""企业信息部人员""信函及各种实物样品""其他"的利用程度较为相似；但在其他方面有所差别，熔盛重工对"报纸杂志、图书"和"行业会议、展览"的利用程度更高，南瑞科技则对"专业数据库、网站""会议文献、内部文件"及"统计数据、学术论文、技术报告"具有更高的利用度。

　　对信息获取渠道的调查表明，在经常使用的信息渠道方面，企业对"行业网、BBS"和"大众传媒"的使用率较高，占比分别为 22.11% 和 20.53%。其次是"公开出版物""职工或情报网""行业、社会活动"及"定期报告";而对于"信息服务机构"的利用程度较低,仅占 6.32%,如表 2-2 所示。

表 2-2　信息获取来源渠道统计

信息渠道	总计		熔盛重工		南瑞科技	
	样本量	占比	样本量	占比	样本量	占比
行业网、BBS 等	42	22.11%	19	23.46%	23	21.10%
大众传媒	39	20.53%	22	27.16%	17	15.60%
公开出版物	28	14.74%	10	12.35%	18	16.51%
职工或情报网	23	12.11%	6	7.41%	17	15.60%
行业、社会活动	22	11.58%	11	13.58%	11	10.09%
定期报告	21	11.05%	8	9.88%	13	11.93%
信息服务机构	12	6.32%	3	3.70%	9	8.26%
其他	3	1.58%	2	2.47%	1	0.92%

对比两企业数据发现,南瑞科技使用的信息渠道更为广泛。

此外,考虑到现代信息更替频繁及形式多样,本书还对企业所获取的信息时间跨度、信息产品形式进行了倾向性调查。信息产品形式,即信息产品的形态和类型,包括综述、报告、索引、文摘等;在信息时间跨度上,考虑到网络时代信息循环周期流动加快的因素,本调研提供的四个选项为近一两个月、半年、一年至三年和三年以上。

调查发现,在信息产品形式的选择上,调查对象更趋向于选择"综述",其余依次为"报告""索引"及"文摘",如图 2-7 所示。

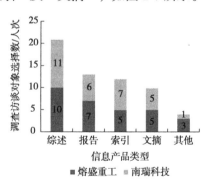

图 2-7　企业信息产品需求形式统计

在信息产品的形式上,两企业趋向程度比较类似。

在信息产品需求的时间跨度选择上,"半年"占比最大,其次是"近一两个月",选择"一年至三年"和"三年以上"时间跨度的较少,如图 2-8 所示。说明时效性对于企业来说是重要的考量;在时间跨度上,两家企业都倾向于"半年""近一两个月"的信息产品,无明显差别。

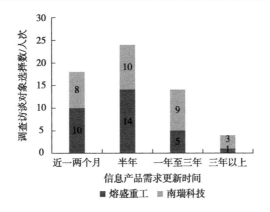

图 2-8　企业信息产品需求时间跨度统计

2.2.4　信息保障机制

本次调查所指的信息保障机制，是指能满足企业信息需求所提供的资源、技术及平台支撑。因此，首先需要对企业目前的信息保障现状有所了解，包括信息获取障碍及阻碍企业获取信息的因素，信息获取障碍侧重于调查对象内部因素，而阻碍企业获取信息的因素，主要指调查对象外部、较为客观的条件。

在信息获取障碍上，45%的对象认为"信息量不足"，20%的对象选择"检索技能欠缺"，"费用高""信息不准确"和"信息陈旧"分别占比 15%、13.33%和 6.67%。

对比两家企业，发现信息获取障碍的原因基本类似，如图 2-9 所示。

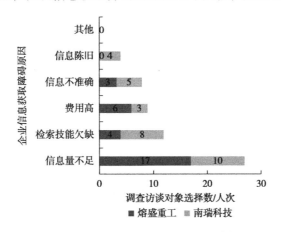

图 2-9　企业信息获取存在的障碍分析

在阻碍企业获取信息的因素方面，"缺乏有效信息中介平台""商业保密"

和"信息获取模式不科学"是主要的原因。此外，"产学研沟通合作不畅""政策支持不够"及"失却信息部门"和"缺乏信息意识"等也占据一定百分比。对比两大企业，发现南瑞科技在信息中介平台及信息获取模式方面有更多要求，而熔盛重工则在商业保密及政策支持方面有较高要求，如图2-10所示。

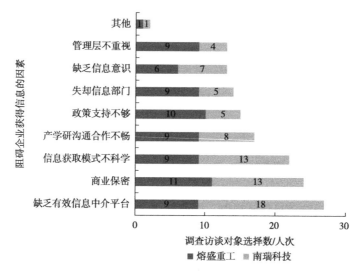

图 2-10　阻碍企业获取信息的因素分析

信息服务项目偏好是指企业对满足信息需求、提供信息资源支撑的服务项目形式，如同行动态、研究报告、专题服务、科技查新等的偏好。调查发现，如图2-11所示，对"市场需求""同行动态""研究报告"和"文献检索"的热衷度较高，其次为"竞争情报""专题服务""科技查新""文献传递""专利咨询"等。

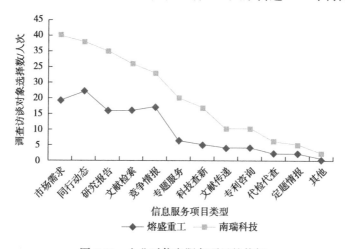

图 2-11　企业对信息服务项目的偏好

　　对比两家企业，在"市场需求""同行动态""研究报告"和"文献检索"方面的需求较为一致，此外，南瑞科技偏重"专题服务"和"科技查新"，而熔盛重工相对而言在"竞争情报"上的关注度更高。

　　信息提供方式是对企业信息需求进行技术支撑的体现，借鉴已有的信息组织及服务模式，本调查将其分为存档方式、数据传递方式、构建网站等信息平台和数据访问模式四个方面。如图 2-12 所示，调查发现，调查者更侧重于"数据访问模式"，其次是"构建网站等信息平台"及"数据传递方式"，最后为"存档方式"。对比两大企业可以发现，相对而言，南瑞科技更重视数据的存档方式以及传递方式。

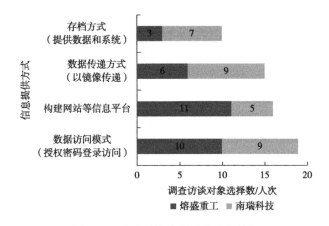

图 2-12　企业对信息提供方式的偏好

　　通过为期一个月的深度访谈与问卷调查，调研的结果显示，现代企业的信息需求呈现出如下两方面特点。

　　第一，信息需求迫切，信息意识加强，但满足信息需求时存在障碍。

　　访问对象均表示对信息资源有较大需求，但在分析问卷时发现，目前各企业并没有设立有效的信息资源平台，员工只能凭借自身有限的检索技能自行到各网站或媒体获取所需信息。再加上受制于政策、商业机密及一些网站的权限问题，员工自身的信息需求很难得到满足。

　　在访谈过程中，大部分对象表示信息意识足够，但获取信息的方式不科学、获取信息的能力不足，产学研之间的沟通不顺畅，比较希望通过构建网站等信息平台来规范信息获取的方式。

　　第二，信息需求与企业生产高度相关，信息需求呈现多样化、全方位特征。

　　企业的信息需求具有相当明显的实用性，受访者的信息需求基本来自工作中所遇到的未知问题。由此，整个企业的信息需求与日常的生产过程高度相关，即以产品生产研发为中心，而市场、政策信息为辅助。

　　本次调研的两家企业规模较大，企业的组织结构较为规范，包含领导、中层管理人员、专业技术人员、生产人员、销售及服务人员等，这些受访对象工作岗位、任务及学术水平的差异性，导致了企业整体的信息需求呈现出多方位、综合性等特点。此外，受访企业对期望提供的信息产品类型也呈现出多样化的形式，且企业的信息来源渠道很多，包括大众媒体、行业信息网、情报网等，选择余地较大。

通过对企业信息需求的调研，可以得出以下结论。

首先，信息机构应以市场需求为导向，形成系列化的信息产品。

信息资源的保障和信息服务应密切联系企业信息需求。以"用户和需求为导向"，有效整合信息资源，提升企业自主创新能力和产业发展水平。我国目前提供信息知识服务的机构主要包括为数众多的图书馆、情报研究所和提供各种信息咨询的中介服务机构，如针对技术创新的信息服务中介机构就有如下类型：创业服务中心、生产力促进中心、工程技术研究中心、情报信息中心、知识产权事务中心和各类科技咨询机构、技术产权交易机构、常设技术市场、人才中介市场等。这些机构的首要任务就是提供信息服务，但它们大多集中在大中城市，分布不均匀，且专业化水平低，彼此独立，协同程度低，服务功能单一。

我国与技术创新相关的信息平台其实并不少，但各平台间部门分割、区域分割现象严重，各自建网使得力量分散、规模小、相互之间缺乏联系、信息更替慢、内容陈旧、信息资源共享程度低。因此，有必要加强对战略性新兴产业的信息资源保障与服务模式的研究，提高已有信息资源的利用率，整合更多的相关资源，形成系列化的信息产品，增强面向企业的信息保障能力。

其次，建立追踪全球技术前沿和进展的信息发布系统。

应当组织专家对信息资源进行梳理、标引等深度整理加工，实时跟踪、收集、整理、发布产业内全球核心、关键、前沿和最新优秀技术，建设权威全面、专业实用、方便用户并操作快捷的新兴产业专题信息数据库，切实发挥信息资源在自主创新和战略性新兴产业发展中的作用。以德国为例，德国政府以应用为主导、以客户为中心，加强了大型基础和地方数据库建设的力度，如北-威州信息中心既是该州的统计局同时又是州政府的全面信息服务商，该中心建立了中央数据库，该信息中心专业提供人口分布地图、地理信息及矿藏信息等数据，并为用户提供相应的信息分析软件。数据库用户通过该中心可以非常便捷地获得人口密度、农业分布、交通及土地开发等有价值信息。

再次，信息服务是实现信息资源价值的关键。

从调查可知，企业的信息需求的载体形态是多样化的，包括一般社会媒体和专业学术媒介，并不局限于单一途径。因此，无论是建立以政府为主体的信息服务模式，还是以市场化的信息企业、咨询公司等信息机构为主体的信息服务模式，或者是以非营利的大学、智库、资讯公司等社会软科学机构为主体的信息服务模式都是值得尝试和探索的。最重要的是，应将市场竞争机制引入面向战略性新兴产业的信息服务中，使得不同类型的信息服务机构之间能够协作、共建，通过市场博弈，实现公平竞争和合作发展，为新兴产业的发展提供个性化的、全面权威、经过深度挖掘的知识服务，借此有可能改变学术生产与转化的模式。

对比两家受访企业，发现南瑞科技作为战略性新兴产业的代表，其信息需求呈现出一些新的特点：①对一体化、专题式的信息资源有较大需求。②对学术信息具有较高的倾向性。战略性新兴产业的高技术性，使得其对学术前沿信息的关注度尤为突出。③情报意识强，相当关注竞争合作者信息。战略性新兴产业以信息科技、能源等为主，其对科技信息、情报的迅速有效利用，将直接体现在企业的利润上。

基于上述调研，可以进一步认识到战略性新兴产业的信息需求与战略性新兴产业的特征内涵具有一致性。但若想准确把握战略性新兴产业的信息资源的需求特征，首先需要明确战略性新兴产业的战略性以及新兴性两个特征。

一是"战略性"是针对结构调整而言的，这些产业在国民经济中具有战略地位，对国家安全具有重大影响，它包括全局性、长远性、导向性、动态性和重大性，其中以全局性和长远性为主。

二是"新兴性"主要在于技术的创新和商业模式的创新，它包括了创新性、需求性、营利性、风险性和联动性，以创新性为主。战略性新兴产业不仅强调新兴性，更强调战略性，同时兼具新兴性和战略性的特征。

2.3　战略性新兴产业特性信息需求调研

为了更为深入地了解战略性新兴产业对信息资源更具针对性的特性需求，本书进一步开展了两方面的实地调研，包括以南京江宁国家高新技术产业园（简称江宁高新园，原名南京江宁科学园，2012 年更为现名）为代表的大中小型高新技术企业对战略性新兴产业信息需求和中小高新技术企业利用社交网络获取战略性新兴产业信息的情况的分析探究。

2.3.1　战略性新兴产业不同群体的信息需求

本书主要围绕战略性新兴产业企业员工和高校领导两类群体，分析其战略性新兴产业的信息需求。而企业员工中的研发人员承担着创新的重任，契合战略性新兴产业创新引领的宗旨，是推动战略性新兴产业相关企业蓬勃发展的中坚力量，故特意针对这一类群体展开针对性的调研，具体需求内容如下。

1. 企业员工

本书以太阳能产业（战略性新兴产业中新能源产业的子领域）相关企业员工为例，选取微博作为切入点，在与太阳能从业人员沟通的基础上，结合博文内容差异，将微博信息内容分为技术动态、产品推介、企业信息、会议通知、政府政策、新闻资讯及其他共七类，分析企业员工需要何种类型的战略性新兴产业信息需求（杨柳和叶继元，2015）。其中，"技术动态"指国内外企业、研究所、高校等有关太阳能具体技术研发的信息；"产品推介"涉及太阳能具体产品的信息，如产品介绍、宣传推广、市场营销情况等；"企业信息"指国内外有关具体企业除技术、产品外的其他信息，如资产营收、人事变动、组织建设等；"会议通知"涉及国内外太阳能产业各种规模峰会及论坛的通知、宣传、进展跟踪；"政府政策"指有关政府部门、政策信息，如国内外各级政府部门动态、政策方针出新及调整等；"新闻资讯"指上述五类之外的其他有关太阳能产业的信息资讯，没有具体指向；"其他"包括与太阳能产业无关的博文内容。具体如图 2-13 所示。

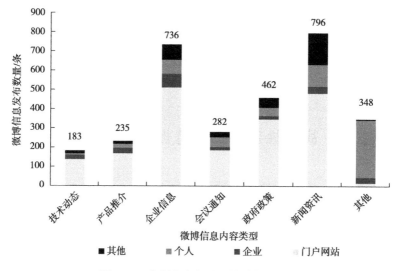

图 2-13　主题内容与员工性质交叉分析

由图 2-13 可以看出，太阳能产业信息服务者发布的"新闻资讯"与"企业信息"类博文最多，二者分别以 796 条、736 条的绝对优势高居前二，各占总数的 26.17%、24.19%；"技术动态"和"产品推介"博文数量最少，二者之和不及位居第三的"政府政策"，仅为 418 条，合计占博文总数的 13.74%。门户网站、企业类信息服务者发布的信息中，"企业信息""新闻资讯"类信息最多，与太阳能无关的"其他"类信息很少，尤其是门户网站，仅发布了 19 条此类信息；而个人信息服务者发布的"其他"类信息最多。

只有企业员工对某类信息感兴趣时，才会作出点赞、转发、评论和收藏行为，这四种行为实际上代表了员工对特定信息的关注度（Armentano et al.，2013）。以此为基点，以微博为平台，本书对太阳能产业企业员工对各类主题信息的关注情况展开调研，用以分析太阳能产业企业员工对战略性新兴产业信息的需求内容。如图 2-14 所示，3042 条博文的收藏率为零，技术动态、产品推介、企业信息、会议通知、政府政策、新闻资讯及其他类主题的点赞、转发及评论总和分别为 328 次、413 次、1258 次、544 次、939 次、1337 次、712 次，因为各主题下信息总量基数差距过大，利用总关注次数来衡量关注度有失客观。因而本书进一步计算每条信息的平均关注次数，结合图 2-14 各主题信息总量，计算出各主题下每条信息平均被关注次数分别为 1.79 次、1.76 次、1.71 次、1.93 次、2.03 次、1.68 次、2.05 次，其中，"其他"和"政府政策"类主题获得的关注度最高，"会议通知"和"技术动态"次之。可见政府作为市场经济的无形大手往往左右着一个产业的发展方向，如何及时、准确地获知政府方针政策对于以太阳能产业为代表的战略性新兴产业的企业员工来说尤为重要。"技术动态"的博文虽最少，仅 183 条，但因其是企业的生命源泉和成长动力，决定着一个企业在行业与市场中的竞争力与生存力，因而也是企业员工的战略性新兴产业信息需求核心所在。

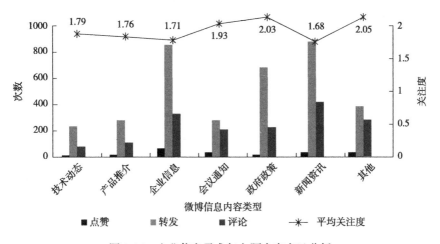

图 2-14　企业信息需求与主题内容交叉分析

2. 企业研发人员

本书聚焦企业研发人员在战略性新兴产业研发环节的信息需求，把握其信息需求规律。高新技术企业是技术和知识密集的场所，技术进步是增强企业竞争力的主要途径，因此企业需要及时追踪和掌握有关专利、标准及有关本行业的科研发展、技术进步信息以及市场信息和政府政策信息。宏观信息对于高新企业的未来发展非常重要，包括宏观经济分析、国家政策走向、社会经济环境信息，特别是政策法规这类企业赖以生存发展的指南和经营活动的行业准则。同时，在市场经济条件下，企业对市场信息的需求也是极为迫切的。此外，全球行业发展现状、国内行业走势、行业发展趋势及关联行业走势等信息可以帮助一个企业在分析自身所处行业的发展阶段及如何在行业中处于领先地位提供充分的指导。及时了解竞争对手动向并分析竞争格局，获得应对竞争的关键信息是必要举措。

以生物医药产业为例，本书调研了企业研发部门技术研发人员的信息服务需求（林菁菁，2015）。

首先，信息需求类型方面：通过"信息类型"与"职称"交叉分析研发人员的信息需求，发现不同层次人才所需主要信息各有侧重，见图 2-15，无职称的多为企业管理岗位人员，有职称的为专业岗位人员。初级职称人员最需要的前五类信息是专利与标准、科研文献、市场信息、技术信息和产品、样本信息；中级职称人员最需要的前五类信息是：政策信息、市场信息、专家信息、专利与标准和竞争对手信息。这表明初级职称研发人员主要专注特定产品研发过程所需信息，而中级职称人员更需要通过政策信息、竞争情报把握产品发展方向，对专家信息更加关注，可能是期待专家指导或公共关系需要，总体而言需求的信息面更广。

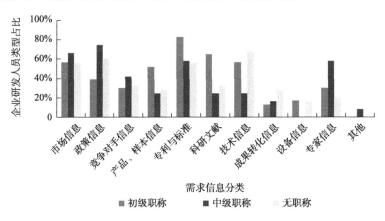

图 2-15　不同职称科研人员的需求信息统计

其次，信息需求服务方面：研发人员不仅需要满足其自身研究需求的信息资源支撑，还需要相关的信息服务用以辅助研究开发。调查结果显示，研究人员需要的信息服务依次是：文献传递（51.85%），科技查新（45.37%），专利、标准检索（41.67%），文献借阅（37.04%），定题服务（35.19%），竞争情报（33.33%），数据库建设（31.48%），查收查引（26.85%），信息检索技能培训（16.67%）和决策参考服务（16.67%）。在文献传递方面各类研发人员的需求差不多，但不同职称人员对其他各类服务需求存在一定差异，见图 2-16。中级职称人员对科技查新、竞争情报和数据库建设服务需求突出，有必要给予特别关注。

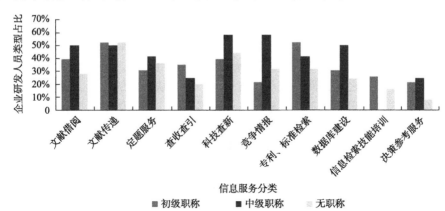

图 2-16　不同职称研发人员对信息服务需求的统计

　　在信息服务需求层次上，研发人员需求仍以普通信息服务为主，同时对竞争情报服务也有一定需求。职称越高的研发人员越是需要竞争情报服务。在服务产品上，企业重点需要原文、译文等一次文献，二次、三次文献为辅。在服务的提供方式上，企业研发人员更希望有便捷的远程资源获取途径，无须到馆就能在个人电脑或工作单位内部获得资源和服务，见表 2-3。

表 2-3　战略性新兴企业对外文服务需求项目的统计

统计特征	分类	频次	有效百分比	累计百分比
外文服务	代查代检	47	26.11%	26.11%
	翻译	67	37.22%	63.33%
	加工成二次文献	32	17.78%	81.11%
	加工成三次文献	32	17.78%	98.89%
	其他	2	1.11%	100.00%
服务频率	每月一次	18	16.67%	16.67%
	每周一次	13	12.04%	28.71%
	依需要而定	75	69.44%	98.15%
	其他	2	1.85%	100.00%
服务特点	可靠性	99	36.94%	36.94%
	广泛性	38	14.18%	51.12%
	时效性	86	32.09%	83.21%
	预测性	22	8.21%	91.42%
	主动性	23	8.58%	100.00%

3. 高校领导

战略性新兴产业的可持续发展需要源源不断的人才支持，分行业制定战略性新兴产业紧缺人才目录，实施战略性新兴产业创新领军人才行动，聚焦重点领域，依托重大项目和重大工程建设一批创新人才培养示范基地，重点扶持一批科技创新创业人才是当务之急，而高校承担着培养产业紧缺人才的重责。目前，高校依托专业技术人才知识更新工程，根据产业发展需求，动态调整高校教学内容和课程设置，合理扩大战略性新兴产业相关专业招生比例。培养了一大批高层次急需战略性新兴产业紧缺人才和骨干专业技术人才，建设了一批国家级继续教育基地。上述举措的实施都需要高校制定与国家战略性新兴产业相关政策遥相呼应的发展方案，高校领导作为领路人，指引高校宏观发展方向，其决策往往依托于战略性新兴产业信息作为支撑。

本书通过调查分析发现，高校领导不仅需要高等教育政策方面的信息，而且经常需要了解国家重点产业，如战略性新兴产业等的发展行情和市场人才需求方面的信息。他们既有共同的战略性新兴产业信息需求，也有各自独特的信息需求。他们都需要国家、省级与高等教育相关的教育政策性文件及其解读资料，但是，因为每个领导所从事的专业领域和分管的业务范围各不相同，他们又都有个性化的需求，且对信息需求服务有着很高的目标要求，甚至需要有专家的参与才能完成（王雅戈等，2013a）。例如，同样是合作教育信息服务，分管教学的校长要求提供合作教育与人才培养质量的信息；分管科研的校长，要求提供校企合作教育搭建平台的案例；分管学生工作的校长则要求提供参加合作教育的企业吸收学生就业的情况及参加合作教育的学生的就业和从业情况。因此，高校领导在作出各项决策时，为了保证决策的正确性和及时性，需要充分的战略性决策信息支持。

在信息资源提供方式方面，高校领导不仅需要原始信息，而且需要能够针对某项具体工作提供信息集合式的定题服务，从而能够直接为学校的决策和相关产业人才的培养提供信息支持服务，以及同类高校的合作教育现状分析，并以此为据，会同相关专家及教学和管理人员，结合学校的具体情况，制定学校的合作教育战略，为战略性新兴产业的蓬勃发展凝聚潜在优势人才资源，使产学研相结合的发展模式真正落地开花。

2.3.2　战略性新兴产业不同领域的信息需求

江宁高新园地处南京江宁经济技术开发区，包含南京软件园、中国无线谷、智电谷、生命科学创新园等以高新技术为主导，以电子、生命科学、汽车、新材料为主体的南京新型工业区和高新技术产业化基地。

为了深入了解战略性新兴产业对信息资源具体内容的需求，本书进一步对江宁高新园各个不同行业领域的战略性新兴企业进行了调研，重点考察它们对创新研发信息的需求状况和类型。

1. 节能环保产业的信息需求方向

节能环保产业是指为节约资源能源、保护环境、推动循环经济发展提供装备与技术、产品和服务保障的产业，主要包括节能、环保、资源循环利用三大子领域。

随着中国经济的快速增长，国家和各级政府对节能环保产业越发重视并不断加大投入，节能环保产业得到较为快速的发展，产业规模不断扩张，整体发展情况体现在三个方面：一是产业增速较为稳定，新的市场需求空间不断释放；二是产业投资与融资日益多元化，政府和民营企业合作（public-private-partnership）模式等融资新模式引领产业快速增长；三是关键共性技术不断取得新突破，推广应用逐步形成规模效应。同时也存在相应的问题，如我国节能环保产业仍存在技术水平落后、企业规模偏小、发展能力弱、布局分散等问题。节能环保产业的信息需求方向如表2-4所示。

表2-4　节能环保产业的信息需求方向

产业分类	相关信息需求方向
能源节约	电机拖动、节能照明、电加热、中央空调、变频调速、节能电机、无功补偿、节能水泵、锅炉节能、节油节气、节能电器、节水器具、余热利用、节能建材、节能变压器、节水灌溉、雨水回收、建筑节能等
环境保护	污水处理、污泥处理、除尘技术、PM$_{2.5}$治理、烟气脱硫、垃圾处理、辐射防治、环境监测、沙漠治理、环境绿化、工业废弃物处理、矿山修复、动植物保护、人工湿地、餐厨垃圾处理、电子废弃物回收、污染土壤修复、噪声与振动防治、清洁生产、生态保护等
再生能源	地热能、水力发电、风力发电、沼气发电、垃圾发电、潮汐能利用、太阳能光热、生物质燃料、污水源热泵、太阳能光伏、浅层低温热泵、核能、分布式能源、新能源汽车、智能电网等

2. 新一代信息技术产业的信息需求方向

新一代信息技术产业的信息需求内容包括多个方向，具体如表2-5所示。

表2-5　新一代信息技术产业的信息需求方向

产业分类	上游	中游	下游
下一代通信网络	芯片制造、网络测试等	网络设备制造、终端制造、系统集成服务、内容提供、服务提供、应用软件开发等	电信运营服务等
物联网	芯片制造、传感器设备、执行器设备、RFID、二维码、智能装置等设备制造	系统集成、信息处理、云计算、解析服务、网络管理、Web服务等	电信运营服务、管理咨询服务、M2M服务、原始设备制造服务等

续表

产业分类	上游	中游	下游
新型平板显示	ITO 导电玻璃、偏光片、掩膜、彩色滤光片、镀膜设备、衬垫料、液晶材料等	TN 面板、VA 类面板、IPS 面板、CPA 面板、ASV 面板、电阻式模块触摸屏、红外模块触摸屏等	电脑、通信、仪器、音响、工业、车用、消费类电子等
高性能集成电路	单晶片、多晶硅、外延片、单晶棒、芯片黏结材料、感光树脂材料、陶瓷/塑料等材料的研制等	芯片制造、高性能集成电路制造设备研制、芯片封装测试设备研制	计算机制造、消费电子、通信设备、工业控制、智能卡等
云计算	操作系统、虚拟化、信息安全、芯片制造设备、服务器设备、存储设备、网络设备等	云平台开发、系统集成、云应用服务、云计算服务、云平台服务等	云平台、云计算用户服务等

注：RFID 为 radio frequency identification，射频识别；M2M 为 machine to machine，机器对机器；ITO 为 tin-doped indium oxide，氧化铟锡；TN 为 twisted nematic，扭曲项列；VA 为 vertical alignment，垂直排列；IPS 为 in-plane switching，面内转换显示模式；CPA 为 continuous pinwheel alignment，连续焰火状排列；ASV 为 advance super view

3. 生物产业

当前，全球生物医药领域的科技创新进入空前密集活跃时期，呈现高速发展与高度融合态势，在生物医药领域，国内已经形成创新能力较强的生物医药产业集群，专利申请量持续增长，在某些细分领域优势明显。作为近年来被世界主要发达国家作为重要战略决策部署的新兴产业，全球产业规模高速扩张，生物企业数量呈井喷式增长，产业发展空间日益广阔。生命科学和生命技术正在成为我国新的经济增长点和吸纳就业、承载创业的重要平台。2015 年出台的国家战略规划《中国制造 2025》，提出要将生物产业中的生物医药及高性能医疗器械列入下一步大力推动发展的重点领域之一。生物产业的信息需求方向如表 2-6 所示。

表 2-6 生物产业的信息需求方向

产业分类	相关信息需求方向
生物医药	基因工程药物、抗体药物、血液制品、诊断试剂及疫苗等
生物医学工程	医学影像诊疗设备、体外诊断及检验产品、高值医用耗材及植入物等
生物农业	生物育种、微生物肥料、生物饲料、生物农药等
生物制造	生物发酵技术、生物基化学品、生物基材料等

4. 高端装备制造产业的信息需求方向

高端装备制造产业主要包括航空装备、卫星及其应用产业、轨道交通装备、海洋工程装备以及智能制造装备。近年来，我国高端装备制造产业持续快速发展，产业规模、技术水平大幅提升，引领型创新型企业不断涌现，国际竞争力不断增强，高端装备"走出去"初见成效。近年来，在一系列利好产业政策的支持引导下，高端装备制造产业总体保持较快增长，发展动力十足。我国高端装备制造业在快速发展的同时存在一些不足之处，如在海洋工程装备、数控机床、航空设备等领域产业规模小，国内市场培育不足，产业规模效应尚未充分体现。高端装备制造产业的信息需求方向如表 2-7 所示。

表 2-7　高端装备制造产业的信息需求方向

产业分类	相关信息需求方向
航空装备	大飞机制造、航空发动机等
卫星及应用产业	卫星导航系统、高分辨率遥感卫星等
轨道交通装备	低地板现代有轨电车、中低速磁悬浮系统等
海洋工程装备	深海探测装备、高技术船舶等
智能制造装备	工业机器人、高档数控机床等

5. 新能源产业的信息需求方向

新能源是相对常规能源而言的，是开发利用时间较短或者正在着手开发的能源，包括太阳能、风能、生物质能、地热能、海洋能、生物燃料和氢能等。新能源产业是基于新能源的发现、开发以及应用等形成的一系列的活动集合，主要包括上游的资源勘探、中游的整机装备及零部件制造和下游的电厂建设、管理与并网应用，属于高新技术产业。新能源产业具有资本技术密集、产业关联度大、清洁水平高、投入大、周期长、风险高等特点。新能源产业是衡量一个国家高新技术水平的重要依据，也是新一轮国际竞争中的战略制高点，西方发达国家纷纷出台相关政策和战略规划大力发展新能源产业，推进能源结构转型。我国在战略上高度重视新能源产业的发展，在行动上积极落实。我国风能、太阳能、生物质能等新能源储量丰富，具有很大的开发潜力。目前我国在发展新能源产业的过程中缺乏长远系统性的能源战略，相应的法律法规也不够完善，这些都是今后努力弥补的不足之处。新能源产业的信息需求方向如表 2-8 所示。

表 2-8　新能源产业的信息需求方向

产业分类	相关信息需求方向
风能产业	整机技术、发电机、叶片、塔架/机舱罩、齿轮箱、轴承等
太阳能发电产业	光伏发电、光热发电等
核电技术	核裂变能发电、核聚能利用等
生物质能产业	水冷振动炉技术、循环流化床锅炉技术等

6. 新材料产业的信息需求方向

新材料是新近发展或正在研发中的有着更为优良性能的材料，新材料行业种类繁多，有多个发展方向。目前，我国新材料产业发展迅速，多个新材料产品领域取得了很好的成绩，先进储能、光伏、有机硅、玻璃纤维等产能均进入世界前列，但是我国新材料产业整体发展仍处于较低阶段，发展过程中仍存在很多障碍。如何打破技术垄断、推动重点新材料产品研发应用发展，仍是未来几年需要解决的重要问题。新材料产业的信息需求方向如表2-9所示。

表2-9　新材料产业的信息需求方向

生命周期	典型新材料
导入期	3D打印材料、超导材料、碳纤维等
成长期	电子化学品、污水处理、核电、高温合金、光伏、液晶材料、钛合金、半导体材料等
成熟期	生物医用材料、特种橡胶、超硬材料、稀土功能材料、玻璃纤维、特种不锈钢、锂电池材料、铝合金、绿色建材等
衰退期	稀土荧光粉、多晶硅等

7. 新能源汽车产业的信息需求方向

新能源汽车，是指采用非常规的车用燃料作为动力来源（或使用常规的车用燃料、采用新型车载动力装置），综合车辆的动力控制和驱动方面的先进技术，形成的技术原理先进、具有新技术或新结构的汽车。2015年，我国已成为全球新能源汽车产业第一大市场，新能源汽车的产业链条全面迅猛发展。大量企业快速进入新能源汽车领域，客车和专用车企业表现尤为突出。东部地区和中部地区是我国新能源汽车产业主要集群区，但各省市发展差距很大。我国新能源汽车的产品结构，从车辆类型看，乘用车占据六成；从动力类型看，纯电动汽车是我国新能源汽车的主力，其占比超过74%。新能源汽车产业发展的关键在于在保证安全性基础上不断降低新能源汽车的全生命周期成本，其核心在于提高动力电池系统性能、降低成本。而性能的提高来自技术储备和产业化能力，成本的降低来自工艺的提高和费用的控制。目前我国新能源汽车产业的发展存在持续盈利能力薄弱、充电基础设施不完善等瓶颈问题。新能源汽车产业的信息需求方向如表2-10所示。

表2-10　新能源汽车产业的信息需求方向

产业分类	相关信息需求方向
动力电池	阀口密封式铅酸蓄电池、敞口式管式铅酸蓄电池、磷酸铁锂蓄电池等
驱动电机	交流异步电机驱动系统、开关磁阻电机驱动系统、无刷直流电机驱动系统、永磁同步电机驱动系统等
充换电设施	高压直流、电动汽车充/换电等

2.3.3　战略性新兴企业信息需求的共性特征

概括而言，战略性新兴产业的"战略性"与"新兴性"特征决定了它与其他产业的信息需求类型相似但又具有其个性，该产业需要的信息类型包括产业信息（行业标准信息、科技资源信息）、政策信息、技术信息（设备信息、专利信息、科技前沿信息）、市场信息（产品样本信息）、专家信息等，涉及的信息资源包括政策法规、图书、科技报告、期刊、专利、网络信息资源等，根据其上述两个特征内涵，结合本书调查研究结果，将其信息需求特征总结为以下五点。

1. 新颖性

战略性新兴产业不光在技术和商业模式上具有创新性，并且其产品代表了最新的高科技，具有稳定的前景和可观的市场需求。同时，战略性新兴产业的发展又是动态的，要求产业能够根据时代变迁和内外部环境的变化进行调整，以适应经济、社会、科技、人才、资源、环境等变化带来的新要求。因此，从战略性新兴产业的创新性、需求性、动态性的特征内涵可以发现，战略性新兴产业的信息需求具有新颖性。只有掌握最新的政策、技术、市场等信息，才能把握住政府的政策走向、获得市场动态、进行技术创新，并制定出正确的策略，从而实现产业的成长与发展。

2. 专业性

战略性新兴产业掌握的关键核心技术是产业生存和发展的重要基础，对于推动战略性新兴产业发展具有重要作用；另外，战略性新兴产业发展过程是存在一定风险的，产生这种风险是因为产业技术、产业模式等不成熟。为降低这种风险，面向战略性新兴产业的相关信息应具有很强的专业性和针对性。只有依据专业的信息，战略性新兴产业才能作出正确的战略决策，才能掌握关键核心技术，在产业的发展过程中排除风险，促进产业健康快速地成长。

3. 决策性

战略性新兴产业对经济发展具有重大贡献，关系到经济社会发展全局和国家安全，具有全局性；并且产业的选择具有信号作用，意味着政府的政策导向和未来的经济发展重心，具有导向性。因此，面向战略性新兴产业的相关信息除了具有新颖性和专业性之外，最重要的还需具有前瞻性，为决策提供有效的支持，这可以解读为所提供的信息具有决策性。具有决策性的信息能够为制定正确的产业战略提供帮助，从而掌控全局，在社会经济发展中起到风向标的作用。

4. 跟踪性

战略性新兴产业的长远性、营利性表明产业不论在技术方面还是市场方面都具有巨大的增长潜力，具有良好的技术经济效益和长期盈利特征；而且战略性新兴产业的联动性特征说明其产业关联度高,产业之间有很好的带动效应和渗透力。因而,面向战略性新兴产业的信息服务需要针对相关技术、市场等类型进行长期跟踪。这可以解读为跟踪性,即面向战略性新兴产业的信息需要不断更新,紧跟政策走向、技术前沿,跟踪其他产业的发展状况,为产业战略决策的调整提供帮助。

5. 递进性

战略性新兴产业涉及多方主体,上至国家政府、中至企业机构、下至用户个人,各级主体的需求内容呈现层层递进性。对于与战略性新兴产业相关的信息资源,国家需要在宏观层面上实现信息政策法规的保障,促进信息资源的合理配置与高效利用;企业需要中观层面上实际推动战略性新兴产业的发展,作为推动产业发展的主力军,需要具有问题针对性的,以促进信息和知识资源转移、扩散的行业信息、学科专业信息、专利信息、标准信息和技术报告、市场信息、政府政策信息以及竞争对手信息等;用户在微观层面作为产业创新的灵魂,获取并利用战略性新兴产业技术动态、产品推介、企业信息、会议通知、政府政策、新闻资讯等作为创新的源泉。三级主体的战略性新兴产业信息需求层层递进、步步延伸,逐渐具体而微,从上至下联动地为提高我国战略性新兴产业的科技创新能力和国际竞争能力而共同努力。

第3章 我国战略性新兴产业信息资源存量调研

　　了解战略性新兴产业信息资源的存量分布是战略性新兴产业信息资源保障体系构建的基础，只有了解存量分布才能对增量信息资源进行有效的规划。因此，本章从信息资源类型的角度，即图书、期刊论文、硕博学位论文、专利、科技报告、标准数据、网络专题资源等角度对我国战略性新兴产业的信息资源的存量分布与增量态势进行了研究（睢颖等，2017）。

3.1 图书资源的存量调查与分析

　　为调查战略性新兴产业有关图书资源，本章选取《全国新书目》中的 CIP 数据精选栏目为统计数据源，时间跨度为 2005~2015 年，其中 2006 年、2007 年和 2008 年某些月份没有刊登 CIP 数据，故只选择 2005 年、2009~2015 年这八年的数据作为调查样本，虽然对于数据的连续性和完整性有所影响，但基本保证了每个统计年度数据的完整性和有效性，从而摸清了战略性新兴产业的图书资源存量，并在此基础上对增量进行了探索。

　　《全国新书目》2005~2015 年中收录的 CIP 数据共有 475 439 条，根据战略性新兴产业图书资源主题分布，统计得出与战略性新兴产业相关的图书资源共有 19 094 本，占总出版量的 4.02%，再分别对战略性新兴产业的七个主题进行统计，其存量状况如表 3-1 所示。可以看出，在七个主题中，新一代信息技术产业主题的图书出版量最多，其次是节能环保产业和生物产业，新能源汽车主题的图书出版量最少。新一代信息技术产业图书出版量较多主要是得益于计算机与互联网的快速发展，如近年来兴起的"互联网+"概念、云计算、大数据等，加速了信息产业的发展，并且产生了很多新的行业和领域，这些都促进了新一代信息技术产业研究成果的产出。

表 3-1   战略性新兴产业图书资源存量统计表

战略性新兴产业类目	合计	百分比	战略性新兴产业类目	合计	百分比
节能环保产业	3162	0.67%	新能源产业	511	0.11%
新一代信息技术产业	9448	1.99%	新材料产业	584	0.12%
生物产业	3048	0.64%	新能源汽车	52	0.01%
高端装备制造产业	2289	0.48%			

由于战略性新兴产业所涉及的领域一般都是技术密集型或者知识密集型产业，需要系统前沿的理论研究的支撑，因此，对于战略性新兴产业的图书资源有必要去考察其学术性。对于图书学术性的判定需要从内容、形式、效用等方面建立科学的评价体系进行评价，但是，从出版形态角度，如对学术图书、学术著作和学术专著的划分，可以从一定程度上体现图书的学术性，这也是本书使用的判定方法。对于学术图书、学术著作、学术专著的划分标准，本书参考了叶继元教授在《学术图书、学术著作、学术专著概念辨析》一文中对于三者的定义及其关系的界定。学术图书是指内容涉及某学科或专业领域，具有一定的创新性，对专业学习、研究具有价值的图书，通常在书中有文献注释或参考文献，书后有索引。学术著作是指以问题或专题为中心，具有创新性和逻辑性，能自圆其说的学术图书。学术专著是对某一学科或领域或某一专题进行较为集中、系统、全面、深入论述的著作。学术图书是上位概念，学术著作、学术专著是下位和再下位概念。

基于上述定义，本书对调查年份所出版的战略新兴产业图书中的学术图书、学术著作和学术专著的数量和比例进行了统计，见表 3-2，其中学术图书占战略性新兴产业图书出版量的 92.36%，学术著作占 42.28%，学术专著占 19.64%。统计结果表明战略性新兴产业图书资源中学术图书所占的比例非常高，学术著作和学术专著则数量缺乏，这或许与我国战略性新兴产业研究起步较晚有关，也表现现有研究成果原创性不够的特点。原创性关系到科技创新的质量和效率，我国在经历了从直接购买到模仿改造国外先进的技术设备的过程之后，已经认识到了自主创新对于产业可持续发展的决定性作用，自主创新是一个长期、持续的过程，在激烈的国际竞争中想要占据主动，必须不断攀登技术高点，推陈出新。

表 3-2   战略性新兴产业图书资源学术性统计表

年份	学术图书		学术著作		学术专著		战略性新兴产业图书出版量	图书出版量
	数量/本	百分比	数量/本	百分比	数量/本	百分比		
2005	585	75.48%	326	42.06%	112	14.45%	775	24 032
2009	825	72.75%	355	31.31%	119	10.49%	1 134	68 355

续表

年份	学术图书		学术著作		学术专著		战略性新兴产业图书出版量	图书出版量
	数量/本	百分比	数量/本	百分比	数量/本	百分比		
2010	592	66.44%	286	32.10%	110	12.35%	891	72 258
2011	1 967	94.34%	945	45.32%	364	17.46%	2 085	27 124
2012	1 733	94.29%	743	40.42%	273	14.85%	1 838	14 055
2013	3 541	92.21%	1 864	48.54%	883	22.99%	3 840	98 648
2014	4 364	95.58%	2 007	43.96%	935	20.48%	4 566	80 285
2015	3 484	94.21%	1 668	45.11%	839	22.69%	3 698	75 639
合计	17 091	92.36%	8 194	42.28%	3 635	19.64%	18 827	460 396

3.2　期刊资源的存量调查与分析

在对与战略性新兴产业有关的期刊资源调研时，本书选取新一代信息技术产业为例，对我国战略性新兴产业期刊资源的存量进行调查分析，以此提供进行战略性新兴产业其他专题期刊资源存量调查的范例。

由于战略性新兴产业是依据主题划分的，而相关信息资源大多依据学科分类来组织，因此，在调查中，必须实现从学科分类到主题分类的转化，根据主题来调查分析。目前，国内的学术期刊依旧是按照学科分类，因此调查有一定难度，然而美国科学信息研究所（Institute for Scientific Information，ISI）每年都会出版一份期刊引证报告（Journal Citation Reports，JCR），对近八千种期刊之间的引证和被引证数据进行统计计算，对期刊进行学术影响力的评价，JCR 已经成为了解国外学术期刊发展及其学术影响力的重要参考工具。为了便于检索与统计分析，JCR 还提供了期刊和学科主题分类数据，每一种期刊都被分配到自然科学或者社会科学中的至少一个学科主题（subject categories）。这对调查分析战略性新兴产业有关的外刊资源提供了便利。对于新一代信息技术产业，本书是从主题的角度筛选出 JCR 中与新一代信息技术产业有关的外刊资源，而后选择重点期刊的国内纸本收藏情况进行调研，了解其存量分布。

3.2.1　新一代信息技术产业外文重点期刊

本书根据 2012 年 7 月 9 日国务院印发《"十二五"国家战略性新兴产业发展规划》中规定的下一代信息技术行业三大重点发展方向"下一代信息网络产业；电子核心基础产业；高端软件和新兴信息服务产业"，同时结合 JCR 中对于每一个主题词所涉及的研究范围（scope note）的注释，确定与"新一代信息技术产业"有关的主题词 32 个（表 3-3）。

表 3-3　新一代信息技术产业有关主题词

主题词	主题词	主题词	主题词	主题词	主题词
Automation & Control Systems（自动化及控制系统）	Computer Science, Hardware & Architecture（计算机科学, 硬件及信息构建）	Electrochemistry（电化学）	Engineering, Multidisciplinary（工程相关跨学科研究）	Mechanics（机械学）	Polymer Science（高分子科学）
Chemistry, Applied（应用化学）	Computer Science, Information Systems（计算机科学, 信息系统）	Energy & Fuels（能量及能源）	Instruments & Instrumentation（仪器仪表）	Multidisciplinary Sciences（综合性科学）	Telecommunications（电信）
Chemistry, Multidisciplinary（与化学有关的跨学科研究）	Computer Science, Interdisciplinary Applications（计算机跨学科应用）	Engineering, Chemical（化学工程）	Materials Science, Characterization & Testing（材料表征与测试学）	Nanoscience & Nanotechnology（纳米科学与纳米技术）	
Chemistry, Physical（物理化学）	Computer Science, Software Engineering（计算机科学, 软件工程）	Engineering, Electrical & Electronic（电气与电子工程）	Materials Science, Coatings & Films（涂料及薄膜材料学）	Optics（光学）	
Computer Science, Artificial Intelligence（计算机科学, 人工智能）	Computer Science, Theory & Methods（计算机科学理论与方法）	Engineering, Manufacturing（制造工程）	Materials Science, Composites（复合材料学）	Physics, Applied（应用物理学）	
Computer Science, Cybernetics（计算机控制论）	Crystallography（晶体学）	Engineering, Mechanical（机械工程）	Materials Science, Multidisciplinary（与材料科学相关的多学科研究）	Physics, Condensed Matter（凝聚态物理学）	

基于表 3-3 中的主题词，统计涵盖这些主题词的期刊，去除重复，最后共得到期刊 1886 种，即新一代信息技术产业有关的西文期刊数量为 1886 种。在这 1886 种西文期刊中，只涉及上述 1 个主题词的期刊数为 1178 种，涵盖 2 个主题词的期刊数为 505 种，3 个主题词的为 146 种，4 个主题词的为 47 种，5 个主题词的为 6 种，覆盖最多的为 6 个主题词，但涉及 6 个主题词的外文期刊数量只有 4 种。如果将涉及 4 个及以上主题词的期刊均视作新一代信息技术产业的重点期刊，那么新一代信息技术产业有关的重点外文期刊数量为 57 种，见表 3-4；如将覆盖 3 个主题词的期刊视作必要期刊，则新一代信息技术产业有关的必要外文期刊数量为 146 种；若将涉及 1~2 个主题的认定为一般期刊，那么一般期刊数量共计 1683 种。

表 3-4　新一代信息技术产业重点外文期刊目录

序号	期刊名称	涉及主题数量	影响因子（2012年）
1	*ACS Nano*	4	12.062
2	*AI EDAM-Artificial Intelligence for Engineering Design Analysis and Manufacturing*	4	0.407
3	*Applied Surface Science*	4	2.112
4	*The Computer Journal*	4	0.755
5	*Computer Networks*	4	1.231
6	*Combustion，Explosion，and Shock Waves*	4	0.399
7	*Displays*	4	1.101
8	*Engineering Applications of Artificial Intelligence*	4	1.625
9	*Engineering Computations*	4	1.214
10	*The European Physical Journal E*	4	1.824
11	*IEEE/ACM Transactions on Networking*	4	2.014
12	*IEEE MultiMedia*	4	0.984
13	*IEEE Transactions on Nanotechnology*	4	1.8
14	*IEEE Transactions on Neural Networks and Learning Systems*	4	3.766
15	*IEEE Transactions on Semiconductor Manufacturing*	4	0.862
16	*IEEE Network*	4	2.853
17	*IEEE Wireless Communications*	4	3.74
18	*IEEE/ASME Transactions on Mechatronics*	4	3.135
19	*IBM Journal of Research and Development*	4	0.688
20	*International Journal of Surface Science and Engineering*	4	0.435
21	*International Journal of Nonlinear Science and Numerical Simulation*	4	0.622
22	*Materials Science in Semiconductor Processing*	4	1.338
23	*Mechatronics*	4	1.3
24	*Mechanics of Advanced Materials and Structures*	4	0.701
25	*Microporous and Mesoporous Materials*	4	3.365
26	*Microelectronic Engineering*	4	1.224
27	*Multimedia Tools and Applications*	4	1.014
28	*Microsystem Technologies-Micro and Nanosystems-Information Storage and Processing Systems*	4	0.827
29	*Nanoscale and Microscale Thermophysical Engineering*	4	1.333
30	*Nano Research*	4	7.392
31	*Nanoscale*	4	6.233
32	*Nature Materials*	4	35.749
33	*Journal of Energetic Materials*	4	1.341
34	*Journal of Experimental Nanoscience*	4	0.875
35	*Journal of Natural Gas Chemistry*	4	1.405
36	*Journal of Laser Micro Nanoengineering*	4	0.913

序号	期刊名称	涉及主题数量	影响因子（2012）
37	*Journal of Materials Science-Materials in Electronics*	4	1.486
38	*Journal of Micro/Nanolithography MEMS and MOEMS*	4	1.148
39	*Journal of Optical Communications and Networking*	4	1.433
40	*Journal of the Society for Information Display*	4	0.779
41	*Petroleum Chemistry*	4	0.451
42	*Philosophical Magazine*	4	1.596
43	*Photonics and Nanostructure-Fundamentals and Applications*	4	1.792
44	*Precision Engineering Journal of the International Societies for Precision Engineering and Nanotechnology*	4	1.393
45	*Science and Technology of Energetic Materials*	4	0.222
46	*Soft Matter*	4	3.909
47	*Thin Solid Films*	4	1.604
48	*Advanced Engineering Materials*	5	10.043
49	*Atomization and Sprays*	5	0.467
50	*Image and Vision Computing*	5	1.959
51	*Journal of Computational and Theoretical Nanoscience*	5	0.673
52	*Journal of Micromechanics and Microengineering*	5	1.79
53	*Journal of Nanoscience and Nanotechnology*	5	1.149
54	*Advanced Functional Materials*	6	9.765
55	*Advanced Materials*	6	14.829
56	*Nano Letters*	6	13.025
57	*Small*	6	7.823

3.2.2 新一代信息技术产业重点外文期刊国内保障情况

在分析出新一代信息技术重点外刊的基础上，本书对新一代信息技术产业重点外文期刊国内保障情况进行了调查。通过调查发现，虽然很多图书馆购买了大量的外文电子资源数据库，科研所需的外文期刊基本都能在本馆或通过文献传递的方式查阅到，但是不容否认越来越高昂的数据库费用正成为各大图书馆的重要负担，且很多数据库国内只有使用权，并不能够真正拥有这些资源。因此，从长远角度来看，不管是学术研究还是为发展战略性新兴产业，我们还是需要国内有单位购买外文纸质期刊，而这也属于"保障"的重要内容。

从目前的调研情况来看，收藏纸本外文期刊的图书馆越来越少，笔者选择上述 57 种新一代信息技术产业重点外文期刊进行调研，通过查阅《全国西文期刊联合目录》（中国科学院文献情报中心编），结果如表 3-5 所述。在 57 种刊中，*Nano*

Research 由清华大学主办，国内数据库可以直接访问，除此之外其他56种外刊国内纸本收藏情况并不乐观，有5种外刊的纸本国内没有一家单位收藏，有27种外刊纸本国内没有一家单位收藏齐全（自创刊号至今全部都有收藏），数量占全部重点期刊的近50%，如果调查必要期刊和一般期刊的话，纸本缺藏情况可能更加严重。

表3-5 新一代信息技术产业重点外文期刊纸本收藏情况

序号	期刊名称	纸本收藏单位	创刊至今纸本全部订阅的图书馆数量
1	*ACS Nano*	1	0
2	*AI EDAM-Artificial Intelligence for Engineering Design Analysis and Manufacturing*	14	1
3	*Applied Surface Science*	49	3
4	*The Computer Journal*	99	6
5	*Computer Networks*	22	2
6	*Combustion，Explosion，and Shock Waves*	5	0
7	*Displays*	40	0
8	*Engineering Applications of Artificial Intelligence*	16	0
9	*Engineering Computations*	11	0
10	*The European Physical Journal E*	4	0
11	*IEEE/ACM Transactions on Networking*	43	3
12	*IEEE MultiMedia*	51	0
13	*IEEE Transactions on Nanotechnology*	18	2
14	*IEEE Transactions on Neural Networks and Learning Systems*	38	38
15	*IEEE Transactions on Semiconductor Manufacturing*	34	3
16	*IEEE Network*	52	5
17	*IEEE Wireless Communications*	29	8
18	*IEEE/ASME Transactions on Mechatronics*	27	2
19	*IBM Journal of Research and Development*	65	2
20	*International Journal of Surface Science and Engineering*	0	0
21	*International Journal of Nonlinear Science and Numerical Simulation*	3	0
22	*Materials Science in Semiconductor Processing*	4	1
23	*Mechatronics*	6	0
24	*Mechanics of Advanced Materials and Structures*	5	1
25	*Microporous and Mesoporous Materials*	24	10
26	*Microelectronic Engineering*	21	1
27	*Multimedia Tools and Applications*	12	0
28	*Microsystem Technologies-Micro and Nanosystems-Information Storage and Processing Systems*	10	0
29	*Nanoscale and Microscale Thermophysical Engineering*	3	1

续表

序号	期刊名称	纸本收藏单位	创刊至今纸本全部订阅的图书馆数量
30	*Nano Research*	1	0
31	*Nanoscale*	0	0
32	*Nature Materials*	10	5
33	*Journal of Energetic Materials*	5	0
34	*Journal of Experimental Nanoscience*	0	0
35	*Journal of Natural Gas Chemistry*	13	0
36	*Journal of Laser Micro Nanoengineering*	0	0
37	*Journal of Materials Science-Materials in Electronics*	42	3
38	*Journal of Micro/Nanolithography MEMS and MOEMS*	3	1
39	*Journal of Optical Communications and Networking*	1	1
40	*Journal of the Society for Information Display*	35	5
41	*Petroleum Chemistry*	1	0
42	*Philosophical Magazine*	19	15
43	*Photonics and Nanostructure-Fundamentals and Applications*	1	0
44	*Precision Engineering Journal of the International Societies for Precision Engineering and Nanotechnology*	30	0
45	*Science and Technology of Energetic Materials*	1	1
46	*Soft Matter*	3	1
47	*Thin Solid Films*	62	2
48	*Advanced Engineering Materials*	0	0
49	*Atomization and Sprays*	2	0
50	*Image and Vision Computing*	15	1
51	*Journal of Computational and Theoretical Nanoscience*	1	0
52	*Journal of Micromechanics and Microengineering*	16	1
53	*Journal of Nanoscience and Nanotechnology*	9	0
54	*Advanced Functional Materials*	11	5
55	*Advanced Materials*	30	0
56	*Nano Letters*	16	0
57	*Small*	6	3

　　调查发现，购买涵盖这 56 种外刊资源的数据库的图书馆数量则非常多，如果仅从使用角度而言，基本都能获取到全文资源，然而从长远来看，则存在许多潜在问题。一旦遭遇国际社会环境的激烈变动和国际科技竞争的加剧，学术文献资源的保障问题就会被凸显出来，出现学术文献也被"卡脖子"的风险，这是本次调查中发现的一个值得重视的情况。

3.3　硕博学位论文资源的存量调查与分析

本章不仅对期刊论文存量资源进行了调查分析,还对国内围绕战略性新兴产业研究的博士和硕士学位论文的外部特征和内容特征进行了分析,以了解其存量和增量情况。

3.3.1　战略性新兴产业方向硕博士学位论文数量统计

本书成员在中国知网硕博士学位论文数据库采集了 1359 篇硕博士学位论文,对其时间和作者所在机构进行统计,对其中的 361 篇硕博学位论文研究主题进行了分析。图 3-1、图 3-2 是关于硕博学位论文数量的数据图,可以发现:2011 年开始,这个领域的硕博士学位论文有一个快速增长,2014 年开始在数量上趋于平缓。

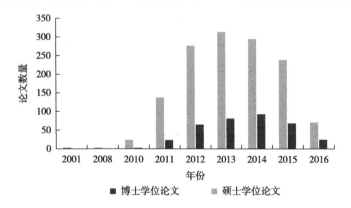

图 3-1　2001~2016 年战略性新兴产业硕博学位论文数量年度分布

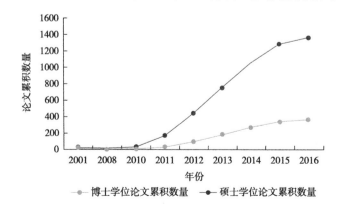

图 3-2　2001~2016 年战略性新兴产业硕博学位论文数量累积分布

下面是关于我国战略性新兴产业硕博学位论文存量分布和增量态势的具体分析。

2010 年之前只有两篇论文，分别是暨南大学王旭东的《中国实施可持续发展战略的产业选择》（2001 年）和吴楠的《生物产业竞争力与中国的战略对策研究》（2007 年）。前者研究中涉及了高技术产业、信息产业和环保产业，后者则是围绕生物产业的研究。两篇论文中虽然没有使用国家战略性新兴产业这样的规范术语，但其研究内容与后来国家提出的战略性新兴产业的思路有一定的吻合度，对该领域的研究有一定的参考价值。同时，这也反映出博士学位论文的选题能够较为快速地关注到国家社会经济发展的重要问题，选题内容有一定的超前意识。

其次，是关于硕博学位论文的作者所在机构进行的相关统计分析。在 1359 篇相关论文中，博士学位论文有 185 篇，约占总体的 13.6%；硕士学位论文 1174 篇，约占总体的 86.4%。博士学位论文涉及的培养机构有 71 个，硕士学位论文涉及的培养机构有 250 个。这些培养机构包括高等学校、科研院所和党校系统三大类型。其中，科研院所（10 个）29 篇；党校系统（5 个）7 篇；高等学校（235 个）1323 篇，约占总体的97%。这反映出这些论文的作者绝大多数分布在高等学校，与我国博士和硕士培养机构数量的分布相一致。在高等学校当中，综合性大学（61 个）有 538 篇，每所高校平均8.8 篇；理工类高校（27 个）419 篇，每所高校平均 15.52 篇；财经类高校（27 个）209 篇，每所高校平均 7.7 篇；它们约占到总体的 88%。另外，师范类高校（26 个）99 篇；农林类高校（16 个）37 篇，其他 5 种类型高校的论文数量都在 10 篇以下。这反映出战略性新兴产业是一个跨学科的研究领域，研究人员分布呈现为一个集中与分散相结合的分布特点。一方面，研究人员分布较为广泛，涉及不同系统、不同类型的高校；另一方面又主要集中在综合性大学、理工类大学和财经类高校。

表3-6 是战略性新兴产业主题发文数量在 15 篇及以上的博士、硕士培养机构，从中可以分析得出作者所在机构呈现为一个集中与分散相结合的状态。这 24 个培养机构的博士学位论文、硕士学位论文和论文总数分别为 91 篇、476 篇和 567 篇，分别占到了 49.2%、40.5% 和 41.7%。吉林大学的博士学位论文、硕士学位论文和论文总数都是最多的；华南理工大学主要是硕士学位论文数量较多。

表 3-6　硕博学位论文发文较多的机构（15 篇及以上）

序号	培养机构	博士学位论文	硕士学位论文	总计	序号	培养机构	博士学位论文	硕士学位论文	总计
1	吉林大学	14	47	61	7	湖南大学	4	24	28
2	华南理工大学	3	42	45	8	山东大学	2	26	28
3	东北财经大学	11	31	42	9	华中科技大学	7	15	22
4	西南财经大学	10	22	32	10	天津大学	8	12	20
5	安徽大学	1	30	31	11	中南大学	4	15	19
6	中国海洋大学	5	25	30	12	武汉理工大学	3	16	19

续表

序号	培养机构	博士学位论文	硕士学位论文	总计	序号	培养机构	博士学位论文	硕士学位论文	总计
13	哈尔滨理工大学	3	14	17	19	大连理工大学	1	15	16
14	重庆大学	3	14	17	20	复旦大学	2	13	15
15	南京工业大学	0	17	17	21	南昌大学	1	14	15
16	浙江大学	5	11	16	22	合肥工业大学	0	15	15
17	电子科技大学	3	13	16	23	湖南师范大学	0	15	15
18	北京邮电大学	1	15	16	24	南京财经大学	0	15	15

3.3.2　战略性新兴产业方向硕博士学位论文研究主题分析

通过对硕博学位论文研究主题的分析发现，硕博学位论文研究的主题涉及产业发展、产业政策、产业人才、金融支持等多个方面。

最后是关于硕博学位论文研究主题的分析。中国知网硕博学位士论文数据库的主题检索可以保证检索词出现在"题名""关键词"和"摘要"当中，这在一定程度上保证了检全率，但检准率并不理想。例如，王勇的博士学位论文《促进珠三角区域经济一体化的财政政策研究》一文只是在其第七章中，以战略性新兴产业为例，讨论了省级产业扶持专项资金问题；曾世宏的博士学位论文《基于产业关联视角的中国服务业结构变迁》，其摘要中提及，促进中国服务业发展"自增强"机制实现的政策设计是一方面要提高中国传统农业和制造业的专业化水平，另一方面要大力发展战略性新兴产业。类似的论文虽然出现了战略性新兴产业的字眼，但实际上其研究重点并不是战略性新兴产业。为了能够比较准确地分析硕博学位论文的研究主题，后文主题分析是以"题名"中包含"战略性新兴产业"的博士和硕士学位论文为研究对象，其中博士学位论文36篇，硕士学位论文325篇。

1. 博士学位论文研究主题

根据每篇博士学位论文的题名和内容摘要等信息，本书确定了每篇论文的研究主题。博士学位论文的篇幅较长，有较强的创新性和系统性。从图3-3看，这些论文的研究主题相对较为分散，少量论文关注了同一个研究主题。结合每篇博士学位论文的内容，可以归纳为以下四个方面。

1）战略性新兴产业的发展研究

这个方面的研究主要包括了战略性新兴产业的发展现状、发展模式、产业培育、产业选择、产业布局、产业成长、产业创新等多个方面。这方面的研究数量最多，一共有18篇，占总体的50%。

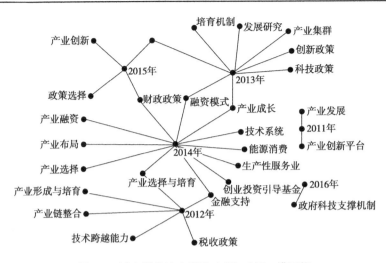

图 3-3　博士学位论文研究主题-时间二模网络

2）战略性新兴产业的相关政策研究

战略性新兴产业具有跨行业、跨领域、跨学科等特点。我国的战略性新兴产业是政府推动的。各级政府对于它的发展不仅出台了许多专门的政策以及相关政策，包括财政政策、税收政策、科技政策、创新政策等，还提供了科技支撑机制等。这方面的研究有 7 篇，约占总体的 19%，涉及了产业发展的不同类型的相关政策。张洁（2013）和付大军（2015）分别以河北省和北京市为研究对象，有一定的地方特色，其余 5 篇没有明确的地域属性，是宏观层面的研究。

3）战略性新兴产业的金融支持

战略性新兴产业通常是投入较大、回报周期相对较长的一些领域。它的顺利发展离不开金融领域的大力支持。在国务院印发的《“十二五”国家战略性新兴产业发展规划》中，明确提出，要加大财税金融政策扶持，并给出了指导性意见。这方面的博士学位论文有 6 篇，它们对产业发展的金融支持、融资模式、融资效率三个方面进行了相关研究。其中一篇是从开放性金融的视角，以珠三角为研究对象展开的研究。

4）其他方面

还有 5 篇博士学位论文分别围绕“新兴产业的产业链整合、产业的技术系统与创新载体、产业技术跨越能力和竞争力、产业对中国能源消费的影响、生产性服务对战略性新兴产业发展的作用机制”进行了相关研究。这类研究虽然数量较少，但其研究的视角和内容有一定的创新性。

2. 硕士学位论文研究主题

题名中包含“战略性新兴产业”的硕士学位论文一共有 325 篇，其研究内容比博士学位论文更加丰富。表 3-7 列出了出现较多的“产业”“创新”“政府”

"政策""金融（含融资）"等 5 个词语及包含这些词语的主题词。可以看出，产业发展、产业选择、产业人才、技术创新、政府补贴、财政政策、金融支持是出现较多的研究主题。从表 3-7 中的主题词可以看出，这些硕士学位论文研究的内容更加全面，涉及战略性新兴产业的不同侧面。

表 3-7　硕士学位论文中出现较多的主题词

主题词	二级主题词	论文数量	主题词	二级主题词	论文数量
产业	产业发展	43	创新	技术创新	14
	产业选择	11		创新绩效	4
	产业人才	10		创新能力	4
	产业培育	7		产学研联盟创新	1
	产业成长	6		创新模式	1
	产业创新	5		创新投入与产出	1
	产业耦合	5		创新投资决策	1
	产业政策	5		创新系统	1
	产业集聚	4		创新效率	1
	产业融资	4		创新影响	1
	产业集群	3		科技创新	1
	产业协同发展	3		模式创新	1
	产业竞争力	2		协同创新	1
	产业布局	1		自主创新	1
	产业创新绩效	1	政府	政府补贴	5
	产业创新系统	1		政府行为	3
	产业关键工艺协作	1		政府作用	3
	产业关联	1		地方政府	2
	产业技术联盟	1		蚌埠市政府	1
	产业绩效	1		吉林省政府	1
	产业链整合	1		政府风险投资	1
	产业匹配	1		政府激励约束机制	1
	产业研发	1		政府职能	1
	产业营销策略	1		政府主导	1
	产业支撑体系	1	政策	财政政策	8
	产业资金资源配置	1		产业政策	5
	传统产业	1		税收政策	5
	传统产业升级	1		财税政策	1
	国际产业链	1		国际化发展政策	1
	健康产业	1		政策体系	1

续表

主题词	二级主题词	论文数量	主题词	二级主题词	论文数量
政策	政策支持	1	金融（合融资）	金融生态	1
	知识产权政策	1		科技金融创新模式	1
金融（合融资）	金融支持	19		融资策略	1
	产业融资	4		融资风险	1
	融资结构	2		融资路径	1
	股权融资	1		融资效率	1
	股权融资效率	1		私募股权融资	1
	金融融合机制	1		知识产权质押融资	1

与博士学位论文研究相比，硕士学位论文中还有一个比较明显的特点是，研究者对特定区域的研究数量更多。6 篇论文以长三角、京津冀和西部地区为研究范围。97 篇论文研究范围涉及全国 24 个省、自治区和直辖市，少数论文研究范围有安徽、广东、黑龙江、吉林、江西、河北、湖南、江苏、辽宁和山东，涉及具体的省会城市包括沈阳、武汉、长沙、长春和合肥，其他城市如大连、东莞、惠州、嘉兴、南通、齐齐哈尔、泉州、蚌埠和章丘。这种研究范围的具体化，可以结合当地的实际情况来研究其战略性新兴产业的发展问题。这类研究更具体，有地方特色和针对性。

3.4 专利信息资源的存量调查与分析

专利信息资源是战略性新兴产业信息资源重要组成部分，系统了解和掌握有关战略性新兴产业专利文献存量资源对建立战略性新兴产业信息资源保障体系具有重要意义。关于战略性新兴产业专利信息资源，本书给予了重点关注，对七大战略性新兴产业专利资源存量调查和增量规划进行了充分的调查与分析。

3.4.1 战略性新兴产业专利资源整体存量调查

本节数据选取 2010 年《国务院关于加快培育和发展战略性新兴产业的决定》[①]下发后五年内的数据作为分析对象。2010 年至 2014 年专利文献资源量总体呈逐年增长态势。在申请量方面，2010 年至 2014 年呈现出逐年递增趋势；在授权量方面，

---

① 国务院. 国务院关于加快培育和发展战略性新兴产业的决定[EB/OL]. http://www.gov.cn/zwgk/2010-10/18/content_1724848.htm[2015-12-22].

2010 年至 2012 年呈现逐年递增趋势，而 2012 年至 2014 年授权量无显著性差异。战略性新兴产业专利文献资源授权率五年均值是 41.84%；其他产业专利文献资源授权率五年均值仅为 14.53%，全部专利文献资源授权率五年均值为 24.98%。此外，2013 年和 2014 年战略性新兴产业专利文献资源授权率有所下降，授权率下降的直接原因是在申请量上升的基础上授权量无明显变化，见表 3-8。

表 3-8　2010~2014 年专利文献资源授权率

年份	战略性新兴产业专利授权率	其他产业授权率	总体授权率
2010	42.35%	16.87%	29.32%
2011	46.65%	11.65%	22.14%
2012	45.79%	17.36%	29.14%
2013	39.85%	12.09%	22.14%
2014	34.58%	14.66%	22.16%

从专利申请的角度来看，战略性新兴产业专利文献资源量所占比重达 38.82%；从专利授权量的角度来看，战略性新兴产业专利文献资源量所占比重达到 64.54%，见表 3-9。战略性新兴产业专利文献资源授权率及其专利文献资源量所占比重均可以说明在国家政策的支持和相关人员的努力下，其专利文献资源质和量较其他产业具有明显的优势。

表 3-9　2010~2014 年战略性新兴产业授权量和申请量占据总体授权量和申请量的比重

年份	战略性新兴产业专利授权量占总体比重	战略性新兴产业专利申请量占总体比重
2010	70.60%	48.89%
2011	63.12%	29.95%
2012	65.06%	41.39%
2013	65.17%	36.22%
2014	58.77%	37.67%

在对战略性新兴产业专利信息资源整体调查分析的基础上，本节通过对我国七大战略性新兴产业专利资源量的分析，了解我国七大产业发展现状，发现我国战略性新兴产业发展过程中存在的问题。我国七大战略性新兴产业专利文献资源量呈现增长态势，各个产业之间存在着较为显著的差异。新一代信息技术、生物、节能环保三大产业专利文献资源量超过战略性新兴产业专利文献资源量的 70%，占支柱性的地位。其次是高端装备制造、新能源、新能源汽车三大产业，专利文献资源量存在较大的发展空间。详见表 3-10 和表 3-11。2012 年后七大产业专利文献资源增长率有所下降，其资源量仍小幅度上升，产业发展处于技术相对成熟期，这主要由产业技术的限制导致。此外，七大战略性新兴产业专利文献资源授权率呈现较为稳定的增长趋势，新一代信息技术、生物、高端装备制造、新材料五大战略性新兴产业

专利文献资源的授权率均值在 40% 左右，新能源和新能源汽车两大产业专利文献资源的授权率徘徊在 30% 上下（表 3-12）。我国新能源和新能源汽车两大产业自主创新能力不足，技术研发投入较低，依赖于国外技术，缺乏自我研发平台，导致两大产业技术研发创新较弱。

表 3-10　七大战略性新兴产业逐年申请专利文献资源及其增长率

战略性新兴产业	2010 年	2011 年		2012 年		2013 年		2014 年	
	申请量	申请量	增长率	申请量	增长率	申请量	增长率	申请量	增长率
节能环保	31 917	36 049	12.95%	51 194	42.01%	57 758	12.82%	70 559	22.16%
新一代信息技术	44 394	50 625	14.04%	61 924	22.32%	70 963	14.60%	79 016	11.35%
生物	38 851	43 233	11.28%	57 604	33.24%	65 961	14.51%	83 577	26.71%
高端装备制造	8 662	10 105	16.66%	13 707	35.65%	16 045	17.06%	18 106	12.85%
新能源	9 542	12 504	31.04%	16 781	34.21%	19 156	14.15%	19 395	1.25%
新材料	17 725	19 851	11.99%	30 109	51.67%	34 354	14.10%	39 321	14.46%
新能源汽车	2 675	3 512	31.29%	4 753	35.34%	6 341	33.41%	6 261	−1.26%

表 3-11　七大战略性新兴产业逐年授权专利文献资源及其增长率

战略性新兴产业	2010 年	2011 年		2012 年		2013 年		2014 年	
	授权量	授权量	增长率	授权量	增长率	授权量	增长率	授权量	增长率
节能环保	12 070	16 069	33.13%	21 881	36.17%	23 170	5.89%	23 797	2.71%
新一代信息技术	23 833	25 549	7.20%	31 948	25.05%	27 402	−14.23%	26 501	−3.29%
生物	14 206	20 112	41.57%	26 927	33.89%	30 167	12.03%	30 965	2.65%
高端装备制造	3 744	4 774	27.51%	5 999	25.66%	5 974	−0.42%	6 130	2.61%
新能源	2 223	3 585	61.27%	5 529	54.23%	6 018	8.84%	6 607	9.79%
新材料	7 575	10 692	41.15%	14 773	38.17%	14 935	1.10%	15 520	3.92%
新能源汽车	735	977	32.93%	1 464	49.85%	1 722	17.62%	2 118	23.00%

表 3-12　七大战略性新兴产业逐年授权率

战略性新兴产业	2010 年	2011 年	2012 年	2013 年	2014 年
节能环保	37.83%	44.58%	42.74%	40.12%	33.73%
新一代信息技术	53.69%	50.47%	51.59%	38.61%	33.54%
生物	36.57%	46.53%	46.75%	45.73%	37.05%
高端装备制造	43.22%	47.24%	43.77%	37.23%	33.86%
新能源	23.30%	28.67%	32.95%	31.42%	34.07%
新材料	42.74%	53.86%	49.07%	43.47%	39.47%
新能源汽车	27.48%	27.82%	30.80%	27.16%	33.83%

对战略性新兴产业专利文献资源申请主体进行分析可以得知研发活跃、技术先

进的主体，并可以进一步分析各个主体的特点。因而，本节对战略性新兴产业专利文献存量资源申请主体进行了分析。战略性新兴产业申请主体中的企业无论是从申请的专利文献资源量还是从授权的专利文献资源量所占比重均超过66%，占据显著支柱性的地位。然而，由于企业研究能力欠缺，其授权率仅为33.93%，并不理想。高校申请的专利文献资源量和授权的专利文献资源量所占比重分别为 13.49%和16.60%；科研单位申请的专利文献资源量和授权的专利文献资源量所占比重分别为4.78%和6.19%。但是，高校和科研单位的科研水平较高，其授权率均超过42%，一定程度突显两者专利文献资源的质量。个人和其他申请人主体申请专利文献资源量和授权的专利文献资源量均高于10%，但其授权率仅达24.77%（表3-13）。这说明战略性产业技术发展是以企业为主导，需要高校和科研单位的技术支持，仅靠个人能力难以得到突破性的发展。

表 3-13　2014 年战略性新兴产业申请主体

申请主体	申请量/人次	比重	授权量/人次	比重	授权率
企业	207 427	66.88%	70 383	66.44%	33.93%
高校	41 837	13.49%	17 584	16.60%	42.03%
科研单位	14 826	4.78%	6 558	6.19%	44.23%
个人和其他	46 059	14.85%	11 411	10.77%	24.77%

3.4.2　战略性新兴产业专利资源区域地区存量调查

本节还对战略性新兴产业专利文献存量资源的区域分布情况进行了调研分析，这有助于了解我国产业区域发展特点。我国七大战略性新兴产业专利文献资源存在区域不平衡性，但各个省市七大战略性新兴产业专利文献资源量占各个省市战略性新兴产业专利文献资源总量比重不存在显著性差异。江苏、北京、广东专利文献资源量有显著性优势。从申请的专利文献资源量看，辽宁和天津属于排名前十的省市，但从授权的专利文献量看并非属于前十的省市；而湖北和陕西，尽管从申请的专利文献量排名来看并非属于前十，但其授权的专利文献资源量排名属于前十（表3-14和表3-15）。数据说明辽宁和天津的专利文献资源的质量有待进一步提高，湖北和陕西的专利文献质量相对理想。

表 3-14　2014 年七大战略性新兴产业申请的专利文献资源前十省市

省市名称	节能环保	新一代信息技术	生物	高端装备制造	新能源	新材料	新能源汽车
江苏	10 026	5 554	9 160	2 459	2 619	5 928	385
北京	5 158	12 803	4 652	2 041	3 045	2 840	429

续表

省市名称	节能环保	新一代 信息技术	生物	高端装备 制造	新能源	新材料	新能源汽车
广东	4 795	12 631	4 561	1 254	1 699	2 719	338
山东	5 243	1 904	12 433	717	823	3 123	196
安徽	4 582	982	5 512	418	516	3 602	246
上海	2 643	4 728	3 358	985	891	2 072	276
浙江	344	2 065	3 401	764	805	1 977	214
四川	2 389	1 723	2 093	603	590	8	85
辽宁	1 888	824	1 788	570	390	20	1
天津	1 412	1 293	1 940	361	317	716	85

表 3-15　2014 年七大战略性新兴产业授权的专利文献资源前十省市

省市名称	节能环保	新一代 信息技术	生物	高端装备 制造	新能源	新材料	新能源汽车
北京	2 307	3 042	2 635	693	816	1 476	109
广东	1 597	3 899	1 973	377	494	1 077	94
江苏	1 936	1 084	2 197	495	623	1 328	71
山东	1 206	320	3 027	156	284	580	40
上海	917	1 002	1 560	291	302	859	76
浙江	1 194	673	1 515	269	346	80	54
四川	578	418	830	129	129	288	18
安徽	531	133	912	59	116	429	61
湖北	605	294	635	125	30	325	22
陕西	392	375	33	200	148	294	8

通过前文对我国战略性新兴产业专利文献存量资源分析发现：我国战略性新兴产业专利文献存量资源总体上呈现稳态，较其他产业尚不存在明显的优势。战略性新兴产业专利文献存量资源的问题是：质量有待提升、不平衡性、区域性趋同。质量的提升是战略性新兴产业专利文献资源进一步发展的基础。战略性新兴产业专利文献资源的不平衡性包括两个方面：一方面是研究者和实践者之间的信息不平衡性；另一方面是区域分布不平衡性。不平衡性的问题是战略性新兴产业发展过程中不可忽视的。正如信息不对称理论提出"在市场经济条件下，市场的买卖主体不可能完全占有对方的信息，这种信息不对称必定导致信息拥有方为谋取自身更大的利益而使另一方的利益受到损害"（张红莉和马迪倩，2013）。此外，信息不对称理论是博弈论中非常重要的概念，在考虑信息传递与反馈的博弈过程中，参与博弈的个体均希望取得最大化效用，信息的提供者、使用者总是希

望能够获得更多信息以便可以作出科学合理的决策（朱丽波，2010）。战略性新兴产业专利文献存量资源不平衡也是因为信息不对称，信息不对称理论也再次揭示解决此问题的重要性与必要性。因而，关于战略性新兴产业专利文献增量资源的规划必须首先重视和解决战略性新兴产业专利文献存量资源不平衡性的问题，即其信息不对称的问题。最后，关于七大产业区域性过度趋同的问题是实现我国战略性新兴产业可持续性发展的关键。

但目前国内现有的专利信息平台大多只能提供最原始的信息，数据缺乏统一规范和深度加工，尤其是专利数据源质量较差，无法动态实时维护，数据的完整性和可靠性没有保障。信息资源粗加工或不加工的原状使用，在信息爆炸的互联网时代，已严重干扰信息的准确性与有效性，导致创新人员在信息检索与甄别上浪费大量时间，对创新效率和创新效果影响极大。例如，专利信息，其公开文本属申请人与专利局之间的博弈，词汇晦涩难懂，概念含糊不清，不经专业人员深加工标引，信息的漏检率和误检率大增，不仅会降低创新效率，导致重复性研究，而且可能增加侵权隐患。

在我国，根据《关于2019年国民经济和社会发展计划执行情况与2020年国民经济和社会发展计划草案的报告》，2020年全国高新技术企业超过22.5万家，科技型中小企业超过15.1万家，它们是创新的主体，也是专利信息增值服务市场的主要客户群体。它们对专利信息增值服务也都有需求，许多企业及科研单位需要专利信息服务，但不是简单的查询服务，它们需要的是面向用户、解决问题的"一站式"全方位信息服务，最根本的一条是利用专利信息解决它们生产、经营、科研、管理中遇到的实际问题。而恰恰在这一点上暴露了我国专利信息服务中的尴尬处境：那就是我国专利信息服务机构和服务人员的总体水平和能力比较低下，特别是高层次专利信息服务人才更为匮乏，无法形成一站式服务体系，解决立项研发、设计创新、申请保护、侵权规避、侵权诉讼、技术跟踪、预警分析等全套问题。

国内尚缺乏一个以海量专利数据为基础、具备专业化检索、分析、预警及专利管理功能的专利信息综合服务平台。现有平台信息加工技术、检索分析技术落后，检索功能单一，缺乏全方位的知识产权增值服务，不能有效满足用户技术创新与市场竞争的需求，特别是无法满足专业化的检索分析需求。为此，国内企事业单位每年不得不花费巨额外汇使用国际联机检索系统查询相关信息。

目前，国内的专利信息服务机构主要有专利软件开发机构和专利信息综合服务机构。

1. 专利软件开发机构

1）保定市大为计算机软件开发有限公司

保定市大为计算机软件开发有限公司于2001年9月在保定国家高新技术产业

开发区注册，致力于中国、日本知识产权软件的研究开发，以专业化、国际化的形象服务于中国市场，为企业、大学、科研院所、知识产权代理机构等用户提供国际一流品质的知识产权信息技术服务。现已形成国际、国内市场互相促进、互相补充的稳定的发展格局，涉及知识产权、财务、商品流通、商业智能等领域；"大为 PatGet 专利下载分析系统"是公司为 WTO 新竞争形势下的中国企业精心研制的产品。

2）北京恒和顿创新科技有限公司

北京恒和顿创新科技有限公司是从事专利信息咨询服务的高新技术企业。公司成立于 2004 年，其产品有"恒和顿专利数据库""HIT 恒库""Hpatent 建库宝""专利战略分析系统"等。公司在专利数据采集、整理、专利战略分析、知识产权管理制度建立等方面进行了大量的投入和研究。其服务领域涉及电子通信、石油化工、航天航空、生物医药、农林、机械、新材料、新能源等行业。

2. 专利信息综合服务机构

1）知识产权出版社

知识产权出版社原属于国家知识产权局事业单位，承担国家知识产权局公益性专利信息服务的工作任务。近年出版社除了继续维持政府公益性服务工作以外，开始迅速加大商业化产品开发和市场推广力度，在数据资源建设、软件功能、产品销售和售后服务方面均有了较大程度的改善。出版社提供数据库服务的模式包括在线服务及量身定制建库。数据库的质量处于较为基础的水平。

2）常州佰腾科技有限公司

常州佰腾科技有限公司（简称佰腾科技）成立于 2006 年。佰腾科技以佰腾网为网络平台，集成了专利信息应用服务、科技成果转化服务、产学研对接服务、国际技术转移服务，通过深层次的、个性化的定制服务，为企业创新提供了全面的解决方案。佰腾科技独立研发、拥有自主知识产权和两项发明专利的专利信息应用系统，用户遍布江苏、上海、浙江、安徽、广东、天津、辽宁、山东等多个省市。佰腾科技针对不同的用户需求，进行了产品细分，如为企业创新服务的基于互联网使用的企业个性化专利数据库；基于局域网使用的个性化专利信息服务平台；为区域创新服务的政府知识产权公共服务平台，区域重点产业专题专利数据库；为行业协会和行业网站服务的个性化行业专利数据库等。

3）东方灵盾公司

东方灵盾公司成立于 2003 年，注册资本 1000 万元人民币，是一家专业从事专利信息增值服务的高科技公司。公司以促进专利信息的有效利用为宗旨，以提升我国科技型企业和科研院所的技术创新能力、创新管理能力和专利信息应用能力为目标。公司基于对世界专利信息的收集、整理和深度加工，打造各种专业情报数据库和多数据联机检索、分析和管理平台，为社会各界提供全方位、专业化的专利检索、战略分析、价值评估和专利管理等高端咨询服务。东方灵盾公司的客户遍及政府部门、科研院所、生物医药、电子信息、交通运输、机械制造、钢铁有色、能源化工、航空航天等各行各业。东方灵盾公司先后承担国家、地方政府及各类企业委托项目 1000 余项，其中包含多项国家 863 计划项目、国家专利重大专项及国家和地方政府试点示范项目。其自主研发的世界传统药物专利数据库是经过深度加工，世界上第一个收录最全面的天然药物专利数据库，数据加工质量达到国际先进水平，目前数据已经被国际权威的化学及药物数据库服务商所采购，并与多家国际联机检索系统洽谈数据库运营合作。

纵观西方发达国家专利信息服务的发展历程，最主流的商业模式就是由政府引导向商业化运营转入的过渡模式，典型案例当属 Dialog 联机检索系统。1957年，苏联人造卫星成功发射，美国在总结苏联在航天科技方面领先美国的原因时，提出科技信息传播障碍是影响美国科技发展的重要因素之一。在这种背景下，世界规模最大的国际联机检索系统 Dialog 诞生了。Dialog 是在 20 世纪 60 年代由美国国家航空航天局出资支持美国洛克希德·马丁公司建立的，它将政府、研究院、大学和企业的信息资源进行规范加工整理，实现了信息资源共享。此后不断有新数据库和用户加盟，并于 1972 年实现商业化运营。Dialog 现有数据库 900 余个，信息内容相当于互联网上搜索引擎提供信息的 500 倍以上。

为了给商业机构留有发展空间，政府主动避免进入商业性专利信息服务领域。例如，1978 年，日本特许厅（Japan Patent Office，JPO）下属单位日本特许情报机构（Japan Patent Information Organization，JAPIO）开发了日本第一个在线专利信息检索系统（Patent On-Line Information System，PATOLIS），由于 PATOLIS 与商业机构形成了竞争关系，该业务于 2001 年从日本特许情报机构中剥离出来，成立了 PATLOLIS 公司。

国外专利信息服务行业的主流服务模式是基于网络的数据库在线运营。这种服务模式在国外已非常成熟，是国外大型专利信息服务商的主导运营模式。服务商通过建设大型专利数据库并配备功能强大的专利检索分析系统，利用互联网以销售使用账号的形式向全球用户提供服务。最为典型的有汤姆森科技集团、美国化学文摘社、法国的 Questel 公司的 Orbit 知识产权数据库、英国的 RWS 集团（RWS Group），它是欧洲的知识产权支持服务（专利翻译、归档和搜索）以及高级技术、科技、法律和金融翻译提供商，以及由韩国知识产权局（Korean Intellectual Property Office）认定的世界知识产权检索系统（Worldwide Intellectual Property Service，WIPS）等。

3.5　科技报告研究与管理状况调查

在创新驱动发展战略背景下，科技报告作为国家重要的战略信息资源，对于战略性新兴产业的发展具有重要意义。科技报告就是科技项目的研究成果，就是重要的科技信息资源。科技报告是科研工作者围绕某个课题研究所取得成果的正式报告或对课题研究过程中各阶段进展情况的实际记录。科技报告的研究课题涉及国家部署、支持的高尖精的科学技术研究项目，研究涉及基础理论或生产技术。科技报告专业性强，报道详尽，技术数据具体，常有图表及研究比较，是科技查新工作的一项重要信息源（谢新洲和周静，2015）。科技报告在一定程度上代表了国家科学技术的发展，对科技研究过程、科技知识的创新及科研成果交流等都有重要的作用。随着国家科技报告服务系统在 2014 年 3 月 1 日正式上线，科技报告制度全面实行，科技报告的管理和利用已经被政府和学术界重视起来，专家学者们对科技报告的研究也与日俱增。

3.5.1　我国科技报告研究现状扫描

本节采用文献研究法，对国内科技报告的研究成果作了全面系统的梳理，总结出典型作品、核心刊物和不同阶段的研究主题。通过设定"科技报告"为主题词、关键词或篇名等途径对中国知网、万方数据、维普、读秀等进行综合跨库检索，同时对中国国家图书馆、中国科学院国家科学数字图书馆和中国科学技术信息研究所图书馆资源进行检索。汇总后发现：国内对此主题的专门研究一直以来总量并不多，直到 2013 年才有明显增加，文献主体是期刊论文。会议录论文、学位论文等数量很少，专著数量更少。

首先，从战略性新兴产业科技报告相关专著及专题电子资源的角度，本书同时访问中国国家图书馆馆藏文献，以"科技报告"为关键词进行检索，剔除与科技报告研究主题明显不相关的作品，发现已出版发行的相关图书仅有以下五部：《科学政策和政府科技报告》（金宗蔚等译，1982 年）、《美国政府四大科技报告实用指南》（王维亮，1995 年、2011 年再版）、《科技报告及其撰写和编辑出版》（黄厚坤，1996 年）、《美国政府科技报告管理和服务体系研究》（贺德方，2006 年）、《科技报告体系构建研究》（贺德方、曾建勋，2014 年）。此外，有三份电子资源：《科技报告呈交流程和共享办法》（乔晓东主讲，2014 年），《科技报告撰写要求、典型案例和质量管理要点》（张新民主讲，2015 年）和《国家科技报告体系研究》

（贺德方主讲，2015 年）。不难看出，针对我国科技报告管理与使用的研究专著目前只有一部，即贺德方与曾建勋合著的《科技报告体系构建研究》（2014 年）。这是一部力作，内容全面系统，理论与实践完美结合。内容涉及：科技报告概述；国外科技报告制度剖析；我国科技报告制度现状分析；科技报告资源形成机制研究；科技报告制度框架研究；科技报告知识产权研究；我国科技报告建设模式研究；我国科技报告体系构建研究；我国科技报告工作操作实务等。

其次，通过跨库和多平台检索，发现国内以科技报告为研究主题的论文有期刊论文、会议录论文、硕博学位论文和报纸刊登的研究性论文。目前检索到最早涉及科技报告的论文是 1976 年《武汉大学学报》（自然科学版）第 1 期有对查找 11 种科技文献资料的介绍，其中科技报告为其中一种。之后是中国科学院图书馆的研究馆员张玉麟 1980 年发文于《图书情报工作》，研究内容为日本学术会议录、科技报告的著录和目录组织。

硕博士学位论文、会议论文数量甚少，检索到的相关硕士学位论文仅 8 篇，博士学位论文为 1 篇，其中较早的一篇硕士学位论文发表于 2003 年，是中国科学技术信息研究所情报学硕士生张东所作。唯一的 1 篇博士学位论文发表于 2016 年，是贺德方教授指导的南京大学博士生朱丽波完成的《科技报告质量控制与评价研究》。较早的一篇会议论文是 1986 年 11 月中国图书馆学会学术工作委员会与广西图书馆学会联合举办的全国文献资源布局学术讨论会上的《科技报告联合服务网络布局初探》，并于次年刊发在《图书馆界》（李延海和刘学和，1987）。

根据论文刊出的具体情况，统计自 1980 年开始论文数量随时间变化的分布情况。截至 2016 年 11 月，论文总数是 323 篇，2016 年已发表 36 篇。自 20 世纪 80年代以来直到 2012 年，国内对于科技报告的研究虽然一直有所关注，但整体研究处于较为低迷的状态。在 2012 年底前，每年发文量最多不超过 10 篇。为加快推进创新型国家建设，全面落实《国家中长期科学和技术发展规划纲要（2006—2020年）》，充分发挥科技对经济社会发展的支撑引领作用，就深化科技体制改革、加快国家创新体系建设，中共中央、国务院于 2012 年 9 月印发了《关于深化科技体制改革加快国家创新体系建设的意见》，要求加快建立统一的科技报告制度，引起学者们的关注。2013 年科技部发布了《国家科技计划科技报告管理办法》，之后，2014 年 3 月 1 日国家科技报告服务系统正式上线，并向全社会提供开放共享服务。同年国务院办公厅转发科技部《关于加快建立国家科技报告制度的指导意见》，提出，坚持分工协作，科技行政主管部门、项目主管机构、项目承担单位各负其责，建立协同创新的工作机制。考虑到研究成果发表周期，2013 年开始，国内科技报告研究数量猛增，在 2015 年达到前所未有的高峰，是十分自然的。由此也能看出，国家相关政策的出台对于国内科技报告的研究有着极其重要的引导作用。

此外，还对战略性新兴产业科技报告资源研究的期刊发表情况进行了调研。

通过调研发现：国内科技报告的研究论文多发表于国防科技类期刊和图书情报类期刊。论文的期刊分布分散中相对集中，尤其是《情报理论与实践》《中国科技资源导刊》和《图书情报工作》载文量较大。笔者将载文数量为 9 篇及以上的期刊进行汇总，如表 3-16 所示。

表 3-16　载文量在前七位的期刊分布情况

期刊名称	载文数量/篇
《情报理论与实践》（1987 年前是《兵工情报工作》）	40
《中国科技资源导刊》（2007 年 8 月前是《中国信息导报》）	33
《图书情报工作》	26
《现代情报》	12
《情报学报》	11
《情报杂志》	10
《情报科学》	9

图书情报类期刊载文数量最多的为中国国防科技信息学会、中国兵器工业集团第 210 研究所主办的《情报理论与实践》，截至 2016 年 11 月载文数量为 40 篇。表 3-16 中前七位的期刊刊载科技报告的论文数量占总篇数的 43.7%。从表 3-16 结合文献调查发现，国内科技报告研究主体集中在情报学领域。

最后，本书对所调查文献的研究主题进行了梳理。国内科技报告的研究主题按照出现顺序依次是：国防领域的应用、科技报告基础理论（概念、作用、特点及组织检索与利用）、国外成功经验、国家管理制度与体系的构建和省级管理制度与体系的构建。由于时间跨度长，对同一主题研究层面深度与角度及方法等均有不同，科学发展的规律也是具有阶段性特征的。总之，我国战略性新兴产业的科技报告资源的研究主题具有阶段性和递进性。

3.5.2　我国科技报告管理及服务状况

当前我国创新驱动发展战略顶层设计扎实推进，将发展动力切换到创新驱动上来，已成社会共识。对于已成为国家科技创新重要基础性战略资源的科技报告，一直以来，政府与学界没有忽视，尤其在国防与尖端科技领域，对科技报告这一科技信息资源越发重视，作为提供主体，中央政府和省级政府在不断推进其开发与利用上，既取得了很多成就和进展，也仍然还有一些待努力推进和解决的问题。

1. 形成分工协作的三级管理体系

科技报告是国家基础性、战略性科技资源，是国家实力的重要体现。加快建立国家科技报告制度，将科技报告纳入科研管理，是推动国家科技资源持续积累和完整保存、增强国家科技实力的重要举措。科技报告制度是国家意志和科技实力的多方面体现，有利于加强各类科技计划协调衔接、避免科技项目重复部署；有利于广大科研人员共享科研成果、提高国家科技投入效益；有利于社会公众了解科技进展、促进科技成果转化应用。国家科技报告管理体系是：科技行政主管部门、项目主管机构、项目承担单位各负其责，分工协作，建立协同创新的工作机制。见图 3-4。

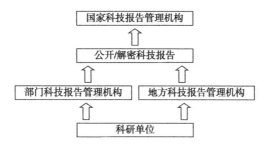

图 3-4　科技报告三级组织管理机构

2. 出台顶层设计的制度框架

2014 年 9 月 10 日，国务院办公厅转发科技部《关于加快建立国家科技报告制度的指导意见》，部署加快建立国家科技报告制度，明确提出到 2020 年建成全国统一的科技报告呈交、收藏、管理、共享体系，形成科学、规范、高效的科技报告管理模式和运行机制。见图 3-5。现在有了科技报告制度，就可以在梳理国家重大科技进展和成果的基础之上，及时向社会公布，进而推动科技成果形成知识产权和技术标准，促进科技成果转化和产业化。

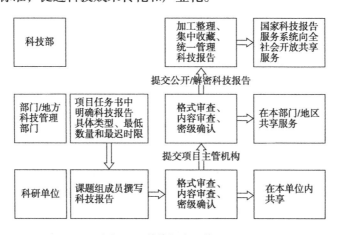

图 3-5　科技报告工作流程

3. 开通统一的服务系统平台

国家科技报告服务系统于 2014 年 3 月 1 日正式开通运行,公众可以通过该系统检索国家科技计划项目所产生的科技报告,这标志着我国科技报告制度建设取得实质性进展。作为科技报告向社会展示和提供开放共享服务的基础平台,国家科技报告服务系统于 2013 年 11 月 1 日开通征求意见版,并根据广大科技人员提出的意见和建议进行了结构优化和功能扩展,实现了科技报告与相关论文、专利等其他成果产出形式的知识关联。目前,系统已开通了针对社会公众、专业人员和管理人员三类用户的共享服务。该系统的开通将实现万份科技报告向社会开放共享,公众只要登录网址 www.nstrs.cn,就可以检索国家科技计划项目所产生的科技报告,通过实名注册的用户即可在线浏览公开科技报告全文。同时,系统采取了相应的技术措施,确保科技报告作者相关知识产权权益。

4. 推出相应的国家标准

科技报告应按《科技报告编写规则》(GB/T 7713.3—2014)等国家标准进行撰写,对技术细节和研发过程作详细描述。科技报告编写规则主要是对科技报告的结构、构成要素以及编写、编排格式等进行规定,确保科技报告结构规范,段落清晰,简明易读,以及科技报告的基本信息项完整、准确、格式统一,便于统一收集和集中管理,也便于信息系统处理和用户检索查询。科技报告的组织整理需按照《科技报告元数据规范》(GB/T 30535—2014)进行编排。一个项目(课题)可能会形成多篇科技报告,需要统一编号,以便于呈交、管理、检索和使用。科技报告元数据主要用于对科技报告的文献特征信息和项目来源基本信息进行描述、组织和管理。科技报告元数据的主要作用是支持科技报告基本信息在计算机信息系统中的存储、管理、定位、调用等功能,帮助用户检索、识别和确认所需要的科技报告。科技报告的标引与著录需按照《科技报告元数据规范》(GB/T 30535—2014)进行。对科技报告的分类分级管理应依据《科技报告保密等级代码与标识》(GB/T 30534—2014)赋予代码与标识。制定科技报告保密等级代码和标识标准是为了统一确定和标识科技报告保密等级及其受限范围,方便密级等级变更和解密,以促进科技报告的管理、交流和使用。

5. 积极响应的地方政府与管理部门

国家科技报告制度建立后,各地政府及各级科研管理单位和部门都积极响应。例如,广东迅速响应,2014 年印发的《中共广东省委 广东省人民政府关于全面深化科技体制改革加快创新驱动发展的决定》明确提出"建立科技报告制度",《广东省人民政府关于加强广东省省级财政科研项目和资金管理的实施意见》中明确提出："省级财政资金支持的科研项目，项目承担者必须按规定提交科技报告"。同时，依托广东省科学技术情报研究所成立"科技报告管理与服务中心"（内设机构）作为具体工作承担单位，实现"国家科技报告制度"在地方的落地。到2016年5月上旬，广东科技报告制度已经初步构建完毕，"广东科技报告服务系统"已上线使用，《广东省科学技术厅关于科技计划科技报告的管理办法》2016年9月正式发布。全国各地各级相关政府和单位部门都在积极落实国家科技报告制度，并在国家制度框架下积极构建适合本地本单位本部门的规则与细化制度，推动科技报告信息资源最大限度的社会共享早日实现。

6. 主要问题

1）科研人员的规范意识缺乏，撰写能力有待提高

科技报告描述科技活动的产生、发展和结果，科技人员可以凭借科技报告的描述来重复试验过程或了解科研结果，是科研工作能够承上启下的基础保障之一。科技报告的存在可以避免知识分散在个人或机构中而导致科研成果流失，从而促进隐性知识向显性知识的转化（毛刚等，2013）。但是，并不是每一位科技研究人员都有科技报告写作的规范性意识或常识，通常他们总是按照自己的习惯表述来描述研究过程等。即使科技研究人员有规范撰写科技报告的意识，通常也很难做到规范，因为不是每一个科研工作者都拥有完美的表达技巧和表达习惯。撰写规范的科技报告是一项技能。

2）科技报告存量序化有限，数字化整合难度大

国家科技报告制度要求必须强化科技报告的完整保存和集中收藏，在有条件的地方和部门开展科技报告的回溯工作，做到财政性资金资助的科技项目必须呈交科技报告，鼓励并引导社会资金资助的科研活动自愿呈交科技报告。科技部及其委托机构应对全国范围内所收集的科技报告文摘、项目基本信息、项目产出信息等元数据和科技报告全文进行加工整理、集中收藏和统一管理。由于国家科技报告制度框架推出较迟，之前科研管理部门受制于人力资源、空间或其他因素局限，收集的科技报告多呈现信息孤岛状态，没有整理，缺少分类与分级，没有编号和代码标识，甚至许多科技报告没录入系统，也没有电子版。如果不进行整理和数字化，这部分科技成果将失去共享的可能，对于社会也是损失。

3）质量控制缺乏客观标准，绩效评价难精准

理论上，作为一种非正式出版的特种文献，科技报告要求能够客观、系统、及时地描述科研的基本原理、方法、技术、工艺和过程等，以便科技研究人员之间、管理部门之间快速交流和分享最新的理论成果和前沿技术。但在实践中，情况很难如人意。科技报告资源类型众多、提交加工过程烦琐、科研管理机构制度不健全、操作欠缺标准化以及缺少知识产权保护等，致使提交的科技报告规范性

不够、资源质量参差不齐，一定程度上降低了科技报告资源的科技含量和应用价值。目前尚缺乏统一、有效的质量控制标准，缺乏对科技报告质量评估筛选审核机制，直接影响到用户对科技报告的使用。

4）知识产权等问题突出，分类分级不好把握

根据分级分类原则，通过国家科技报告服务系统面向项目主管机构、项目承担单位、科研人员和社会公众提供开放共享服务，以此方便社会公众了解科技进展、促进科技成果的转化应用。作为特殊种类的科研信息资源，科技报告目前在公开共享交流及技术保密不予示人之间难以清晰界定、平衡发展，由于缺乏具体、明确的技术保密评估、审核标准，在日常工作中常常出现以下三种倾向：应该公开却保密；应该保密却公开；为防涉密简化科技报告信息而使之利用价值降低。常常由于以上种种情况，国家许多科技成果依然处于分散、搁置甚至流失的状态。

3.6 标准信息资源的存量调查与分析

标准竞争日益成为企业建立核心竞争优势的一个重要途径。国外众多领先企业已将标准竞争作为一种基本的竞争战略，并通过标准竞争建立其他方式难以获取的核心竞争力。各国政府、企业或者标准组织通过国际认可的程序，将本国的技术标准变成国际通行的标准，进而从根本上垄断国际市场。与之相适应，各国为了保证本国的技术标准能够成为通行的国际标准，纷纷通过积极参与制定或修改国际规则，建立有利于推广本国成果和技术标准的法律平台。标准竞争与制度竞争是相辅相成的。

对于战略性新兴产业而言，标准竞争的重要性尤其突出，我国目前已经开始在国内和国际领域参与到标准竞争中，但除了少数领域略有成就以外，在多数领域的标准竞争中鲜有作为。标准竞争上的落后已经成为制约中国企业发展的主要因素之一。

如果能够掌握规则的制定权，那么就能从法律上占领国际标准确认的制高点；反过来，如果能够通过国际组织将本国的技术标准变为国际普遍使用的标准，那么在未来制定新规则时，就可以抢占先机。这也是我国无线局域网安全标准 WAPI[①]的推行为什么会遭遇一些发达国家和跨国公司阻挠的根本原因。

2015 年 11 月 17 日~18 日，国家标准化管理委员会召开了标准化信息资源整合及服务体系建设座谈会。会议主要内容是分析标准化信息化工作面临的形

---

① wireless LAN authentication and privacy infrastructure，无线局域网鉴别和保密基础结构。

势、讨论标准化信息化 2015~2020 年行动计划、研讨标准化信息资源整合和公共服务体系建设等重点工作。国家标准化管理委员会崔钢副主任出席会议并作重要讲话，强调在标准化改革方案的背景下建设全国标准信息公共服务平台需要考虑三方面内容：一是坚持需求导向，将各级标准化工作、服务机构与用户连接起来，用需求来推动标准化应用；二是平台建设采用哪些技术要加强与相关企业合作，信息整合与数据库要兼顾国家、行业、地方、团体标准、科技成果、专利等；三是平台建设与维护争取财政资金支持的同时，也可以采用外包的形式进行后期维护、运营。

全国标准信息公共服务平台是国家标准化管理委员会标准信息中心具体承担建设的公益类标准信息公共服务平台，服务对象是政府机构、国内企事业单位和社会公众，目标是成为国家标准、国际标准、国外标准、行业标准、地方标准、企业标准和团体标准等标准化信息资源统一入口，为用户提供"一站式"服务。在网站可以查询国家标准相关信息，如已经发布的国家标准的全文信息；制修订中的国家标准过程信息；国家标准意见反馈信息；技术委员会及委员信息；可以查询国内、国外、行业、地方、企业、团体标准的目录信息和详细信息链接。此外，行业标准信息服务平台提供各个行业领域的标准信息检索和查询，见图 3-6。

图 3-6　行业标准信息服务平台网站

关于战略性新兴产业标准信息资源的调研分析，本节选择生物医药标准数据库进行了比较和分析。生物医药标准数据库主要包括国内外标准题录数据库、万方中国标准全文数据库、万方中外标准文摘数据库、中国标准数据库（知网版）与国外标准数据库（知网版）等数据库，以及国家标准化管理委员会网站、国家标准馆门户网站——中国标准服务网等两家网站。

上述标准数据库的主要优势如下：国内外标准题录数据库的中英文标准名称和主题词由富有经验的专家翻译和审校；万方中国标准全文数据库可直接获取全文；中国标准数据库（知网版）与国外标准数据库（知网版）每条标准的知网节集成了与该标准相关的最新文献、科技成果、专利等信息。国内外标准题录数据库标准文献根据客户需要每季度更新，其他各库均每月更新一次。但是，六大数据库也存在着不足之处——数据资源重复。国内外标准题录数据库、万方中国标准全文数据库、中国标准数据库（知网版）与国外标准数据库（知网版）基本采用标准号、题目、关键词、主题词、标准分类号等检索入口，检索策略缺乏突出特点，存在标准标引深度有待提高、收录标准类型难有突破等问题。由于标准文献在来源、收录范围与检索策略方面存在着相同之处，生物医药标准文献在这几个数据库中的检索结果存在很多重复。因而，建立统一的生物医药标准检索系统平台，避免重复建设，具有一定的价值性。

3.7　专题网络信息资源的调查与分析

3.7.1　战略性新兴产业专题数据库

对战略性新兴产业数据库的调研来自网络信息资源和 CALIS 中的数据库。CALIS 整合了高校丰富的信息资源，实现了信息资源共建共享，因此，可以在CALIS 中找到较完整和权威的信息资源。CALIS 的子项目之一是全国高校专题特色数据库的建设，该项目是要构建一批具有统一标准的，具有中国特色、地方特色、高等教育和资源特色的、为高校教学科研和国民经济建设服务的先进的数字化特色文献资源数据库平台。因此，本节对战略性新兴产业数据库的调研就以 CALIS 收录的数据库为主，调研结果如表 3-17 和表 3-18 所示。

表 3-17　我国战略性新兴产业数据库——CALIS 特色数据库

序号	CALIS 专题特色数据库	单位	项目
1	纳米技术信息库	天津大学图书馆	
2	纳米材料数据库	上海大学图书馆	CALIS 二期
3	磨料磨具与超硬材料文献数据库	郑州工业高等专科学校图书馆	CALIS 三期
4	材料复合新技术门户	武汉理工大学图书馆	CALIS 二期

续表

序号	CALIS 专题特色数据库	单位	项目
5	复合材料专题特色数据库	武汉理工大学	CALIS 二期
6	新能源汽车特色数据库	湖北汽车工业学院	CALIS 三期
7	有色金属文献特色数据库	中南大学	CALIS 三期
8	低碳、新能源特色库数据库	中国矿业大学	CALIS 三期

注：该表是根据 CALIS 特色数据库整理而成

表 3-18　我国战略性新兴产业数据库

序号	数据库	服务项目	机构
1	江西十大战略性新兴产业专利信息平台	光伏材料、金属新材料、半导体照明、非金属新材料、清洁汽车及动力电池、生物和新医药、航空制造、现代农业及绿色食品、风能与核能、文化创意	江西省知识产权局
2	世界传统药物专利数据库	涉及各国传统药物专利，经过深度加工标引的中英文双语种数据库，内含超过 43 万条传统药物的数据信息，是中国首个也是唯一一个向世界知识产权组织提供专业化信息服务的专业化数据库	东方灵盾公司

注：该表是根据网络信息资源整理而成

CALIS 项目共三期，第三期的建设于 2010 年启动。有关战略性新兴产业的特色数据库虽已完成，但数据库的使用效果需进一步考察。江西省十大战略性新兴产业专利数据库平台由江西省知识产权局主办，提供十大类新兴产业数据库。世界传统药物专利数据库是东方灵盾公司的产品，该数据库是我国第一个自主研发的涉及世界各国天然药物专利且经过深度加工标引的中英双语专利数据库，是目前世界上收录天然药物专利最全的数据库。据世界知识产权组织官网消息，世界传统药物专利数据库 2019 年正式接入世界知识产权组织官网，并被纳入该组织专业化专利信息查询计划，为该组织成员国提供专业化信息服务。世界传统药物专利数据库是由我国自主研发，涉及各国传统药物专利，经过深度加工标引的中英文双语种数据库，内含超过 43 万条传统药物的数据信息。这是中国首个也是唯一一个向世界知识产权组织提供专业化信息服务的专业化数据库。

3.7.2　战略性新兴产业专题信息网站

综合性的战略性新兴产业网站的信息资源较少，目前提供综合性战略性新兴产业的网站主要有国研网的子库战略性新兴产业数据库。战略性新兴产业数据库隶属于国务院发展研究中心信息网（简称"国研网"，http://emerging.drcnet.com.cn/www/emerging/），是国研网于 2011 年推出的。战略新兴产业数据库主要针对战略性新兴产业发展中的热点、重点、发展趋势以及政策导向等进行动态跟踪、情报收集与研究分析，力求全方位、多视角、深层次地记录各产业的市场运行态势，帮助用户全面、及时地把握目标行业市场变化以及热点问题。该数据库是有关政府管理部门、企事业领导和投资机构强有力的战略决策支持工具，也是学术科研机构和相关产业经济研究人员的重要参考资料库。内容主要包括新兴产业综述、节能环保产业、新一代信息技术产业、生物产业、高端装备制造产业、新能源产业、新材料产业、新能源汽车产业、数字创意产业、相关服务业。全库信息可以按全国及省区市名称检索。

此外，网络上还有战略性新兴产业专题性网站，下面主要列举六类战略性新兴产业专题网站，具体如下。

1. 新能源产业网站

新能源一般是指在新技术基础上加以开发利用的可再生能源，包括太阳能、生物质能、水能、风能、地热能、波浪能、洋流能和潮汐能，以及海洋表面与深层之间的热循环等；此外，还有氢能、沼气、酒精、甲醇等，而已经广泛利用的煤炭、石油、天然气、水能等能源，称为常规能源。随着常规能源的有限性以及环境问题的日益突出，以环保和可再生为特质的新能源越来越受到各国的重视。目前在中国，可以形成产业的新能源主要包括水能（主要指小型水电站）、风能、生物质能、太阳能、地热能等，是可循环利用的清洁能源。新能源产业的发展既是整个能源供应系统的有效补充手段，也是环境治理和生态保护的重要措施，是满足人类社会可持续发展需要的最终能源选择。

新能源产业网站详情见表 3-19。所有网站基本涵盖了各类型新能源，如太阳能、风能、生物质能、地热能、海洋能、清洁能源、可再生能源等，有的网站还提供关于太阳能汽车、电动汽车以及节能环保的信息，多数网站能提供关于新能源产业的资讯、政策法规，不同网站根据其特性设置不一样的栏目。

表 3-19　新能源产业网站

序号	网站与网址	服务项目|能源类型	机构
1	新能源网 http://www.newenergy.org.cn	会展信息、产业信息、产品与技术、政策法规 | 太阳能、生物质能、风能、海洋能、小水电、天然气、水合物节能减排	中国科学院广州能源研究所

续表

序号	网站与网址	服务项目|能源类型	机构
2	国际能源网 https://www.in-en.com	建有国内能源行业专业数据库，截至2020年12月，已拥有80多万家行业注册会员，2000多万条行业信息资源，近20年能源产业数据统计信息；每天更新新闻资讯及价格行情信息上千条，是行业人士查询行业资讯、了解行业市场行情走势、进行产业数据分析研究以及商机信息获取的重要平台	北京优能网信息技术有限公司
3	新能源网 http://www.china-nengyuan.com/	新能源网是新能源产业综合类电子商务网站，新能源产业信息门户。提供新能源、可再生能源企业大全，新能源、可再生能源产品大全，新能源、可再生能源供求信息等	杭州创搏网络科技有限公司
4	西部新能源网 http://www.xbxnyw.cn/	行业新闻、展览会议、采购信息、技术应用、企业黄页、供应产品等|环保燃料、节能减排	延川宇恒新能源有限公司
5	能源观察网 http://www.nygc.org.cn	能源咨询、行业动态、招标公告、国际合作、行业调查等|清洁能源、再生能源、核电建设	北京国信涉农咨讯中心
6	中国能源网 http://www.cnenergynews.cn	快讯、要闻、专题、访谈/观点、企业动态、会议会展等|能源经济、新兴能源、节能环保、分布式能源	《中国能源报》社有限公司
7	集邦新能源网 http://www.energytrend.cn	产业资讯、分析评论、研究报告、价格趋势、专题、产业访谈、行业知识、展览会议等|太阳能、锂电池、储能	集邦咨询顾问（深圳）有限公司
8	中国投资咨询网 http://energy.ocn.com.cn	研究报告、行业资讯、技术前沿、企业动态、政策法规、展会信息等|太阳能、生物质能、其他能源	中投顾问
9	中国能源产业发展网 http://www.ccedia.com	能源头条、政策、科技装备、会议会展|新能源、煤炭、油气等	中国韬能咨询顾问有限公司
10	全球新能源网 http://www.xny365.com	求购信息、会展信息、行业资讯、新能源专业等|太阳能、生物质能、风能、节能减排、综合能源光伏产品、生物能源、储能设备、风力发电	

注：根据网络信息资源整理而成

　　新能源网由中国科学院广州能源研究所主办，是中国工业电器网旗下新能源行业的B2B电子商务贸易平台，汇集了海量供求信息、行业资讯、技术资料、厂家代理商，是新能源行业领先的网上交易市场和新能源行业社区，可以提供关于太阳能、风能和生物质能等的相关产业、技术、专利等的信息，以及电子期刊《新能源进展》。

　　国际能源网是一家专注于全球能源产业应用领域的电子商务平台。上线于2005年，由北京优能网信息技术有限公司建设与运营，专注于电力、风力发电、光伏发电、电池储能、氢能、充换电、生物能、节能环保、煤炭、石油、燃气等全能源产业，目前是国内客户集中、数据信息丰富、访问量领先的能源行业电子商务网站。

中国能源网依托《中国能源报》，《中国能源报》社成立于 2009 年 6 月 1 日，系人民日报社全资子公司。《中国能源报》是国内第一张针对整个能源产业并为其服务的综合性能源产业经济类报纸；是唯一以"中国"命名的综合性能源行业报纸；是发布能源领域政策信息及相关领导人讲话的首选媒体。依托于《中国能源报》，中国能源网开创跨媒体的联动传播模式，实现报网联动的立体服务，以文字、图像、视频、音频相结合的方式提供多元化的能源资讯，致力于提供最新、最快、最全面的国内外能源信息。

西部新能源网致力于打造西部最大的新能源产业网一站式服务平台，建设国内最优质的以中小型民营企业信息发布、供求信息互通和广告宣传为主体的大型门户网站。

2. 新材料产业网站

新材料产业的网站（详情见表 3-20）都是由国家、省市级的新材料产业协会或新材料产业研究院主办或指导的，提供材料产业的行业动态、新材料产品、专家信息、政策法规等信息。新材料网站的主办单位权威性强，网站的设计规范，一般无弹出广告等干扰信息，但具体网站内容和使用效果有待考察。

表 3-20　新材料产业网站

序号	网站与网址	服务项目	机构
1	中国新材料网 http://www.zgxcl.cc/	最新资讯频道、企业服务、产品展示等	宝鸡高创新材料生产力促进中心有限公司
2	江苏新材料产业协会 http://www.jamia.org.cn	品牌服务 产业资讯 品牌活动 产业集群 协会服务（产业政策 产学研合作 知识产权和标准 专家咨询和培训 检验监测和认定评价 投资融资）	江苏省新材料产业协会
3	上海市新材料协会（上海市新材料高新技术产业化信息平台） http://www.ssam.cn	新材料专题、国内国际咨询、政策法规、行业期刊、科技园地、项目指南	上海市新材料协会信息部

注：根据网络信息资源整理而成

中国新材料网是专注于新材料行业的门户网站及服务平台，致力于打造中国最有影响力的新材料行业第一门户、新材料研究咨询第一品牌、新材料创业孵化服务平台及新材料创新解决方案专家顾问机构。

江苏新材料产业协会主要提供的服务包括：一是统计分析全省新材料产业发展情况，为政府、企业决策提供咨询服务；二是承接政府职能转移，强化行业自我约束与管理；三是宣传解读政府促进新材料产业发展的政策法规，帮助企业化解信息不对称的困扰；四是保障和维护行业的正当权益，主动向政府反映企业的合理诉求；五是围绕供给侧结构性改革，组织制定新材料团体标准，开展先进标准的评价与比对；六是会同产业园区，建立新材料企业数据库，跟踪分析企业运行状态；七是搭建新材料产业投融资服务平台，帮助企业缓解融资难融资贵等问题；八是提供人才培训、境外考察、技术引进、产品推介、市场拓展、项目推荐、招商引智等服务。

上海市新材料协会（Shanghai Society for Advanced Materials）是由上海宝钢集团公司、上海华谊（集团）公司、上海建筑材料（集团）公司、上海建工（集团）总公司、上海交通大学、复旦大学、华东理工大学、中国科学院上海分院和上海科学院等联合发起创建的。建立由新型金属材料、新型有机材料、新型无机非金属材料、复合材料、新型建材和纺织等领域的包括中国科学院院士、中国工程院院士、教授、博导、高级工程师、企业家组成的专家网络。

3. 新一代信息技术产业网站

新一代信息技术产业专题网站较少，只查找到三个网站，均由国家权威机构主办，提供了丰富的信息资讯。见表3-21。其中，中国信息产业商会以促进和推广信息技术应用、开发和利用信息资源、培育和开拓信息市场、提供和发展信息增值服务、推动行业及国家的信息化建设为主要任务。赛迪网是大型的权威的 IT 网站，成立于 2000 年，关注中国的信息产业。赛迪网成立于 2000 年 3 月，是工业和信息化部直属单位中国电子信息产业发展研究院旗下具有影响力的网络媒体。致力于通过新媒体手段，构建一个以互动媒体为基础，以中国市场情报中心、赛迪教育、赛迪无线三大增值业务为支撑的综合性 IT 信息服务平台。赛迪网已成为国内专注于 IT 服务并提供全方位产业服务链的垂直门户，并拥有中国市场情报中心和赛迪教育两大增值业务平台，赛迪网注册用户逾 500 万，主流合作媒体达 200 多家，新闻转载率稳居国内前列。

表 3-21　新一代信息技术产业网站

序号	网站与网址	服务项目	机构
1	中国工信新闻网 https://www.cnii.com.cn	中国工信新闻网是我国通信行业唯一拥有国务院新闻办授予新闻发布权的新闻网站	工业和信息化部
2	中国信息服务网 http://www.ciita.org.cn	行业信息、服务平台、活动平台、园区招商等	中国信息产业商会
3	赛迪网 http://www.ccidnet.com	赛迪网承接了国家信息产业公共服务平台、国家软件公共服务平台、国家产业生态文明公共服务与推广平台、中国信息化推进与公共服务平台、中国信息化方案案例库平台等十大国家级公共服务平台的建设与运营工作	中国电子信息 产业发展研究院

4. 生物产业网站

生物产业网站提供的多是较为专业和权威的生物产业相关研究方面的资讯。见表 3-22。

表 3-22　生物产业网站

序号	网站与网址	服务项目	机构
1	生物谷 https://www.bioon.com/	生物谷依托互联网，面向生物产业园区、企业和研究机构，提供全面的咨询、行业分析、医药外包服务，拥有国内产业数据库，针对行业不同的人群进行服务细分，提供相应的服务体系和解决方案。生物谷旗下包括生物谷网站、生物在线、行云学院、生物医药大词典等	生物谷集团
2	生物在线 http://www.bioon.com.cn/	生物谷网站旗下生物科研服务专业平台，生物在线围绕生物医药科研和开发领域，提供从各种仪器、试剂、耗材等产品，到技术服务方案等的综合服务体系	生物谷集团
3	泛球生物网（G-Bio） http://www.g-bio.com.cn/	泛球生物网服务全球与生物相关的风险与创投资金、生产与研发企业、高校、科研院所、科学家、工程师、技术人员及风险爱好人士，现已成为当今国内较大的电子商务平台之一	北京泛球生物科技有限公司
4	中国生物技术信息网 http://www.biotech.org.cn	新闻扫描　成果博览　产业动态　专题报道　数据库每周快讯	中国科学院生命科学与生物技术局、中国生物工程学会、中国科学院微生物研究所

注：根据网络信息资源整理而成

生物谷（BioonGroup）是目前国内最大的生物医药类门户网站。生物谷作为生物医药新媒体门户，2015 年成为梅斯医学旗下平台。面向生物产业园区、企业和科研机构，提供会议活动、咨询分析、外包服务及营销服务。

泛球生物网（G-Bio）汇集了国内外丰富的医药生物、工业生物、农业生物、海洋生物、环境生物、生物材料、生物能源等技术资源和专家队伍，建有强大的项目库，项目库紧跟科技发展潮流，与世界研究进展同步更新。泛球生物网服务全球与生物相关的风险与创投资金、生产与研发企业、高校、科研院所、科学家、工程师、技术人员及风险爱好人士。泛球生物网依托中国科学院、清华大学、北京大学等高等院校和科研院所的优势科技平台，致力于生物技术领域的技术转移、专利许可、技术开发、技术孵化、技术产业化和项目投融资工作，积极探索高新技术向生产力、产业界高速、高效转化的新模式。

中国生物技术信息网是由中国科学院生命科学与生物技术局、中国生物工程学会、中国科学院微生物研究所共同合作建设，定位于建设中国生物技术领域权威、及时、专业的信息资讯类门户网站，及时、全面、快速地展示生物最新资讯，为我国生物技术类相关的政府部门、科研院所、企业等人员建立一个学术探讨、经验交流、共同提高的场所。目前，该网站已经在国内生物技术领域产生了一定的知名度和影响力。该网站以生物技术类综合信息为主，还包括专家频道、产业动态、文献导读等栏目。通过综合服务发展模式，面向客户提供完善的服务体系。情报中心栏目紧跟国家产业政策，为企业深度剖析行业发展趋势及新兴产业投资热点。

5. 新能源汽车产业网站

新能源汽车的网站较少，一半的新能源汽车信息是在一些综合性网站下面，如赛迪网会有关于新能源汽车资讯，新浪网和搜狐网旗下会有新能源汽车频道。新能源汽车网站提供很多关于新能源汽车车型、价格、参数等的供求信息，提供的新能源汽车类型包括：纯电动汽车、混合动力汽车、燃气汽车、燃料电池汽车、代用燃料汽车、氢动力汽车、物理燃料电池汽车、乙醇汽车等。具体见表 3-23。

表 3-23　新能源汽车产业网站

序号	网站与网址	服务项目	机构
1	新能源汽车网 http://www.xnyauto.com	新能源汽车网共开办十多个栏目，涵盖了资讯、乘用车、导购、直播、政策、会展方面的内容	北京亚汽联信息技术有限公司
2	新能源汽车网 http://xnyqc.cnelc.com	资讯、新能源汽车产品、展会、专题、技术等	中国工业电器网
3	中国节能与新能源汽车网 http://www.chinanewauto.org.cn	资讯、政策法规、行业研究、产品与技术、展览会议、专题	中国国际贸易促进委员会机械行业分会
4	EV 视界 http://www.evlook.com	专注于新能源汽车产业链的媒体平台，提供国内外新能源汽车资讯、技术交流服务，致力于快速推动新能源汽车普及	北京亿微畅想信息科技有限公司
5	汽车科技网 http://qckjw.cn/	行业动态、环保科技、品牌展台、车市行情、新车技术等	

注：根据网络信息资源整理而成

新能源汽车网是由北京亚汽联信息技术有限公司投资运营，致力于新能源汽车市场及相关产业领域（制造、配套和使用），为行业内的整车生产厂商、零部件供应商、经销商和广大用户提供专业化的网络资讯和整合资源服务，以行业咨询、交易咨询为业务重点的公益性、专业性网站。"传播业内资讯、报道新闻热点、搭建信息平台、促进行业发展"是新能源汽车网的经营理念。

新能源汽车网是中国工业电器网旗下机器人行业专业的 B2B 电子商务贸易和资讯传媒平台，提供及时准确的行业资讯，包括新能源汽车前景、价格、补贴政策等，深入剖析行业发展趋势。

6. 节能环保产业网站

节能环保产业是指为节约能源资源、发展循环经济、保护环境提供技术基础和装备保障的产业，主要包括节能产业、资源循环利用产业和环保装备产业，涉及节能环保技术与装备、节能产品和服务等；其六大领域包括：节能技术和装备、高效节能产品、节能服务产业、先进环保技术和装备、环保产品与环保服务。概括来说，节能环保产业包括节能和环保两大类型，国家、省、市都会有权威的环保机构，而且环保产业提出的时间较长，因此关于节能环保产业的网站较多，有综合性节能环保网、节能服务网、节能产品网、节能产业平台等，还有部分省市的节能网和环保网，具体见表3-24。

表 3-24　节能环保产业网站

序号	网站与网址	服务项目	机构
1	节能环保网 http://jnhb.cnelc.com	行业资讯、节能环保产品、行业动态、新品发布、专业论文、案例应用、技术前沿等	上海易电网络科技有限公司
2	中国节能网 http://www.ces.cn	中国节能网实时提供节能环保资讯、宣传节能企业，推广节能产品、节能技术与合同能源管理服务，为用能机构提供系统的综合节能解决方案	节能网（北京）信息技术有限公司
3	节能环保产业网 http://www.jnhb086.com	供方服务、需方服务、技术服务、资讯服务、统计数据等	唐山唐联电子商务有限公司
4	国际节能环保网 http://www.gjjnhb.com	致力于经济与社会低碳节能环保建设，传播节能环保信息和知识，推广节能环保产品和技术，为节能环保技术研发机构、产品生产企业、服务提供商、经销商、终端用户和专业人士提供展示、交易和交流的互动平台	北京中兴聚源科技有限公司
5	节能产业网 http://www.china-esi.com	行业资讯、政策法规、产业市场、节能技术、能源信息、宏观环境、智囊团、企业库等	中节网（武汉）科技发展有限公司
6	中国低碳网 http://www.ditan360.com	新闻资讯、智库课题、绿色生活、会议展览、教育培训、合作服务等	北京蓝色星球低碳科技有限公司
7	中国节能服务网 https://www.emca.cn	新闻资讯、政策法规等	中国节能协会节能服务产业委员会
8	上海节能信息网 http://www.365jn.cn	活动与展会、政策、投融资、行业研究、案例、需求等	创新节能技术促进中心
9	浙江环保网 http://www.zaepi.com	公示公告、文件通知、培训信息、技术交流、产品认证、实用技术、示范工程等	浙江省环保产业协会

注：根据网络信息资源整理而成

节能环保网是中国工业电器网旗下节能环保行业专业权威的 B2B 电子商务贸

易和资讯传媒平台。汇集海量供求信息、行业资讯、技术资料、厂家代理商,是节能环保行业领先的网上交易市场和节能环保资讯平台。中国工业电器网(www.cnelc.com)成立于 1999 年,一直专注于工业电器/电气领域,为工业电器/电气行业人士提供行业资讯、政策解读、技术交流、行业展会、网络评选、人才招聘和电子商务等服务,它开创了我国电气行业 B2B 事业先河。

中国节能网成立于 2004 年,是由国内外几十家行业协会、学会、科研院所提供学术、技术和专家资源支持,并由节能网(北京)信息技术有限公司负责管理和运营的互联网+节能产业服务平台。

中国低碳网成立于 2009 年,是绿色低碳领域的门户网站,长期以来积极配合国家传播绿色低碳发展理念,是国内外倡导"绿色、低碳、循环、可持续"生产生活方式、推动低碳产业发展、促进低碳经济投融资、开展低碳领域国际交流的重要平台。中国低碳网得到了国家发改委、生态环境部、工业和信息化部、教育部、住房和城乡建设部、农业农村部等国家部委、行业协会、科研院所、国际组织、跨国公司、企业和数以亿计专业网民用户的大力支持,为有效的倡导绿色低碳生活、促进全民低碳意识提升、信息公开、产业升级与技术创新起到了积极推动作用。

第4章 我国战略性新兴产业信息资源保障与服务问题溯因

　　战略性新兴产业企业的特点是"知识密集型"，企业所需要的是能够针对现实问题提供解决路径和决策支持的高质量、针对性强的信息内容，对于信息资源的需求不仅仅体现在资源的建设保障层面，还体现在信息资源的组织和揭示层面，也就是对于信息资源的加工和服务层面。

　　文献资源建设的概念是在 20 世纪 80 年代中期首先提出的，即指依据图书情报机构的服务任务与服务对象以及整个社会的文献情报需求，系统地规划、选择、收集、组织管理文献资源，建立特定功能的文献资源体系的全过程（沈继武和萧希明，1991）。到了 20 世纪 90 年代中期，文献资源建设的理论已经不能很好地解决信息资源共建共享的问题，于是很多专家学者进一步提出了信息资源建设的概念。一般是指人类对于处于无序状态的各种媒介信息进行选择、采集、组织和开发等活动，使之形成可被利用的信息资源体系的全过程（肖希明，2008）。经过多年的实践，我国信息资源的建设取得了长足的进步，但就战略性新兴产业而言，还存在着一定的问题：就存量数据来看，我国现有的战略性新兴产业信息资源总量明显不足；就地区分布而言，我国的战略性信息资源分布也不平衡，呈现从东部向西部、从城市到乡村梯度递减的态势，并主要集中在北京、上海、广东、山东、江苏等少数省市和城市文化圈。

　　信息服务是信息资源管理的主要环节和重要组成部分，有广义和狭义之分。广义的信息服务是指以劳务或产品形式向用户提供和传播各种信息的活动。狭义的信息服务是专职信息服务机构针对用户信息需求，及时将信息产品以用户方便的形式准确传递给特定用户的活动（岳剑波，1999）。狭义的信息服务强调用户的导向性，服务的定制化、个性化、针对性。本书涉及狭义上的信息服务，是以用户需求为基础的，既包含传统采集、传递、提供利用服务，又包含加工创造等增值性服务。一般认为，目前我国提供信息知识服务的机构包括为数众多的图书馆、情报研究所和市场化的社会性信息服务机构。图书馆是社会的知识储备和交流中心,作为我国分布最广的信息服务机构,具有丰富的服务理论与实践经验,以及提供协同服务实践的能力。众多图书馆的企业服务实践都证明图书馆的社会化服务在一定条件下是可行的,但是面向战略性新兴产业的信息资源服务则又面临着新的问题,存在着观念、定位、制度、经费、人力资源等方面的障碍需要解决。

4.1　战略性新兴产业信息资源保障问题

信息资源存量,即我国现有的与战略性新兴产业有关的信息资源的"家底"。数量不足、资源分布不平衡是我国信息资源建设长期存在的问题。从世界范围来看,就信息资源的保障而言,我国现有的信息资源总量是不足的。占世界人口 20%的发达国家拥有 80%的信息量;在互联网世界中,中文信息的输出输入量也仅占 0.1%;部际图书情报工作协调委员会文献资源专业组近年对全国不同类型的 514 个图书情报单位文献资源的调查表明,在 266 个学科和主题领域里,只有 27.4%达到文献完备水平,基本完备的 47.4%,尚有 25.2%不能支持科研。从个人信息利用层面看,人均信息资源开发利用程度比发达国家低 2~3 个数量级。本书在对图书、期刊、专利、学位论文、科技报告、网络资源等作了存量资源调查后发现,战略性新兴产业信息资源的数量不足,建设主体、建设内容和区域等分布不平衡。

4.1.1　信息资源存量总量不足

1. 图书信息资源总量不足

以图书资源为例,本书对 2005 年至 2015 年(缺 2006 年、2007 年、2008 年)所出版的战略新兴产业主题的图书中学术图书、学术著作和学术专著的数量和比例进行了统计,其中战略性新兴产业图书出版量占图书出版量的 4.02%,学术图书占战略性新兴产业图书出版量的 92.36%,学术著作占 42.28%,学术专著占 19.64%,可见我国战略性新兴产业图书信息资源缺乏,学术著作和学术专著更为缺乏(睢颖等,2017)。

2. 期刊论文信息资源总量不足

本书以新一代信息技术产业为例对我国战略性新兴产业期刊资源存量进行调

查,发现新一代信息技术产业有关的西文期刊数量为 1886 种,其中重点西文期刊数量为 57 种,在 57 种重点西文期刊中,除 1 种是清华大学主办之外,购买涵盖其余 56 种外刊资源的数据库的图书馆数量非常多,但是国内只有使用权,并不能够真正拥有这些资源。从纸本资源保障情况来看,有 5 种外刊的纸本国内没有一家单位收藏,有 27 种外刊纸本国内没有一家单位收藏齐全。说明我国战略性新兴产业期刊资源的数量保障也不容乐观。

3. 专利信息资源存量有限

战略性新兴产业专利资源存量有限,主要是指专利文献的存量不高。本书利用文献调研法、网络调研法等方法对战略性新兴产业专利文献存量资源进行数据分析和问题分析,发现我国战略性新兴产业专利文献存量资源总体上呈现稳定的增长态势,但战略性新兴产业专利文献申请量占据总体比重低于 40%。

4. 科技报告存量序化有限

对于已成为国家科技创新重要基础性战略资源的科技报告,一直以来,政府与学界没有忽视,尤其在国防与尖端科技领域。2014 年后在"双创"的时代背景下,国家对科技报告这一科技信息资源越发重视,作为提供主体,中央政府和省级政府不断推进其开发与利用,取得了很多成就和进展。

但由于国家科技报告制度框架推出较迟,之前科研管理部门受制于人力资源、空间或其他因素局限,收集的科技报告多呈现信息孤岛状态,没有整理,缺少分类与分级,没有编号和代码标识,甚至许多科技报告没录入系统,也没有电子版。在科研管理的实际操作层面,各机构科研部门在年度、中期和验收环节中,重形式轻内容,重成果性材料、轻过程性材料,重科研项目前期争取、轻项目执行过程和目标结果管理,使得收集到的科技报告内容形式并不规范且质量较低。这些分散的科技报告仅为单位或部门内部使用,甚至存在本机构科研人员都无法利用的情况。据调查,在 2005 年就有 30% 的高校存在科技成果流失的问题,我国科技报告薄弱的归档工作与日益提高的科研要求之间存在不匹配,使科技报告资源难以利用,从而影响科研成果价值的发挥。

5. 网络信息资源数量不足

战略性新兴产业的网络信息资源是要为我国战略性新兴产业的发展提供信息的资源,本书选择数据库、网站(包括网络服务平台)作为研究对象,调研关于战略性新兴产业数据库和网站的建设情况,调查发现,战略性新兴产业的网络信息资源数量不多,且变动频繁。从战略性新兴产业专题数据库和网站的数量上来看，网站的数量多于数据库的数量。综合性战略性新兴产业数据库只有一个（江西十大战略性新兴产业专利信息平台），其他数据库集中在新材料、新能源和生物产业等。战略性新兴产业数据库的建设主要来自 CALIS 的高校特色数据库建设项目，该项目建设已完成，但数据库的具体使用效果有待考察。数据库数量虽少，但也有质量较高的数据库建设典范，如东方灵盾公司建设的世界传统药物专利数据库就是战略性新兴产业数据库中的佼佼者，是我国第一个自主研发的涉及世界各国天然药物专利的经过深度加工标引的中英文双语种专利数据库，是世界上收录天然药物专利最全的数据库之一。

　　与此同时，我国的信息资源在利用方面存在着严重浪费与资源短缺并存的现象。特别是数据库资源的建设和利用，由于部门之间的条块分割，各自为政，严重缺乏分工与协作，造成数据库死库、空库不少，重复建设率高。仅从国内高校图书馆购买的相当规模的外文学术资源来看，据"教育部高校图书馆事实数据库系统"数据统计，2015 年度文献资源购置费的平均值约为 490 万元（2014 年为481 万元），见图 4-1。

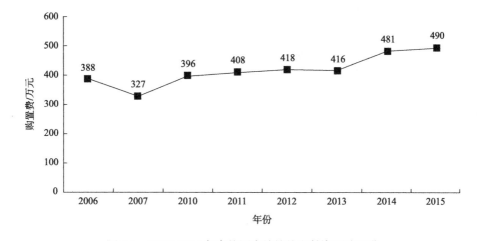

图 4-1　2006~2015 年高校图书馆馆均文献资源购置费

　　2010 年，高校图书馆数字资源采购联盟（Digital Resource Acquisition Alliance of Chinese Academic Libraries，DRAA）成立，联盟的宗旨是团结合作开展引进数字资源的采购工作，规范引进资源集团采购行为，通过联盟的努力为成员馆引进数字学术资源，谋求最优价格和最佳服务。以图书馆数字资源采购联盟为代表的集团采购模式，虽然在一定程度上促进了学术资源的共建与共享，但同时也造成国内学术数字资源严重的同质化现象。"985"高校购买的学术资源大同小异，学术数字资源的保存与使用严重依赖数据库服务提供商。

4.1.2 信息资源存量资源内容分布不平衡

我国战略性新兴产业存量资源内容分布情况无可靠参考数据，本书对专利和网络信息资源等资源进行的存量内容分布调查显示，我国战略性新兴产业信息存量资源内容分布不均，未形成有效体系。

1. 专利文献资源信息不平衡

战略性新兴产业专利文献资源申请主体之间存在信息的不平衡性。本书重点选取研究者和实践者进行分析，将申请主体中的高校和科研单位视为研究者，企业视为实践者。发现战略性新兴产业专利文献资源申请主体申请量中研究者占28.27%、实践者占66.88%；授权量中研究者占32.79%、实践者占66.44%；而研究者的专利文献授权率是86.26%、实践者是33.93%。研究者的申请量和授权量均明显远远小于实践者，而其授权率却十分高。据上述数据可以进一步分析得出，研究者的专利文献资源拥有量并非十分高，但从授权率的角度可以发现其专利文献资源的质量与实践者相比较高。本书认为，这是由研究者和实践者之间的信息不平衡性造成的。研究者拥有巨大的学术信息资源，实践者了解市场需求。知识提供方学研机构与知识需求方企业合作的动机是希望可以通过交流获得支撑研发的互补资源。专利文献申请者中研究者和实践者两者间的信息交流不够充分，两者之间的信息不平衡性导致了两者都未达到最优程度的发展，没有做到优劣势互补。

2. 网络信息资源内容分布不均

有关我国战略性新兴产业的网络信息资源建设有一定的发展，取得了一定的成绩，建设出了一批综合性或专业性的高质量的网站及数据库。但不足也是很明显的，首先是信息资源分布不均匀，如节能环保产业、新能源产业和生物产业的资源数量较多，而高端装备制造业、数字创意产业的信息资源就相对薄弱；其次是网站质量参差不齐，有质量较好的网站，也有质量较差的网站。比如新能源汽车产业，多数网站提供新能源汽车的报价、型号等相关信息，较少提供专业性学术信息。总体来说我国战略性新兴产业网络信息资源的建设虽然在曲折中有所前进，但仍旧任重道远。

4.1.3 信息资源存量资源区域分布不均衡

1. 信息资源区域分布不均衡

整体而言，我国信息资源分布从东部向西部、从城市到乡村梯度递减，并主要集中在北京、上海、广东、山东、江苏等少数省市和城市文化圈,战略性新兴产业信息资源区域分布情况大致也与此相符,然而并不清楚集中在北京、上海、江苏等省市的信息资源中与战略性新兴产业有关的信息资源的数量问题,内容又是涵盖哪些领域。

以与战略性新兴产业关系最为密切的专利信息资源为例,就能清晰地看出目前我国对于战略性新兴产业信息资源的实际保障状况。就我国的专利资源存量情况来看,总体上虽呈现稳定的增长态势,但分布的不平衡性问题还是较为突出的。

2014 年战略性新兴产业授权的专利文献资源占全国的 79.82%,西部地区仅占12.17%。申请量与授权量排名前十的省市全部都是东中部地区。不论是资金、技术还是人才资源,东中部地区均优于西部地区。

2. 资源区域性过度趋同

早在 2011 年,中国科学院可持续发展战略研究组完成的《2011 中国可持续发展战略报告——实现绿色的经济转型》报告中就提到,各省、自治区、直辖市在选择本地区的战略性新兴产业过程中存在较严重的重复建设风险,如除西藏外的其他省、自治区、直辖市几乎都把新能源及相关产业列为本地区的战略性新兴产业,这样的布局极容易造成产能过剩和资源浪费,不利于未来产业的健康发展及其转型升级。这样的局面至今未见有明显的转变。也就是说,全国各省、自治区、直辖市在选择本地区的战略性新兴产业过程中存在较严重的重复建设风险,导致申请量多,而实际授权量少。没有结合自身产业基础实际和区域间的比较优势,仅是依托国家战略性新兴产业的概念,盲目跟从发展,抑制了战略性新兴产业的可持续性发展(霍国庆等,2012)。

4.1.4　信息资源存量资源数据质量良莠不齐

1. 学术图书和学术专著占学术图书数量的比例不高

战略性新兴产业具有科技含量高的特点,与该主题相关的图书资源多为学术图书,对于研究水平和研究深度要求较高,但是,统计结果显示(睢颖等,2017),虽然学术图书在战略性新兴产业图书出版总量中所占比例较高(92.36%),但是,更能彰显图书原创性的学术著作(42.28%)和学术专著(19.64%)的比例却差强人意,这显示出战略性新兴产业研究领域“元研究”的缺乏。研究者如果只是为了科研绩效出版一些介绍国内外先进经验、综述现有研究成果的汇总性图书,会挤占出版资源。

2. 专利资源质量有下降趋势

2014 年以来战略性新兴产业专利文献资源申请量持续稳固上升,但是其授权量无显著变化,从而授权率有一定的下降。专利授权量及授权率真实地反映了专利技术的实际情况,是专利质量的表征。这说明战略性新兴产业专利文献资源质量较其他产业专利文献质量要具有一定优势,但是也说明战略性新兴产业专利文献资源质量有一定程度的下降趋势。

此外,专利资源数据库的质量存在以下问题亟待解决。由于专利文献中的技术关键内容常用不直观的语言表达,不经专业技术人员深入研究分析,难以直接查出;不同国家的专利使用不同语言,无法用单一语言检索;大量涉及化学和生物学技术的专利,不用文字表达,而使用化学结构图形和基因序列方式表达,无法用关键词检索;反映技术主题的关键词有很多同义词,同义词收集不全,会造成大量漏检和误检;对于外国专利,由于翻译成中文时,专利权人名称翻译得不统一,造成大量漏检。例如,国家知识产权局专利检索咨询中心检索结果证明,我国专利数据库对药物信息检索的漏检率达 90%以上;未经深度加工的我国专利数据库在外国专利权人检索方面,漏检率达 90%~99%。

3. 信息资源组织模式不符合产业的信息需求

信息资源的组织是根据信息资源自身的属性特征,依据一定的原则、方法和技术,将杂乱无章的信息整理成有序的信息集合的过程,其目的是满足用户对于信息资源的检索及获取的需求。现有的信息资源中,传统的如图书、期刊等信息资源的组织大都采取的是分类(主要是学科分类)的方式,即依据一定的分类体系(中文主要是根据《中国图书馆分类法》)和知识逻辑结构,从总到分、一般到具体,将信息资源层层分类,对于每一类信息资源都会赋予一个特定的标记符号(分类号),以供检索。

与分类相对应的一种信息资源组织方式是主题方式,即根据信息资源论述的主要对象,选择一个或几个特定的能描述这些对象的"主题词",以揭示标引该信息资源的方法。所有的主题词都根据特定的排列方式排列,用户可以根据这些主题词来检索与某一主题有关的信息资源,现今不少信息资源尤其是网络信息资源都是按照主题的方式进行组织的,如 Google、百度等通过关键词检索信息资源的搜索引擎就是根据主题方式来组织信息资源的代表。

除了分类和主题这两种信息资源组织方式之外,得益于计算机技术在信息资源标引与检索中的应用,不少机构如中国知网等数据库在组织信息资源时尝试将分类与主题两种方式相结合,用户既可以根据学科,使用分类号对信息资源进行检索,也可以使用某一关键词或主题词对信息资源进行检索。

以上三种信息资源组织方式中,《中国图书馆分类法》缺乏与战略性新兴产业相对应的类目,主题组织方式虽然能够使战略性新兴产业找到对应的主题词,但七大战略性新兴产业并未有权威的主题词设定,分类和主题相结合的组织方式仍然存在这两个问题。

节能环保、新一代信息技术、生物、高端装备制造、新能源、新材料、新能源汽车等战略性新兴产业都是根据主题来分类的,但其涉及的信息资源目前大多却是按照学科进行分类组织的,如以新能源汽车产业为例,其涉及的信息资源部分分布在《中国图书馆分类法》"F 经济"(如产业政策、经济政策等)中、部分分布在"T 工业技术"(机械与仪表工业、能源与动力工程等),还有部分分布在"O 数理科学与化学"(电磁学、电动力学、应用物理学等)及其他一些学科中。由此可见,现有的这种根据学科对信息资源进行分类组织的方式对于具有较强的跨学科特点的战略性新兴产业而言,并不能很好地满足其全面、便捷地获取利用信息资源的需求,同时这种以学科分类为主的信息资源组织方式给我国存量信息资源调查统计也带来了诸多不便。以学术期刊而言,我国的学术期刊大多同样也都是按照学科来划分的,而要想知道我国目前与战略性新兴产业有关的学术期刊的数量只能从主题这个角度去调查,即把每一种期刊其所涉及的主题加以概括,最后将这些主题加以统计,找出战略性新兴产业有关主题的期刊有多少种,再对这些期刊加以分层,划出重点期刊,从而将这些重点期刊作为保障的重点。

4.2　战略性新兴产业信息资源管理制度问题

面对战略性新兴产业的迅速发展,我国战略性新兴产业信息资源的建设和服务工作还未能完全适应。学界有关产业信息资源的研究更多也只是停留在理论探讨的层面,所讨论的多为产业信息资源配置的原则、产业信息资源共享平台建设和抽象的信息资源保障体系建设等问题,面向战略性新兴产业的信息资源保障、建设和服务方面的问题还未引起业界和学界的足够重视。一方面,我国战略性新兴产业信息资源管理继承了我国在信息资源配置、建设、共享等方面的遗留问题;另一方面,战略性新兴产业信息资源管理有其新的特点,在服务产业的过程中又暴露出了新的问题。不管是在战略性新兴产业有关的信息资源总量,还是语种分布、资源载体分布、地区分布方面均与保障产业发展的要求存在一定的差距。

战略性新兴产业信息资源的需求多种多样:科研数据、期刊论文、样本、技术、专利和政策等的信息资源类型都有一定比例的需求人群;搜索引擎、专业网站、专业数据库和信息机构也是选择人数较多的信息获取渠道;中文网络信息资源的需求量最大，其他语种的网络信息资源也有需要的人群。从上述分析的信息资源总量和内容分布情况来看，缺乏需求分析是造成我国战略性新兴产业信息资源总量不足和内容分布不均的一个重要原因。因此，一个依据用户需求而建设的战略性新兴产业信息资源保障体系是必要的。

4.2.1　既有信息资源保障系统各自为政

我国目前提供信息知识服务的机构包括为数众多的图书馆、情报研究所和提供各种信息咨询的中介服务机构等。例如，针对技术创新的信息服务中介机构就有如下类型：创业服务中心、生产力促进中心、工程技术研究中心、情报信息中心、知识产权事务中心和各类科技咨询机构、技术产权交易机构、常设技术市场、人才中介市场等，这些机构的首要任务就是提供信息服务。但它们多集中在大中城市，分布不均匀，且专业化水平低，彼此独立，协同程度低，服务功能单一。企业需要的能够提供直接和专业技术服务的机构数量严重不足。

在计划经济下，我国建立了面向科技、教育、社会的三大文献资源体系，即科研院所图书馆、高校图书馆、各级公共图书馆系统，三者目标一致，但分工各有侧重。这三大系统在发展中已经逐步实现了从单个图书馆的藏书保障，发展到以联合目录为平台，整合各单个图书馆独立馆藏，进而跨越传统图书馆行业边界，形成联合文献信息资源的保障体系的转型过程。目前，国内的三大信息资源保障体系分别是：中国高等教育文献保障系统项目（1998 年 11 月正式启动）、国家科技图书文献中心（2000 年成立）和中国科学院国家科学数字图书馆（2002 年）。

1998 年正式启动的中国高等教育文献保障系统项目采取"整体规划、合理布局、相对集中、联合保障"的建设方针，初步实现了高校系统的 OPAC 检索、馆际互借、文献传递、协调采购、联机编目等功能。

2000 年科技部联合财政部、国家经贸委、农业部、卫生部和中国科学院等相关部委，成立的"国家科技图书文献中心"，收集和开发国外理、工、农、医等学科领域的科技文献信息资源，面向全国提供信息服务。

2002 年，中国科学院启动国家科学数字图书馆建设项目，采用整体规划、合理布局、突出重点、联合保障的模式，分期分批建设，按期定时验收，循序渐进促进全国高校信息资源的共建共享。

三大系统长期以来承担着信息资源建设、管理和提供服务的角色，为国家的教学、科研、人才培养提供了信息保障，为高校科研的创新发展打下了良好的资源基础，在相当漫长的时间内肩负着服务于现代企业的职责。

但是，三大系统在取得成绩的同时也存在相当多问题，如资源存在重复建设，资源保障与服务脱节，服务能力有限，缺乏竞争机制，核心业务缺乏更深层次的挖掘等。特别是政府的主导作用过于强势，在信息资源保障领域忽视信息资源保障体系应面向现实问题和社会需求，导致信息资源保障系统的建设和服务缺乏市场竞争能力，其运行管理也缺乏活力，实际效益不明显。不难理解，无人利用的信息资源再完善也不能算是一种资源。现阶段的图书情报信息资源保障机构，尤其是高校图书馆的文献、数字等信息资源有效利用度并不高，造成了相对程度的信息资源"浪费"。

三大系统分散多头的管理体制，造成了战略性新兴产业文献信息资源建设布局上，缺乏统一规划与组织协调，各地的经济水平参差不齐，规划的战略性新兴产业过度趋同。势必造成各地和各信息服务机构的信息资源建设按照自己的需求和资金情况各自规划发展，缺乏全局观念。所带来的结果是信息资源总量不够，布局不合理，资源配置失衡，大量文献信息资源处于闲置状态，降低了文献信息资源的总体保障能力和服务水平，一定程度上制约了战略性新兴产业的快速发展。

4.2.2　企业信息资源协调管理机制欠缺

从产业链视角看，信息资源保障体系至少应该满足产业及其相关企业集群在以下几个环节的信息需求：研发环节的信息需求、生产环节的信息需求、市场环节的信息需求。也就是说，信息资源保障体系必须包括：研发信息、生产信息和市场信息。针对上述情况，图情学界已经提出"加强资源共享，以合作促发展"的资源建设方针，以减轻资源浪费、促进信息共享。但目前所提倡的共享机制仍然局限于各馆及图情机构之间，改善程度有限，无法真正满足蓬勃发展的战略性新兴产业企业对专业信息的迫切需求。各省区市未能依据战略性新兴产业文献信息资源的区域分布特点进行整体规划，分工协作建设地区层面的战略性新兴产业信息资源，进一步造成了总体布局规划和分工协作能力差，战略性新兴产业信息资源的层次结构不科学、空间布局不合理的状态。

在企业层面，企业是战略性新兴产业信息资源的产生与利用的主体，但各企业未能认识到自己是战略性新兴产业信息资源的生产者之一。各个企业根据自身工作和创新的需要生产了大量的信息资源，但未能意识到将这些信息资源进行有效的管理和共享利用。

1. 缺乏信息资源协调管理机构

我国政府组织架构采取的是纵向层级制和横向职能制的二元矩阵结构，纵向组织结构由中央、省（自治区、直辖市）、市（地区）、县、乡等层级构成，横向组织结构由各政府职能部门构成。这种组织结构使得在纵向上，政府部门之间存在着制约关系，如海关、公安、工商、税务等纵向业务系统，在全国范围内形成了一个个相对独立的系统，并在系统内部实施垂直管理；而在横向上，政府职能部门之间一般没有制约关系，各职能部门各自行使专属管理职能。由此在信息资源的配置上容易导致"纵强横弱"，中央对地方发展新兴产业的宏观指导乏力，中央和地方的相关规划缺乏衔接机制。在横向方面，又导致跨区域、跨组织之间信息沟通和资源整合机制不健全，中央对地方间新兴产业的布局缺乏协调能力，难以推动区域间分工合作和优势互补。

电子政务信息资源是这样，文献信息资源更是如此。例如，针对某一研究领域，公共图书馆会侧重建设科普性质的资源，而科学图书馆则侧重建设学术图书和学术专著，在缺乏统一信息资源管理机构的情况下，信息用户很难从不同的系统内将该研究领域不同研究层级的图书找全。

2. 缺乏相应的规章制度和标准规范

我国缺乏相关的规章制度和标准规范来约束战略性新兴产业中信息服务机构和信息用户的行为、权利和义务，没有明确与此有关的奖惩制度。战略性新兴产业对信息资源质量的要求高，而信息资源、信息网络与数据库规章制度建设缺乏规划和标准，在为产业发展提供信息服务时无法做到"路上有车，车上有货"。公共、科研和高校三大系统分别使用不同的文献资源管理系统，系统内各个图书馆采用的标准也不尽相同，相关立法尚未制定和执行，各机构之间的利益难以取得彼此都认同的平衡点。这样形成的战略性新兴产业信息资源不能为产业发展提供高质量的信息、畅通的信息流和自主创新的信息保障。

3. 缺乏信息市场监管机制

我国在信息市场监管方面也还存在很多问题，一方面信息资源的数字化和网络化发展形成的新兴信息市场没有专门的部门进行统一管理；另一方面传统的信息市场监管存在多头管理，权责划分不清，造成信息出自多门，口径不一（朱雪宁，2011）。

首先，在信息资源市场上，存在着多个监管部门监管同一个行业的现象，但这几个监管部门之间的权限界限却很模糊。以互联网信息服务为例，目前工业和信息化部、国家广播电视总局、文化和旅游部、公安部、中央精神文明建设指导委员会办公室、教育部、国家卫生健康委员会、国家药品监督管理局、国家市场监督管理总局、国家安全部都拥有监督管理权，却没有界定清楚这些监管机构之间的监管界限。造成信息资源市场监管机构林立、队伍庞大，不仅加重政府的财政负担，而且因为权限划定不清，造成信息资源市场监管混乱，无法有效实现对信息资源市场的监管（陈新欣，2005）。

其次, 我国信息资源市场的政府监管中, 存在着监管机构职责和职权不统一、不配套的问题。有些政府部门享有信息资源市场监管的职权, 参与信息资源市场的具体监管工作, 但却没有承担相应的职责, 这种现状带来权责不对等的结果, 既不利于依法行政, 也损害行政相对人的合法权益。

4. 缺乏信息资源开发的市场机制

我国信息资源产权结构单一, 信息资源市场开放不足, 又未引入竞争机制, 在一定程度上制约了信息社会化服务的发展。在我国信息资源市场中拥有信息资源的信息服务机构或拥有一定行政权的政府机关垄断着信息资源。由于缺少社会竞争, 这些信息服务机构和政府机关缺乏提高信息资源质量、改善信息服务的动力, 造成信息资源开发利用市场化和产业化程度低、信息资源产业规模较小、缺乏国际竞争力等缺点。

我国的信息资源管理缺乏统一的管理机构, 信息市场监管机构缺乏监管、权责不清, 本书认为存在这些现象的一个具体原因就是我国目前对信息资源的监管仍然采取分业监管的模式, 这意味着不同的产业有着不同的监管部门, 多个机构之间的权责不可避免地出现重复和交叉, 从而漏管、不管的现象难以避免。另外, 政府监管的事情过多, 头绪过多必然会带来管理和监管不力的问题。

可参考的是国际上很多国家已经抛弃了分业监管的模式, 改为融合监管。我国也有必要根据信息资源产业发展的趋势, 针对信息资源市场设立独立的综合性监管机构, 即实行融合监管。还可以在人员配置上采用聘用制以及发挥信息资源行业协会的自律作用来解决这一问题。另外, 建立统一的信息资源监管机构对于资源统计、资源分配、资源共享、资源评价等方面都有着重要意义。

4.2.3 产业信息资源配置与质量控制不合理

1. 科技资源配置与产业布局对接不够

目前, 国内主要的省、自治区、直辖市均制定了发展战略性新兴产业的规划和相关扶持政策。在这些省区市中, 有超过 90%的地区选择发展新能源、新材料、电子信息和生物医药产业, 近 80%的地区选择发展节能环保产业, 60%的地区选择发展生物育种产业, 另有一半以上地区选择发展新能源汽车。而我国科技资源宏观配置的空间特征是要素资源进一步向东部集聚, 区域差距进一步加大, 我国东部拥有的 R&D 人员总量、R&D 经费、企业研发机构均高于中西部地区。由此看来, 地方主导的产业布局与科技资源空间配置的现实相脱离。全国各地科技资源的配置协调不足, 西部地区的科技支撑力度不够。此外, 科技资源的配置体制与产业发展的要求不相适应。中央财政资金向科技领域和创新活动配置的比例不高会直接导致战略性新兴产业前沿技术和关键共性技术的研究投入不足。

2. 高校信息机构对资源配置的认识不足

国内外学者对科研与创新活动中的资源配置已有一定研究，但我国信息资源的配置研究基本上延续着国外的研究思路，特别强调从情报学、信息管理学与经济学相结合的角度切入信息资源配置问题，对我国高校科研产出的分析更多是从高校或学科角度出发，缺乏从实际产业尤其是专利密集型新兴产业角度来分析高校科研创新与资源配置的关系。

本书以创新发展速度最为明显的战略性新兴产业之新能源汽车产业为例，综合论文与专利两个方面的产出情况来对该产业创新发展态势进行分析，并将分析结果与车辆工程专业全国排名前十的高校的相关科研产出情况进行对比，发现科技服务在科技创新及其科研成果转化方面具有举足轻重的作用，其中以图书情报机构为主体的科技信息服务、知识产权服务、舆情监测服务、竞争情报服务专利申请咨询和代理服务等更是重中之重，但调研发现目前只有很少的高校图书馆开展这些业务，而且开展的深度和广度远远不够。究其原因，首先是高校图书馆对自己在战略性新兴产业中的定位还不明确，仍然将自己定位为只服务高校教学科研的机构。高校图书馆拥有海量的文献资源和信息分析专业优势，可充分利用这些优势，更多地为科研项目提供技术转移咨询、上市交易中介平台调研以及专利相关的审计、金融、法律服务咨询等"贴身服务"，通过高品质的科技服务来让高校科技成果的转化更高效、更充分，从而更有利于打造健康、良性、高效、活力的高校科技创新生态链。

我国战略性新兴产业的快速发展为图书馆服务国家创新战略提供了新的机遇，高校图书馆应该以此为契机，勇于突破传统的信息服务链，建立覆盖科技创新全链条的科技服务链，尤其要强化服务链下游的科技成果转化服务，形成图书馆科技服务新业态和新模式。

3. 信息资源保障体系缺乏统一规划与协调

我国的图书信息资源的建设是由高校图书馆系统、科研院所图书馆系统和公共图书馆系统的三大系统来建设完成的，三大系统资源建设的目标一致，但因各自的服务对象不同而有所侧重，在发展中已经分别建成了国内三大信息资源保障体系——中国高等教育文献保障系统项目、国家科技图书文献中心和国家科学数字图书馆，实现了从单个图书馆的藏书保障，发展到联合文献信息资源的保障体系的过程。然而，长期以来，三大系统的资源建设存在着重复建设、资源保障与信息服务脱节等方面的问题。

由于缺乏统一的规划与协调，三大系统分别使用不同的文献资源管理系统，系统内各个图书馆采用的标准也不尽相同，相关立法尚未制定和执行，各机构之间的利益难以取得彼此都认同的平衡点。又因为资源保障与信息服务脱节的缘故，有的信息服务机构不了解当前信息用户的需求，片面地追求文献资源的收藏量，甚至忽视自身馆藏特点特色而盲目地采购图书、期刊、电子数据库，自建特色数据库等。进而少见合作建设现象，多见各自为政现象。此外，各图书馆提供的用户检索界面、检索语言和管理系统等都存在较大差异，不同馆的数据库各不兼容，各系统之间难以互通，大量的人力、财力、物力资源浪费在低水平的重复建设上。

4. 资源建设质量控制缺乏客观标准

以科技报告为例，由于科技报告资源类型众多、提交加工过程烦琐、科研管理机构制度不健全、操作欠缺标准化以及缺少知识产权保护等，提交的科技报告规范性不够、资源质量参差不齐，一定程度上降低了科技报告资源的科技含量和应用价值。缺乏统一、有效的质量控制标准和对科技报告质量评估筛选审核机制，给用户对科技报告的使用带来了直接影响。

由于缺乏分类分级标准，科技报告无法根据分级分类原则，通过国家科技报告服务系统面向项目主管机构、项目承担单位、科研人员和社会公众提供开放共享服务。作为特殊种类的科研信息资源，科技报告目前在公开共享交流及技术保密不予示人之间难以清晰界定、平衡发展，由于缺乏具体、明确的技术保密评估、审核标准，国家许多科技成果依然处于分散、搁置甚至流失的状态。

对于信息资源的建设加工方面的问题，本书认为一方面，信息服务机构和相关管理部门未能及时建立针对战略性新兴产业信息资源的主题词表、分类表、资源加工质量控制标准规范等，导致该类信息资源仍然采用一般资源的管理方式，给企业用户的查询使用带来不便。战略性新兴产业企业对于信息资源的需求不仅仅体现在资源的内容层面，还体现在资源的组织和揭示层面，即信息资源的加工和服务层面。企业所需要的可能不仅是通用的期刊、研究报告、标准、专利或其他相关文献等信息资源内容，而且是能够针对现实问题，提供解决路径和决策支持的高质量和针对性的信息内容，因此企业需要的是针对其需求的经过加工过的信息。总而言之，信息用户的需求变了，但信息资源提供者的服务内容却没有改变。

学术文献多依据《中国图书馆分类法》，以学科为聚类中心，专利文献则依据《国际专利分类表》（International Patent Classification，IPC），将专利发明可能涉及的领域作为其界定范围，两者在编制原则、体系结构、标记符号等方面存在明显差异。如果能够建立《中国图书馆分类法》和 IPC 在类目上的映射关系，如图 4-2 所示，就可以将专题学术文献与专利文献按领域/学科分类进行链接，实现专题学术文献与发明专利在技术领域层面的有效衔接。

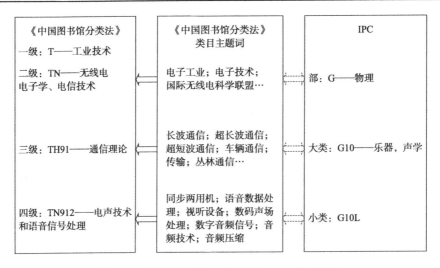

图 4-2　《中国图书馆分类法》和 IPC 映射模型

这对企业而言，不仅对于产品研发和技术追踪大有助益，而且对于产业的发展趋势和战略规划也具有针对性的决策支持。由此可见，对于战略性新兴产业及其企业集群而言，它们真正需要的是可以直接面向应用的信息产品，是经过去粗取精、去伪存真、优先整合、分析挖掘之后所形成的深度加工的信息资源，这与目前三大系统及其相关信息资源保障机构所提供的资源保障是有距离的。

4.2.4　产业信息资源共享存在结构性障碍

信息资源共享的演变过程沿着由单层次到多层次、由单一化到多元化的规律，从初级信息资源使用共享到深加工信息资源的共享直到信息资源共享的全景出现。时代发展的需要，使得信息资源共享的类型和模式都在不断地产生和更新。在共享的发展过程中，由于各种主观、客观的原因，存在很多共享的障碍，使得共享效率较低。

共享是两方或者多方共同拥有、共同使用、共同享受、共同承担。共享意味着既有付出，又有收获，应该是付出与收益的平衡状态。同时，贡献应该互不封闭，但是又不意味着无条件地开放，是一种在给予基础上的获取和拥有。信息资源共享的结果必然是使得直接参与共享的信息资源需求方、信息资源提供方，促进信息资源共享的中介，监督管理共享的监管机构之间利益的均衡。但是，个体利益与群体利益之间是存在矛盾的，本书分别从信息资源提供方、信息资源需求方、中介和共享监管四个角度分析战略性新兴产业信息资源共享过程中存在的障碍。

1. 信息资源提供方的障碍

首先是共享意识不足。部分信息资源的所有者不愿意提供所拥有的信息资源，因为很大程度上对共享的认识产生了偏差，没有认清共享的本质，认为共享就是无偿、免费的，提供信息资源会削弱自身的竞争力，失去对信息资源所拥有的产权，为对手提供了发展契机而得不偿失。

其次是缺乏信息资源共享渠道。部分信息资源的所有者不知道如何提供自己所拥有的信息资源，因为他们不知道谁需要使用自己的资源，也不知道自己该通过何种途径在保护自身利益的前提下，提供所拥有的信息资源。尽管高校图书馆、科研院所图书馆、公共图书馆三大系统都建立了各自的资源共享平台，在各自的系统内或跨平台之间发挥了较多的作用，但是这些共享系统如何针对战略性新兴产业提供服务，信息用户如何获取平台内的资源，却缺乏有效的途径，也就是说，由于缺乏畅通的信息资源共享渠道而不能够实现信息资源共享。

再次，存在利益障碍。例如，对于公共领域的信息资源来说，信息资源产权归属国家，任何个人不独占产权，在实际的管理过程中，公共信息资源由不同的政府部门管理，这就导致了事实上信息资源的部门私有化局面，很多部门将掌握的信息资源作为寻求政府行政利益和经济利益的筹码，而或直接或间接，或有意或无意地设置信息资源共享的障碍，阻碍信息资源共享的顺利实施。战略性新兴产业为实现其科技创新必将搜集和产生信息资源，而这些信息资源是企业的核心利益所在，企业也不愿将其共享。

最后，还有信息资源共享的成本问题。信息资源共享的实现过程中，信息资源提供方、中介、信息资源需求方会根据共享的经济效率而选择是否提供信息资源、是否促进共享、是否通过共享获取信息资源。要实现信息资源共享，信息资源提供方和中介必须支付信息资源的前期生产、保存和处理成本，根据信息资源的类型不同，某些工作的成本会很高，而且是持续性的工作。因此，如果没有合适的利益补偿机制，就会使信息资源共享过程中的资源提供环节、共享促进环节和信息资源使用环节出现因为利益激励不足而不积极参与共享的现象。

2. 信息资源需求方的障碍

首先是共享获取能力的限制。信息资源需求方的信息资源获取能力的限制主要包括两种情况：一是需求方已经认识到对信息资源需求的重要性，但对其自身的需求并未有充分的认识和理性的了解，从而对所需求信息资源的评价存在偏差；二是需求方不知道该通过怎样的途径获取所需要的信息资源。战略性新兴产业是"知识密集型"产业，理论上说其从业人员都是知识型人才，但是我国普遍存在人员信息意识不强的情况，故而产业内信息获取能力不强。

其次是资金有限。有一些信息资源的获取成本比较高，如果信息资源需求方本身资金不足，再加上共享市场发育不完善，使得信息资源需求方虽然找到所需要的信息资源，但是没有资金能力获取到这部分信息资源。战略性新兴产业企业对于研发的资金投入较大，如果是非急需的信息资源，企业很难愿意花费资金去获取。

3. 共享中介的障碍

共享平台建设不完善是首要原因。共享平台主要分为两种类型，以固定场所实现共享和以网络实现共享。通过固定场所实现共享的一般为实物信息资源，部分的共享交易场所（如图书馆、大型科学仪器所在的实验室等）缺乏必要的信息，共享的成交量也不是很大，这些共享场所没有起到中介应有的作用。一方面是由于没有很好地了解目标需求方的实际需要而建设信息资源；另一方面也没有向需求方较好地传递共享信息资源的信息。通过网络实现共享的一般为数据信息资源，各种数据信息资源的开发建设缺乏统一的规划和有效的控制，信息资源共享接口没有标准化、数据概念不统一、数据要素不完备等数据信息资源管理混乱的现象都是共享平台建设不足的表现。

其次是建设资金不足。共享机制不完善，导致共享成本分担和利益分配不均衡，直接使得中介对信息资源共享建设的资金投入不足，因而平台的信息资源不丰富，这直接使得需求方使用率低、共享效率低，进一步导致平台建设积极性不高的恶性循环。

4. 共享监管的障碍

主要表现为信息资源共享管理不力。很多信息资源的共享还没有统一的管理、规划和控制，尚处于一种自发管理的相对"自由状态"，从而出现了很多信息资源共享不力的现象，如信息资源服务机构提供的可供共享的信息资源利用率低，产业需求强烈的信息资源没有被共享或共享成本很高等。

目前各种信息资源共享的法律法规的制定还处于起步状态，缺乏对信息资源共享行为规范的理性规定，也缺乏对信息资源提供方和信息资源需求方的权利和义务等自身利益问题的规定，导致信息资源共享实现过程相对混乱，共享程序不明确。

4.3 战略性新兴产业信息资源服务机制问题

总的来说，在面向企业层次的信息资源保障和服务方面，目前国内的主要实践仍旧停留在与流程相关的企业信息化领域。如何将图情机构所蕴藏的学术资源与战略性新兴产业企业的特定信息需求实现有效的对接，优化信息资源的配置，促成"产-学-研"的知识扩散和转化逐渐成为亟待解决的问题，而该问题的核心就在于如何面向企业信息需求的特性，对图情机构资源和网络信息资源进行合理、有效的知识重组，将信息输出方的产出与信息吸收方的需求相匹配。有鉴于此，建设面向市场应用和企业需求的信息资源服务体系势在必行。

我国战略性新兴产业信息服务体系由高至低可以分为宏观（国家或区域层面）、中观（产业层面）、微观（企业层面）三个层次。企业是国家创新的主体，是推动科技成果转化和生产力发展的关键，是产业的基本构成单元，针对企业层面的资源和服务保障是最基础、最首要的环节。然而许多企业不具备满足自身信息需求的能力，甚至对自身需求存在"不自知"的情况，这对信息服务机构提出了引导和挖掘潜在信息需求的更高要求。我国目前提供信息知识服务的机构包括为数众多的图书馆、情报研究所和市场化的社会性信息服务机构等。针对技术创新的信息服务中介机构就有工程技术研究中心、知识产权中心、科技情报中心等，然而这些机构多分布在大中型城市，且在东部、中部、西部梯级递减，存在分布不均、专业化水平低、联系不畅、服务功能单一等问题。

随着计算机技术、现代通信技术和网络技术的应用，信息服务的服务手段、服务内容、服务方式和用户的信息资源利用方式均发生了变革。以"用户为中心"的服务思想成为信息服务的主流，面向服务的架构的概念被引入信息服务领域，因此，建立面向产业的信息资源服务保障机制是实现信息资源价值的关键所在。然而实际情况却是面向产业的资源建设主体不明，提供产业信息服务的机构不了解企业真正的信息需求；部分开展社会化服务的信息机构未能认识到战略性新兴产业企业与学习科研人员或其他知识团体在获取信息服务的目的上有根本不同，没有建立起围绕产业创新的多元化信息服务手段；在服务内容方面，用户未能有效参与到资源建设和服务中来，而仅是被动地接受服务，用户对信息资源尤其是开放获取信息资源的分享利用范围有限。

4.3.1　信息服务与企业现实信息需求存在隔膜

1. 信息服务机构不了解用户真正的信息需求

战略性新兴产业需要放眼世界范围内的最新动态和技术。许多领域的核心技术分布在国外，汲取国外经验的集成创新是发展的重要出路。获取外文资源对于抢占发展先机，在产业竞争中占据有利地位至关重要。为了了解用户真正的信息需求，本书以战略性新兴医药企业研发人员为例着重调研了信息用户对于外文资源和服务的需求。

调查显示，英文仍是研究人员最需要的外文资源，占比高达 98.15%。小语种日文、德文资源的需求率也均在 10% 以上。最需要的外文资源类型从高到低分别是：期刊（70.37%）、综述报告类（62.96%）、案例（43.52%）、消息动态（41.67%）、摘要简报（41.67%）、论著（33.33%）、会议文献（22.22%）。可见，研发工作需要各种文献类型，既重视二次、三次文献，也关注原始一次文献。然而外文资源价格昂贵，多语种资源和涵盖面广泛的文献类型对于广大中小企业的相对有限的资金购买力而言可行性不强。这也印证了上文信息获取主要困难是信息获取途径少和获取量少的情况。在获取信息方式上，调查者更希望通过企业信息中心搜集（55.56%）或依自己需要获取（53.70%）。可见员工对企业信息中心较为信赖且已经习惯于利用内部信息中心获取信息。但可能由于信息中心提供的服务仍无法满足用户对信息全面性、及时性、实用性强等的需求，也有近一半人员希望依自己需要获取资源。18.51% 的人员还希望建立部门内部信息流通渠道，由各部门各自搜集信息，即"部门–个人"模式。

在开放式填答上，调查对象重点反映了在信息获取过程中存在信息更新不及时、获取途径少等问题。网络信息实时更新，信息变化大，其准确性及真伪难以保证。相较网络资源，虽然数据库资源更加可靠，学术性更高，但数据库访问权限，外文数据库的高收费成为信息获取的瓶颈。由此带来诸多问题，如综述、发展预测及前瞻性信息少，小语种文献检索不便，回溯功能有限。此外，公共检索平台利用率较低，研究人员希望能建立分类清晰、响应及时、操作便利的网络平台，并与信息提供方建立信息沟通渠道。绝大多数人员表示期待图书馆提供服务，期待更开放的信息共享环境、更丰富的信息和更廉价的服务收费，希望高校图书馆能加快与社会的资源共享进程，以减轻企业获取信息的费用负担。

可见，战略性新兴医药企业在产品研发阶段，企业不仅需要充分掌握自身情况，衡量自身实力，还必须掌握市场信息、竞争环境信息、竞争对手信息等外部信息。科研文献是研发阶段最重要的信息资源，期刊、文摘、综述、报告、专利、标准等文献以及案例、消息等类型资料都不可或缺。

总体而言，在需求层次上，企业需求仍以普通信息服务为主，同时对竞争情报服务也有一定需求。职称越高的研发人员越是需要竞争情报服务。在服务产品上，企业重点需要原文、译文等一次文献，二次、三次文献为辅。在服务的提供方式上，企业人员更希望有便捷的远程资源获取途径，无须到馆就能在个人电脑或工作单位内部获得资源和服务。企业人员倾向于图书馆根据需求主动向企业内部信息中心或直接面向个人提供服务。

2. 高校图书馆的企业信息服务范畴有待拓展

依据第三次全国经济普查数据，江苏省为我国战略性新兴产业密集区，已有相关法人企业 6.7 万个，占全省二、三产业法人企业的 7.4%，并形成了无锡智联网产业、连云港新材料产业、丹阳高性能金属材料产业、常州光伏产业等产业集群。江苏省亦是教育和科技强省，在产业服务能力方面位于国家前列。2010 年，教育部设置高等学校战略性新兴产业相关本科新专业 140 个，为战略性新兴产业输送专门人才（教育部，2010）。江苏省开设新兴产业专业的高校共 9 所，包括南京理工大学、东南大学、河海大学、中国药科大学、南京工业大学、南京邮电大学、南京中医药大学、南京师范大学、南京航空航天大学，以上高校图书馆针对战略性新兴产业的资源更系统，相关产学研合作更为密切。为此，本书以江苏省高校图书馆企业服务现状为例，通过网络调研高校图书馆开展服务的内容、形式等情况，以此了解信息服务机构提供的信息服务内容与形式。

表 4-1 统计了江苏省 15 所高校面向校外或企业开展的服务项目，各服务项目按照上文调研所得的企业需求程度从高至低排列，开展的服务用"√"表示。

表 4-1　江苏地区部分高校企业服务项目统计（2009~2020 年）

学校	文献传递	科技查新	专利服务	馆际互借	定题服务	参考咨询	代查代检	开放获取资源	专题服务
东南大学		√				√	√	√	
南京理工大学	√	√		√	√		√	√	√
河海大学				√			√	√	
中国药科大学						√			
南京工业大学	√	√	√	√					
南京邮电大学	√	√					√	√	
南京中医药大学	√			√	√		√		√
南京师范大学	√			√					
南京航空航天大学		√			√		√		
南京大学								√	
江苏大学	√	√			√			√	
苏州大学				√			√		√
南京农业大学									
中国矿业大学				√	√		√		
江南大学	√	√			√			√	

从统计结果看，文献传递和科技查新的满足率比较高，半数以上的高校开展了相关服务。服务主体主要是图书馆科技查新工作站、参考咨询中心、学科服务中心等。除此以外，文献调研发现，国内部分高校图书馆已开展了企业信息服务新形式。例如，福州大学图书馆另设企业信息服务中心，馆员深入企业，通过座谈会等形式挖掘企业员工隐性情报，帮助企业建立数字资源导航网站和电子宣传

册，根据企业需求开展了多项针对性服务（刘敏榕，2008）。华中科技大学图书馆向社会和企业开放，为国家创新平台实验室和相关学科和企业提供信息服务，参与校外科研产品开发项目的立项、报奖、成果转让、市场调研等服务（王善林，2009）。中国民航大学图书馆与波音公司和空客公司签订法律协议，共建民航特藏资料室，实现了利益双赢（王代礼等，2011）。可见，高校图书馆企业服务的开展形式并不拘泥于原有服务模式，在服务内容、服务形式等方面都可以根据企业需求实现定制和创新。图书馆人员和服务主动走出高校，走进企业是适应图书馆企业服务新角色的关键。

我国部分高校图书馆及中国国家图书馆、上海图书馆为代表的公共图书馆虽然都开展了面向企业的信息服务，但图书馆服务的触角远不能覆盖广大企业。本次调研企业受访者几乎都未曾从图书馆获取过工作所需信息，但绝大多数受访者表示期待从图书馆获取信息和服务。图书馆在拓展企业服务业务方面可以从以下几点着手，如提供主要包括英文的多语种外文文献，利用自身检索专长帮助制定检索式或专利、标准等类型文献的检索策略，根据用户需求进行不同层次加工处理等。在信息提供方式上，探索多渠道的信息供给途径：直接提供给个人，集中提供给企业信息中心或企业不同职能部门或多渠道并举。企业更看重信息服务的可靠性和时效性，这也是图书馆服务的目标和着重点。不同职称人员对信息和服务需求略有差异，图书馆如何差别化服务或统一服务值得思索。企业十分看重信息获取成本，期待物有所值的服务，图书馆应该制定科学合理收费制度。图书情报系统虽然是国家信息资源服务与保障体系中重要的组成部分，但相对其他专业信息咨询机构或行业机构而言，在服务市场和社会方面尚缺乏经验和影响力，应力求在总体功能上与其他服务机构协调互补，并保持自身的服务特色和优势。

4.3.2　产业信息资源建设与服务模式因循守旧

1. 未能重视图书馆对战略性新兴产业科技产出的重要作用

伴随着我国经济发展进入新常态，以科技创新为核心的全面创新改革的新浪潮正在响起，作为科技创新支撑服务体系主体的图书馆也不例外，经历了数字化浪潮的洗礼之后，图书馆正迈向"转型期"，以前图书馆强调的是拥有什么，现在图书馆看重的是能做什么，因此，服务被提到了前所未有的重要日程上来，尤其是面向高校和企业的科技服务力度不断加大。科技服务的覆盖面、服务效率等直接影响科技产出，为了分析科技服务对科技产出的影响，本书对车辆工程专业全国排名靠前的十所高校的图书馆科技服务进行了网站调研，见表4-2。

表 4-2　车辆工程专业排名靠前的高校图书馆科技服务调研（2009~2020 年）

学校	科技查新	专利服务				科研数据服务
		专利培训	专利分析	专利预警	专利申请/转化	
清华大学	√	√	√	√	√	√
吉林大学	√	√	√	√	√	
湖南大学	√	√	√		√	
北京理工大学	√	√	√	√	√	√
西南交通大学	√	√	√	√	√	
西安交通大学	√	√	√	√	√	
燕山大学	√	√	√	√	√	
同济大学	√	√	√	√	√	
江苏大学	√	√	√	√	√	
重庆大学	√	√	√	√	√	

从表 4-2 可以看出，科技查新服务已经很普及但从总体上说，我国高校图书馆的科技服务已经经过了起步阶段，尤其是专利服务。为专利前期申请提供服务有很大上升空间，面向后期转化服务更是一个期待开拓的领地。此外，科研数据服务也成为目前图书馆面向科技创新服务的一个热点，2010 年美国国家科学基金会发出声明，从 2011 年 1 月起，所有的项目申请必须同时包含一份数据管理计划，因此美国越来越多的四年制和研究型大学开始提供科研数据管理服务，调研的国内十所高校中，有六所能够提供科研数据管理服务。e-Science 和各种新型学术交流模式为高校图书馆开展科技服务提供了全新的视角和发展空间。

但这些服务多局限于校园或科研院所之内，未能走出象牙塔，真正服务于社会，与产业对接，满足产业的现实需求。无论是在服务范围、服务手段和服务内容方面都缺乏与市场的联系，因而能够发挥的作用是极为有限的。

2. 传统信息服务机构的信息服务模式僵化

以专利信息资源为例，战略性新兴产业专利信息资源服务模式僵化，面对战略性信息产业新的特征内涵和需求特点，没有顺应时代的发展，及时调整相应的信息服务模式。具体有如下表现。

我国目前提供专利信息知识服务的机构包括为数众多的图书馆、情报研究所和提供各种信息咨询的中介服务机构等。例如，针对技术创新的专利信息服务中介机构就有创业服务中心、生产力促进中心、工程技术研究中心、情报信息中心、知识产权事务中心和各类科技咨询机构、技术产权交易机构、常设技术市场、人才中介市场等。这些机构的首要任务就是提供信息服务，但它们多集中在大中城市，分布不均匀，且专业化水平低，彼此独立，协同程度低，服务功能单一。企业需要的能够提供直接和专业的专利技术服务的机构数量严重不足，而且这些服务机构的性质各异，归属不同，相互之间缺乏联系与合作，各行其是，不能发挥整体优势。我国与专利技术相关的信息平台并不少，但部门分割、区域分割严重，各自建网使得力量分散、规模小、相互之间缺乏联系、信息更替慢、内容陈旧、信息资源共享程度低。

究其原因，战略性新兴产业研究处于当代科技发展的前沿和先导领域，其发展模式体现出一种"以创新为中心"的新模式，即将知识作为产业发展的重要组成部分，以知识扩散与创新为主导。对于知识密集型的战略性新兴产业而言，仅仅依赖产业集群内的知识，很容易使集群中的企业因脱离知识前沿而被"锁定"在旧的技术范式里，从而成为缺乏创新活力的"技术孤岛"（孙振和郑德俊，2014）。

4.3.3 产业信息服务缺乏制度建设和法律保障

企业最常用的信息资源管理模式通常有四种，分别是功能型、产品型、矩阵式组织机构和标准化管理，各类组织模式的优缺点如表 4-3 所示。因此，如何与企业的信息需求和管理模式对接，是信息资源保障系统和信息服务必须要考虑的。

表 4-3 企业信息资源管理组织模式

组织模式	内容	优缺点
功能型组织结构	按企业信息管理的功能划分专业部门，每一个分支机构负责一个专门部门，如信息部门下面设立技术服务、最终用户、运行管理和系统开发等部门	人力成本高、职责累赘
产品型组织结构	按产品或服务的不同类型划分出服务机构，每单个部门设有自己的信息资源管理机构	难以专业化管理，信息队伍素质不高
矩阵式组织结构	结合功能型和产品型组织结构	资源的组织灵活，有针对性和特异性，不足在于组织难度和管理难度大
标准化管理	公司人员按照标准工作，要求员工分享经验、技巧，形成企业知识库	将隐性知识显性化，信息管理更便捷，但执行度较低

1. 信息服务体系架构缺乏国家政策保障

相对于高校、公共图书馆、科研院所这三大信息资源保障和服务系统而言，目前数据库商提供的产品和服务亦是支撑科技进步与企业发展的重要力量。以中国知网为代表的数据库商对于新兴产业的支持和服务已经有相当程度的探索和尝试。例如，中国知网针对企业研发环节知识服务特点打造专门信息服务平台——企业研发项目服务平台，以"项目馆"形式，依托知网资源、互联网资源和企业自有资源，通过统一检索、统一导航、跨库检索、知网节数据挖掘等方式，为企业提供个性化服务产品。服务内容包括技术、市场、专利、政策分析、专家信息等，覆盖项目立项、申报、查新、跟踪、评估、验收、评价等各个阶段，提高企业检索效率与质量。"项目馆"形式有效整合了企业内外部资源，企业员工在权限范围内登录"项目馆"账号即可依据自己需求使用丰富的定制化资源。此外，中国知网还设有中小企业经营管理知识仓库、标准信息服务平台、中小企业成长创新情报服务平台等企业信息服务平台。数据库商万方数据也推出了竞争情报信息咨询服务（包括情报资源服务、产业市场研究和竞争环境分析）和竞争情报系统建设服务（包括情报体系咨询、情报系统导入和情报技术培训），已成为其核心的业务体系。企业竞争情报服务系统资源从互联网自动采集，通过自动或人工方式进行数据标引、排列和转换，由人工校验或编辑制作后依据规划的分类体系进行存储。企业员工可以通过个人电脑或移动设备进行浏览、打印、下载等操作。万方数据的自建库采编发系统为企业提供了通用的资源加工工具，系统可以实现资源的自动获取、自动分类标引与人工规范控制，实现不同类型资源的一站式检索。

由此可见，以中国知网和万方数据为代表的数据库服务商在为企业提供系统和技术方面已经进行了卓有成效的探索，依托其在信息资源组织和服务方面的专长，其提供的服务产品和服务内容灵活性强，企业既可在给定的功能模板内按规范自由编辑，又可委托数据库服务商个性化定制。企业可以通过部分竞争情报业务的外包，与数据库商合作，弥补自身经费、人员和专业知识技能方面的不足。既弥补了企业信息中心资源的有限性，又创造了企业直接检索资源的便捷途径。但是，必须要指出说明的是，有别于三大系统的信息资源保障和服务，数据库商所提供的信息资源的保障和服务无疑是逐利性的商业行为，因此它不可能是面向整个国家和社会发展的公益性信息资源保障，而更多的是面向微观层面的企业或行业需求，因而不可避免会有其局限性。

另外，不得不承认图书馆系统对于新兴产业的信息资源保障和服务支持是极为欠缺的，不仅在意识上认识不够，在实际的服务和保障方面更是明显不足。面对数字化的冲击，不少图书馆患上了"技术至上"的毛病，它们不是明智地利用新技术，而是被动地跟着技术走，为此这些图书馆不惜引进高价位、高成本的设备武装自己，开始了图书馆的"装备竞赛""建筑竞赛"，避重就轻，忽略了图书馆工作的本质任务。就期刊而言，现在虽然有很多数据库提供全文下载，但是图书馆却并不拥有这些数据库的资源，只是提供这些资源的访问路径。数字时代图书馆的最基本职能依然是文献的收藏，复合图书馆状态仍是相当长时间内图书馆的主要业态，图书馆在重视数字资源的同时理应对传统纸质资源亦要有足够的重视。尤其是在目前国际环境日渐复杂和不确定性升高的背景下，做好战略性产业的信息资源保障和服务工作尤显迫切。不仅应该加强对于信息资源的实际拥有和本地化保存，而且应该扩展对于信息资源的保障范畴，提升质量，更重要的是切实做好全国范围的信息资源保障体系的重构和完善。20世纪80年代至今，虽然由全国高校图书馆期刊工作研究会等相关学会/协会组织了几次全国性期刊利用统计和协调保障工作，如2004年教育部高等学校图书情报工作指导委员会联合CALIS管理中心出台了《高等学校图书馆数字资源计量指南》（2007年初修订稿），但随着时间的流逝，这些协调组织和网络日渐废弛，由于缺乏政策强制性以及具体操作性，实际执行效果并不理想。目前迫切需要突破图书馆的界限，从期刊社、期刊代理商、期刊数据库商、期刊读者等利益相关者的角度，提出整体的信息资源保障和服务体系架构构想和具体实施方案。

2. 信息资源产权缺乏相关法律保护

我国战略性新兴产业的信息资源产权保障方面，面临的问题相当突出，最为主要的问题包括缺乏专项立项和知识产权保护力度不够等。

第一，尽管我国以行政法的形式发布了《中华人民共和国可再生能源法》《中华人民共和国清洁生产促进法》等法律条文用以规范战略性新兴产业的制度。但这些法律条文都是针对产业本身而制定发布的，对于支撑产业发展的信息资源未有任何形式的立法。

第二，战略性新兴产业的发展与保护离不开对知识产权的保护。科技创新是提升战略性新兴产业核心竞争力的关键，培育发展战略性新兴产业，必须掌握核心知识产权。我国对战略性新兴产业知识产权保护认识不足，战略性新兴产业发展中的知识产权法律体系等不完善，很大程度上制约了战略性新兴产业领域中的知识产权保护。

第三，知识服务市场的定位缺乏相关法律保护。2014年国务院发布的《关于加快科技服务业发展的若干意见》中，将科技查新归为科技信息服务，明确提出"加强科技信息资源的市场化开发利用，支持发展竞争情报分析、科技查新和文献检索等科技信息服务"。科技查新始于20世纪80年代中期，查新服务属于有偿服务，在2000年12月颁布的《科技查新机构管理办法》和《科技查新规范》均对查新收费做出了相关规定，查新机构应当按照当地物价部门规定的收费原则确定查新费用，没有明确规定的，应当与查新委托人协商，合同约定具体的查新费用。但是尽管科技查新服务自20世纪80年代中期开始已经有40余年的发展，却始终缺乏明确的行政规范性文件来规定价格制定的标准，查新定价仍然存在一些问题，主要表现在收费尚无统一标准和定价因素考虑不周全两个方面。

首先，是查新收费尚无统一标准。目前，各科技查新机构规定的收费项目点包括基础费用和附加费用两项，基础费用即查新的基础价格，附加费用即委托人要求缩短查新时长或增加查新点的附加要求时，另行计算收取的费用。在基础费用方面，不同机构之间对于查新的差别定价存在显著差异，如是否按服务对象区分校内用户、校外用户，是否按检索范围区分国内查新、国外查新、国内外查新，是否按查新类型区分科研立项、项目鉴定、专利申请、博士开题等不同类型。在附加费用方面，加急受理和增加查新点的收费方式和标准上也存在差异，如加急受理收费方式有按加急天数、总费用的百分比或固定费用等，增加查新点的收费方式有按查新点个数、总费用的百分比或按新的查新项目重新计费等多种，同时，附加费用是否要区分查新项目的检索范围来设立国内、国外、国内外查新，每缩短一天或增加一个查新点的价格也存在显著差异。各查新机构在制定价格时所考虑的因素详细程度不一致，统一的查新收费标准的缺失导致收费现状较为混乱，有失价格的科学合理性，缺乏行业内的规范。

其次，是定价因素考虑不周全。科技查新服务需要工作人员检索出国内外公开发表的与被查课题相关的文献，再对查出的文献与被查课题进行对比分析，最后对被查课题的新颖性进行判定，受每一查新项目的查新点、科学技术要点、检索词等的差异，查新工作人员在具体项目中所付出的劳动量也存在差异，如查新点、技术要点涉及多学科，检索词再修改等情况都会增加工作人员的劳动量。当前的附加费用仅考虑到加急受理和增加查新点两方面，未考虑到如延长检索年限、跨学科范围查新、修改检索词等其他会影响查新难度的因素，仅设立固定的国内查新、国外查新、国内外查新的价格，而不随具体查新项目的难度在一定范围内变动，这样固定价格的设立失之偏颇，没有对查新工作人员在具体项目上所付出的智力劳动成本进行合理估量。

对于图书馆如何进行社会化服务，尤其是面向新兴产业进行科技信息服务的市场策略、收费标准、监督管理机制等都缺乏明确的规定，也未提出切实可行的实施办法。因此，如何科学、合理、全面地衡量和考虑知识服务的市场定位及其法律法规建设成为战略性新兴产业信息资源保障的重要问题之一。

第5章 战略性新兴产业信息资源管理体制创新

中国正处于经济社会发展和战略转型的关键时期，工业化、城镇化步伐的加速，导致资源和环境压力日益紧迫，现行发展方式的局限性、经济结构状况及资源与环境的矛盾越来越突出，因此，加快培育和发展战略性新兴产业成为破解资源约束、突破发展瓶颈，实现产业结构优化升级，从根本上转变发展方式的重大战略举措。

对战略性新兴产业企业来说，以专业知识为主的综合信息已经成为企业最为核心的资源，对内外部信息资源的管理成为企业管理的焦点，对信息资源的有效组织和及时利用关系到企业的现实利益。相对传统产业而言，战略性新兴产业要求智力密集和资金密集，对信息资源要求高、依赖大。战略性新兴产业的发展路径在于"知识信息的转移、扩散—科技发明—成果转化—产业兴起"。在信息化环境下，信息资源已成为战略性新兴产业发展过程中最活跃、最具生命力的要素和重要保证。由此可见，大量的信息资源存量，高效的信息流通机制、给力的信息服务模式与完备的信息服务体系对于战略性新兴产业的发展不仅是必要的，也是必需的。

然而在现实社会中，行业、企业及企业各部门间信息表现形式、来源渠道和体系构造各不相同，信息资源具有明显的异构性，共享程度很弱，导致其对信息资源的有效利用度低、有用信息向知识的转化程度低。随着网络及各类自媒体的不断发展，信息资源在迅速累积，无序而庞大的信息资源，已经导致信息过载和资源迷向等问题，企业在面对各类信息尤其是繁杂的网络信息时，无从选择，最终影响到企业的现实利益及长远发展。因而，亟须探寻新的适应于知识创新的信息资源现代管理体制与机制。

对于战略性新兴产业来说，如何通过信息资源的有效保障和高效服务，促进集群企业内部的知识流动、扩散和转移，增进集群获取外部知识的有效性，是新兴产业发展、技术创新的重要问题。

5.1　面向知识创新的信息资源管理体制架构

上述战略性新兴产业信息资源保障现状，产生一个问题，即如何面对现代企业尤其是战略性新兴产业的信息需求，寻找三大信息资源保障系统与数据库商的服务体系相结合的新的管理模式，这无疑是目前亟待解决的问题。

从当前来看，我国战略性新兴产业遇到的瓶颈包括技术、市场、资金、制度、人才五个方面。适应战略性新兴产业发展的信息资源保障体系核心就是围绕以上五个方面，为战略性新兴产业发展提供信息资源保障，其中关键是技术和市场的信息资源保障。本书在深入研究我国现有战略性新兴产业发展态势的基础上，明确信息保障体系发展的目标和方向，使最终建立的保障体系切实能对我国战略性新兴产业的发展起积极的支撑作用。在具体研究中，要将战略性新兴产业的信息资源获取途径、优化配置与共享、管理体制与机制作为关键内容，通过信息资源建设，为解决当前战略性新兴产业的发展瓶颈发挥重要作用，显著提升我国战略性新兴产业的自主创新和产业升级换代能力。

事实上，信息资源的服务模式及其效果直接取决于信息资源体系的状况，是以政府为主体的信息资源建设和管理模式，还是以市场化的信息企业、咨询公司等信息机构为主体的信息服务提供模式，或者是以非营利的大学、智库、资讯公司等社会软科学机构为主体的信息资源建设和服务并举，无论何种模式，都需要根据产业和相关企业的现实需求，通过分析比较才能确定。

总的原则是信息资源保障体系建设的立足点应从"整体的保有和保障"转向"有针对性的流动和扩散"，通过将现有的信息资源的增量和存量重新配置和整合，有针对性地重点保障强知识吸收能力企业，促进整个集群吸收外部知识的能力，增进集群获取外部知识的有效性。换言之，通过创建面向知识创新的信息资源现代管理体制，实现对大量信息资源的占有和实现快速高效的知识信息的转移和扩散，促进产业的发展和知识创新。

5.1.1　信息资源保障与管理体制的转型思考

对于知识密集型的战略性新兴产业而言，仅仅依赖产业集群内的知识很容易使集群中的企业因脱离知识前沿而被"锁定"在旧的技术范式里，成为缺乏创新活力的"技术孤岛"。并且，知识在产业集群的流动和扩散也不是自由的和均匀的，存在阻碍和差异。埃莉萨·朱利亚尼（Elisa Giuliani）提出了集群"知识守门人"的概念，认为集群中弱知识吸收能力的企业不能直接获取集群外部知识，必须通过强知识吸收能力的企业将集群外部获取的复杂和高度编码的知识转化为情景化和便于理解的形式扩散给它们，强知识吸收能力的企业在集群中扮演"知识守门人"的角色。

　　由此可见，对于战略性新兴产业来说，信息资源保障体系应从"整体的保有和保障"转向"有针对性的流动和扩散"，将信息资源的增量和存量重新配置和整合，促进集群吸收外部知识的能力以及更新本地存量的能力，促进产业发展和知识创新。换言之，面向战略性新兴产业的信息资源保障体系和服务体系应该以"用户和需求为导向"，围绕国家创新体系提供信息资源保障。

　　2005年，武汉大学信息资源研究中心马费成教授主持教育部哲学社会科学重大课题攻关项目"数字信息资源的规划、管理与利用研究"，研究揭示影响数字信息资源开发、利用及价值实现的自然因素，从技术创新、标准规范设计、资源整合、协同合作以及政策法规等综合角度提出我国数字信息资源规划战略、策略和实施路径等。

　　2006年，武汉大学信息资源研究中心胡昌平教授组织的国家社会科学基金重大项目"建设创新型国家的信息服务体制与信息保障体系研究"（编号06&ZD031），在组织和实现层面上，提出以创新发展的需求为导向的全国性协同信息服务的框架模型和构想，探讨知识创新信息服务的跨系统协同形式与服务功能；从资源整合和信息服务集成的角度，探索网络环境及企业创新需求导向下的企业集成信息服务平台的架构、功能选择、系统构建和框架实现等。此外，还分析了网络交互环境下知识创新的群体特性和信息用户需求特征，提出从知识库管理、知识创新服务实现和知识创新服务平台等三方面提高面向用户群体的知识创新服务水平。

　　尽管在信息资源保障领域已取得了许多进展，但研究成果依然与战略性新兴产业的实际需求和信息实践有脱节。我国目前提供信息知识与技术创新相关的信息平台其实并不少，但各平台间部门分割、区域分割现象严重，各自建网使得力量分散、规模小、相互之间缺乏联系、信息更替慢、内容陈旧、信息资源共享程度低；因此，有必要建立战略性新兴产业的信息资源保障与服务新模式，提高已有信息资源的利用率，整合更多的相关资源，形成系列化的信息产品，增强面向企业的信息保障能力。因此，有必要从国家层面对产业信息资源进行系统规划和制度设计，信息资源保障体系应面向产业现实问题和企业的现实需求。

　　欧洲国家已经建立起一套面向企业自主知识创新的信息保障制度。在构建面向企业创新的信息服务体系时，大部分以国家信息服务机构、图书馆为核心，以一定数量的具有个性化特色的行业信息服务中心为纽带，构建全方位公共信息服务平台。如英国所建立的国家信息服务系统（National Information Services And Systems）、欧盟所启动的欧洲高效电子科学网络工程、第七框架计划（Seventh Framework Programme）等。

在欧洲，芬兰是最早将国家创新系统纳入科技发展体系的国家之一，在知识创新、信息资源建设等方面取得了显著成绩，特别是在信息资源规划方面，探索出了信息资源配置的有效方案。芬兰已经建立起一个发达成熟的开放式国家创新系统，在知识与技术转移层面，各大科技园、大学以及政府相关部门领导下的技术中心，共同担负创新成果转移、推广和商业化应用的重任，产学研之间有着密切合作。在信息资源配置保障方面，芬兰政府从开放式国家创新系统中的信息流动的机理出发，在政府推动下，围绕创新主体信息需求分析、信息资源开发、信息服务与信息资源应用这一信息流，形成以多元投入、动态分布和集成配置为主体的综合化信息资源配置机制体系，其成效显著。

美国在国家信息资源保障体系建设方面，鼓励信息机构以市场需求为导向，各自调整经营策略，同时在政府层面通过制定一系列信息政策法规，使处于分散状况的信息机构形成基本完善配套的体系，以满足社会对信息资源的需求。以医学信息资源的保障体系建设为例，美国国家医学图书馆信息资源建设保障与服务的特点是重视信息资源建设与开发的长期规划、信息资源服务密切联系社会信息需求、形成系列化的信息资源产品体系、注重带有人文关怀的资源产品推广宣传、经常开展信息资源与服务评价，取得了较大成功。美国在推进国家信息服务保障层面力度巨大，2001 年美国国家科学基金会（National Science Foundation，NSF）、国家技术与标准研究院与国会图书馆等组织联合召开了"加强科学公共信息基础设施"研讨会，确立了"面向科研发展的信息服务平台共建模式"。之后，NSF 资助了多项大型科研项目，启动了"国家科学技术、工程、数学和教育数字图书馆"计划，形成多个机构共同参与，包括科学、技术、工程和数学在内的"学习环境与资源网络"。在面向企业层次的信息服务中，全美基于网络的行业信息服务联盟发展迅速，各联盟通过与创新主体合作，进行数字化信息保障的研究与实践，不断完善自身的信息服务功能。

作为发展中国家的巴西，其信息资源保障体系的建设更多体现出的是一种国家间、政府间、高校间、民间等不同图书馆系统之间的多层次合作体系。其中，高校图书馆联盟是其信息资源保障的主要形式。巴西教育部公共基金会支持的巴西国家科学与技术电子图书馆联盟（CAPES），其信息服务面向高等教育联盟院校，以及获得 CAPES 认证的研究院、国家、地方性公立高等院校和部分具有博士授权点的私立高等院校。

由此可以认为，面向战略性新兴产业的信息资源保障体系一定涉及国家宏观层面、产业中观层面、图书馆和信息中心微观层面，只有这三个方面协同合作，才能建立起高效的信息资源保障和服务体系。

5.1.2　建构我国新兴产业信息资源保障系统

1. 整合现有信息资源三大保障系统

首先，需要确立这样一种观点，即信息资源属于公共财产，作为国家创新的主体，企业有获取国家信息资源的权利。所有的信息资源机构，要树立开放、共享资源的观念。其次，加强政府信息资源共享的制度建设。成立多机构参与、跨部门协作的政府信息资源专业委员会，负责信息资源建设和利用规划、标准的制定；将信息资源建设与共享作为战略性新兴产业建设重要环节，纳入国家发展规划，从而刺激社会创新，推动经济社会发展。

鉴于目前我国绝大多数信息资源都存于各类图书馆和信息中心中，因此增量布局重点还是应从图书馆和信息中心的视角考虑。20 世纪 80 年代以来，随着期刊数量增多、外文期刊价格快速增长，而图书馆经费却并未增加，我国图书馆界为了节省经费但又不降低外文期刊保障能力的情况下组织建立了全国高校期刊协调网，全国高校期刊协调网的成立及运行为我国节省了大量的经费，而科研保障能力却并未降低。后来在全国高校期刊协调网的基础上经教育部批准建立了中国高等教育文献保障系统（CALIS），CALIS 自成立以来，其经济效益、社会效益已非常显著。除此之外，我国为专门保障人文社会科学研究对信息资源的需求，还建立起中国高校人文社会科学文献中心（China Academic Humanities and Social Sciences Library，CASHL），以及保障理工科信息需求建立的国家科技图书文献中心（NSTL）等。图书馆和信息中心系统拥有的大量的信息资源以及在信息资源共建共享方面丰富的经验，为构建面向战略性新兴产业发展的信息资源保障体系奠定了资源基础以及实践基础，因此构建面向战略性新兴产业的信息资源保障体系还是应由图书馆系统主导，但较之上述的 CALIS、CASHL、NSTL（科技部主导，非高校）主要由高校和科研图书馆参与，我们更主张高校图书馆、科研院所图书馆、公共图书馆三大系统共同参与构建面向战略性新兴产业发展的信息资源保障体系，三大系统之间根据存量及各自实际进行分工，各有侧重，以避免重复建设。

高校图书馆系统的最大优势在于"基础"，所谓的基础就是高校图书馆系统是我国学术信息资源最为集聚的地方，因此高校图书馆系统可以在原有基础上，继续保障与战略性新兴产业有关的学术信息资源，而这也符合发展战略性新兴产业中"产学研"相结合的理念。科研院所图书馆在国内外科技报告、专利、标准的收藏上有优势，因此这一部分的信息资源可由科研院所图书馆系统负责保障。

除此以外的，一些利用率相对较低的，或者涉及战略性新兴产业较少的、比较分散的信息资源可以由公共图书馆系统负责保障。

2. 面向产业的三级信息资源保障体系

考虑到我国原有信息资源分布情况，根据存量优势和增量能力（经费等），可以建立国家层面、地区层面和实体企业层面的三级资源保障体系。

第一级是由中国国家图书馆、CALIS、CASHL、NSTL 等组成的国家中心，能提供 60%~70% 的资源保障。

中国国家图书馆、NSTL 作为"国家队"，具有雄厚的资源建设人才优势和经费优势，以中国国家图书馆为例，仅 2011 年，购买各项资源经费就达到 1.65 亿元，这是其他许多信息机构所不能比的，既然发展战略性新兴产业是国家战略，这些机构应义不容辞承担起重要责任。中国国家图书馆、NSTL 等第一级保障体系主要保障战略性新兴产业一些核心的信息资源，同时一些相关的，但是使用率较低、价格昂贵的资源也可由国家层面来保障。

第二级由各省区市组成战略性新兴产业专题资源中心，亦能提供 50% 的资源保障（与国家中心的部分核心资源允许有少量的必要重复）。

从各省区市发展情况看，成立地区性的战略性新兴产业专题资源中心既有必要亦有可能。自 2010 年 10 月《国务院关于加快培育和发展战略性新兴产业的决定》（国发〔2010〕32 号）出台以来，各地纷纷出台相关政策以发展战略性新兴产业。结合各地环境、教育、资源等实际情况，有学者提出了我国战略性新兴产业发展布局构想。

以江苏、浙江和山东为依托建立节能环保产业集聚区；以广东、江苏为依托建立新一代信息技术产业集聚区；以山东、江苏和广东为依托建立生物产业集聚区和新材料产业集聚区；以陕西、辽宁和四川为依托建立航空航天装备产业集聚区；以山东、江苏为依托建立高端装备制造业（不含航空航天装备产业）集聚区；以内蒙古、山东为依托建立新能源产业集聚区；以湖北、吉林为依托建立新能源汽车产业集聚区。

借鉴全国高校期刊协调网和 CALIS 的成功经验，构建面向战略性新兴产业的信息资源保障体系，成立战略性新兴产业专题信息资源中心，结合上文产业布局，信息资源中心可以建在相应的地区，如在浙江成立节能环保产业信息资源中心，在江苏成立新一代信息技术信息资源中心，在山东成立生物产业信息资源中心等，产业信息资源中心是设在高校（如浙江大学、南京大学）还是设在科研系统图书馆拟或是公共图书馆，则视当地情况而定。数字创意产业的信息资源保障目前虽然还比较薄弱，但也应该有所规划。战略性新兴产业专题信息资源中心的成立，不但能增加信息资源保障的力度与针对性，而且能有效地协调区域内外机构协作，提高信息资源保障体系的效率。

第三级由战略性新兴产业各大型企业组成，成立资源协调中心，主要提供常用的、核心的资源，能提供 10%~20% 的资源保障。

从大型企业看，企业是创新的主体，是主战场和第一线，需要什么资源，如何利用，它们最有发言权，因此以企业为主体构建第三级保障体系也是符合实际发展需要的。企业层面的保障体系，主要保障的是企业研发过程中最常需要的一些信息资源，或者说是满足自身最迫切信息需求的信息资源，这类信息资源可能更具有针对性，产生的潜在价值也更高。

3. 促进产业信息资源共享的保障模式

无论是政府主导的信息资源管理机构，还是市场化的信息企业、咨询公司等信息机构，或者是非营利的大学、智库、资讯公司等社会软科学机构，最重要的是，应将市场竞争机制引入面向战略性新兴产业的信息资源保障和服务中，使得不同类型的信息资源保障和服务机构之间能够协作、共建，通过市场博弈，达成公平竞争和合作发展，为战略性新兴产业的发展提供个性化的、权威的、整合的、个性化的知识服务。而要达成这一愿景，有赖于信息资源生产、组织、利用与转化模式的调整与改变。

首先，有必要成立国家战略性新兴产业信息资源中心。该中心挂靠于 NSTL 或 CALIS，下设办公室，设专人负责；将市场竞争机制引入面向战略性新兴产业的信息资源建设和保障系统中。政府通过运用包括委托招标方式等在内的市场机制，通过市场博弈，实现不同类型的信息资源建设保障机构之间的公平竞争和合作发展，并借此改变学术资源生产与转化的模式。

其次，制定相应的信息资源管理法律法规。政府是我国信息资源的最大拥有者，也是最大的信息生产者、使用者和发布者。因此，在信息化方面政府应建立总体规划，制定前瞻性、具有可操作性的信息政策，促进信息内容产业的市场培育；促进信息内容企业、信息服务企业以及信息平台企业的整合协调发展，带动信息资源产业以至国家信息化的发展。并针对信息资源产业中存在的立法空白，尽快出台相应的法律法规，包括：①信息自由类法规。加强信息资源的自由获取，促进信息公开，加强信息交流。明确各参与机构的权利与义务，并制定相应的奖惩制度。②知识产权保护类法规。重点保护信息资源开发和利用过程中所涉及的知识产权，明确产权人应享有的权利以及侵犯知识产权所应承担的责任。知识产权保护在信息资源产业发展中具有重要意义。

最后，建立政府与市场的促进模式。信息资源共享过程的促进主要集中于市场促进和政府促进，这两种促进方式对于信息资源共享效率的提高、成本的降低都具有深刻影响。通过市场促进共享具有极强的信息资源共享效率，但是存在不可避免的市场促进失灵现象。同样，政府在信息资源共享促进中的作用不可比拟，对于市场促进失灵能够有效地消除，但是政府进行促进需要付出一定成本。因此，对于信息资源共享的有效实现来说，两种促进方式必然同时存在。

信息资源共享的市场促进模式是指在信息资源共享的过程中，基于信息资源的价值和使用价值，根据市场的规则，通过交易方式实现信息资源共享。通过市场的途径完成信息资源的获取行为可以把信息资源需求方、信息资源提供方、中介彼此联系起来。通过市场能够把信息资源共享系统中的各个行为主体联系起来，对信息资源共享进行整合形成一个有力的协作过程。该模式建立的是信息资源需求方和信息资源提供方之间的一种动态平衡的关系，通过价格机制、竞争机制、供求机制等多种形式体现。当然市场促进存在不可避免的弊端。主要表现在如下几个方面：①对公共信息资源共享作用的失效。很多信息资源是由国家负责建设和提供的，属于公共物品。②共享效果的滞后性。信息资源需求方选择共享信息资源和评价获取到的共享信息资源具有滞后性，而信息资源提供方一般按照市场的需求，并凭借各种信号生产、提供信息资源，信息资源提供方对市场需求判断的准确性必须转化为货币之后才能够体现，因此事后判断的失误将使得信息资源提供方亏损。

而政府促进模式是指在信息资源共享的过程中，政府处于信息资源共享效率的控制主导地位。政府在制定一系列法律法规等保障机制的基础上，建设信息资源共享平台，向社会开放信息资源以实现信息资源最大范围内的共享和共享效率的提高。政府对信息资源的宏观调控是信息资源共享促进体制中的重要组成部分。

在信息资源共享的促进过程中，市场的促进作用是举足轻重的，对于一个复杂的、大型的信息资源共享系统来说是无可替代的，但是市场又是自利的，单纯通过市场调节会不可避免地出现很多缺陷，因此需要政府对信息资源的共享过程进行宏观管理，以纠正某些由市场促进带来的弊端。

政府在信息资源共享过程中的职能主要体现在：①依靠政府立法的力量进行共享法律、法规、政策和体制方面的调整和改革，使得建立的信息资源共享机制能够可持续、健康地发展。②政府能够对那些市场促进无效或者无法通过市场促进的信息资源提供必要的支持，并为建设、维护这些信息资源提供必要的资金。政府对信息资源共享的促进也存在弊端，如政府对建设共享信息资源的决策失误、共享促进过度或不足等。

因此，有效的信息资源共享促进模式必然是市场和政府的有机结合。对于市场促进而言，一方面要在尊重市场运行规律的基础上，建立适合信息资源共享的市场运行模式；另一方面国家要健全信息资源共享的市场管理制度和立法，培育良好的信息资源共享市场规则，使得价格机制、竞争机制、供求机制、风险机制等具体的市场机制在运行时能够相互制约、相互促进，呈现良性循环发展态势。对于政府促进而言，政府对信息资源共享促进的贡献必然是从宏观上弥补市场促进机制的不完备。因此，同样需要健全法律制度，以保障信息资源需求方、信息资源提供方、中介的切身权益。目前，我国还没有出台关于信息资源共享的综合性法典，只是建立了针对不同信息资源类型的分散性法律，尚不完备，有待健全。

5.2　围绕产业发展的信息资源保障机制建设

随着计算机技术、现代通信技术和网络技术的应用，信息资源的利用方式和用户的信息行为均发生了变革，信息资源研究领域从 20 世纪 80 年代以来经历了由"重藏轻用"到"藏用并举"再到"以人为本、以用为主"的转变；实现了由传统手工操作方法向自动化现代化发展的转变；完成了从传统文献信息服务向多元文化知识服务的拓展。以"用户为中心"成为信息资源保障和服务的主流；随着"以用户为中心"理念的形成，面向服务的架构的概念被引入信息服务领域。目前"用户主导"成为趋向，通过创新机制，实现从传统的有形馆藏文献资源保障向知识内容服务为核心的转变，重点是海量的信息资源如何被人类所获取使用从而变成知识资产。

以德国为例，德国政府以应用为主导、以客户为中心，加强了大型基础和地方数据库建设的力度，如北-威州信息中心既是该州的统计局同时又是州政府的全面信息服务商，该中心建立了中央数据库，专门提供人口分布地图、地理信息、矿藏信息等数据，并提供相应分析软件。用户通过该中心可以获得人口密度、农业分布、交通、土地开发等有价值信息。总之，信息服务正日益朝着社会化、网络化、个性化方向发展。

因此，建立面向新兴产业的信息资源保障机制是实现信息资源价值的关键所在。具体包括：建立资源保障单位与相关企业定点联系制度，及时了解企业信息需求，并以此作为资源保障及服务的依据。编制战略性新兴产业信息资源联合目录；建立专门的网站，及时发布最新的相关信息；参与战略性新兴产业信息资源保障的单位每年召开一次全国性的资源订购会议，增强各单位之间的交流、协调度；鼓励用户参与开放数据内容建设和门户网站建设。允许用户对数据进行评价、打分，提出网站建设的意见建议。建立数据分享机制，允许用户将数据分享到社交网络之中，扩大数据的利用范围。

5.2.1　从信息资源保障到产业知识创新

图书馆、信息中心的学科服务原指具有图书情报知识和特定学科领域专业知识的馆员，为相应学科开展学科资源建设、利用、评价、培训、咨询等各类服务。中国科学院在此基础上进行引申，提出"融入一线+嵌入过程+知识化、个性化、泛在化"的二代学科馆员服务模式。战略性新兴产业企业一般有专职信息中心，企业具备信息接收、消化、处理、应用的机制，且研发人员对所需信息和服务的认识比较清晰。

不难看出，战略性新兴产业企业与校内院系或其他知识团体在获取信息服务的目的上有根本不同，因此围绕产业创新建立起多元化信息服务，实现从信息资源保障向产业知识创新的转型，不仅能促进战略性新兴产业的发展，也有助于高校、科研院所研究成果的转化，实现其现实价值。

1. 信息服务主体

在服务主体方面，组建"产业领域专家+新兴产业学科服务图书馆馆员+企业信息负责人"的服务团队，由图书馆战略性新兴产业工作组负责人承担总体工作的协调管理工作。新兴产业学科服务图书馆馆员隶属于图书馆战略性新兴产业工作组，既有图情知识又有新兴产业专业知识，与相关院系师生联系密切，在服务过程中主要承担协调与联络职责。其主要职责仍是馆内常规事务，但必须保证产业服务的时间投入。图书馆制定相关标准对其时间投入与报酬计算方式进行规定，例如，工资以投入时间长短或完成工作量计算，保障馆员的积极性是维持馆企长期合作的重要因素。由于战略性产业所需信息针对性强，专指程度高，如对于专利、标准服务往往需要利用专深、特指的检索词汇，涉及跨语种多类型文献源，对于国内、国际产业动态前沿领域的把握更需要持续的追踪，因此需要有产业领域专家的指导。专家人选不局限于校内教师，还应考虑省级、国家级相关领域带头人、行业协会专家等，选择标准不仅考虑其理论水平更需关注其对产业实践的熟悉程度，能深谙企业发展中的需求、发展瓶颈和解决方案，开发适合市场需要的有经济价值的产品。企业信息负责人代表企业提出信息资源和服务诉求，可以参考南京邮电大学图书馆为物联网产业服务的经验，引入企业"学科助理"概念，从企业中选择若干信息用户进行培训，既了解企业信息需求又能配合馆企合作，增强企业在合作过程中的参与感和信任感。

2. 信息服务方式

在服务方式方面，采用嵌入产业过程模式，图书馆服务团队走出图书馆和高校围墙，深入高校科技园区、企业孵化器、高新产业园区，开展企业信息服务需求调研。在具体实现方法上，前期通过在战略性新兴产业的科研立项、行业协会交流会、成果发布会等现场开展图书馆信息服务宣传，扩大图书馆服务影响力，增进图书馆、信息中心与企业之间的了解。在进行协作服务的过程中，图书馆服务团队嵌入企业科研、生产、销售全过程，发掘企业的显隐性信息需求，发挥高校科研优势，重点关注研发环节，面向企业用户提供在工作环境中就能便捷地利用的24h/7d网络信息服务，运用先进科技手段满足用户即时信息需求。信息服务内容、服务频率、传递方式的制定依企业实际需求而定。

高新技术企业是以高新技术为基础，依赖知识的积累与创新，以实现持续的技术进步和新产品的研发。在高新技术企业中，通过网络的方式，可以让高新企业与信息服务机构跨越社会分工的壁垒，借助互联网的巨大威力，在某些领域、某些时段达成无缝衔接与信息交流。在高新企业组织内外部建立完善的专业人际关系网络，不仅可以让内部成员之间拥有的显性和隐性知识信息得到共享，轻松实现跨部门之间的共享，而且可以在内部与外部机构之间实现跨机构和领域的显性和隐性知识信息的共享，从而大大提升企业知识资本存量，激发整个组织的创新意识，促进企业内部员工、部门以及企业与外部各方的沟通交流，促进知识共享，并最终促进创新。目前，企业社交网络已经可以实现一些传统企业资源计划（enterprise resource planning，ERP）系统无法实现的流程协作。企业社交平台能够通过社交小组的形式定义战略委员会、专家委员会等虚拟组织，实现各类型专业人员的聚合。

3. 信息服务内容

在服务内容方面可以从以下主要服务入手。

（1）企业资源建设。新兴产业学科服务图书馆馆员在院系师生和产业专家的帮助下，逐渐熟悉基础经济、工商信息资源馆藏、产业领域资源并且帮助企业用户识别相关资源。在了解企业信息中心信息资源建设及企业需求的情况下，考虑高校图书馆资源的互补性，与企业实现资源共享或制订企业资源补充计划。资源共享一方面指高校图书馆向企业提供馆藏，另一方面企业的特色资源也可捐献给图书馆，促进新兴产业专业学科建设。

（2）课题服务。新兴产业学科服务图书馆馆员在接受来自企业的信息咨询后，根据需求定制服务产品，服务产品经学科馆员初次加工后送由产业专家审核和深加工，而后才将服务产品传递给企业。其间既可以由企业员工个人提出服务申请由图书馆直接反馈即"个人-图书馆"模式，又可通过企业信息负责人对服务需求统一登记处理后批量传递给图书馆即"部门-图书馆"模式。"个人-图书馆"模式适用于占科研人员数量较少的中高级职称人员，可以加快高层级信息传递速率，避免信息传递过程中失真。"部门–图书馆"模式适合于普通级别研发人员，信息需求集中登记和反馈能减少重复提问与重复执行过程的成本耗费。总之，不同信息传递方式最终都是为了提高沟通效率，节约企业成本。

（3）用户培训服务。新兴产业学科服务图书馆馆员根据企业员工信息利用行为特点，重点开展搜索引擎与专业数据库检索策略制定方面的培训。可以采取嵌入式课程教学方法，由资深馆员亲自到企业开设专题培训课程，教授检索技巧。提供真正面向企业需求的情报服务。通过面向企业的现实信息需求，及时发布与企业信息需求相关的学科信息、已有的专利技术和高校最新的科研成果信息，通过门户式的信息服务体系，实现区域图书馆联盟信息资源、信息服务项目、院校科研成果和企业用户需求的联结。通过构建学科矩阵式网络信息服务平台，共享各个学校的学科信息资源和科技成果信息，以及不同专业学科馆员的情报服务，有针对地为企业用户承担起信息咨询和知识推送的任务，实现用户建模、信息定制和信息推送等功能。以社会化的知识服务为引擎，驱动大学图书馆的学科服务模式创新，提升大学图书馆的学科服务能力和水平，促进高校与企业的产学研结合，促进知识的转化和创新。

综上所述，就是在信息资源保障和服务中应调整研究视角，改变以往仅仅局限于图书馆系统内部的信息服务和资源共享的惯性思维模式，根据国家创新体系对文献信息资源的需求，统筹规划，精心布局，有效地整合全社会的信息资源，充分利用这些资源，探索产学研共同发展、互利共赢的网络信息服务新模式，加快战略性新兴产业集群的知识转化和扩散进程，提升企业自主创新能力和产业发展水平。

5.2.2　需求导向的产业信息资源集成系统

而要完成上述信息资源保障与服务模式的转型，首先需要考虑逐步建立信息资源市场机制，逐步完善产学研相结合的市场化培育模式，将公共信息资源的建设拓展到商业信息资源的建设，促成政府、企业界、科研机构与大学的联合研究开发与生产；相应地，将计划配置信息资源扩展到以市场为主配置信息资源；将传统的文献服务扩展到知识信息、情报信息服务、增值服务（现代服务业），以服务于我国战略性新兴产业发展的需要。

面向战略性新兴产业的产业信息资源平台建设，其目标正是集成三大系统图书馆资源、企业自有资源和各类相关网络资源，通过多种服务技术和方式，提高企业信息获取效率。产业资源平台是以高校图书馆为建设主体，提供特定产业领域资源和服务的垂直式平台，为产业内企业提供"小而全"的信息资源，并提供

"专、高、精、尖"的信息服务。平台的建设过程可与数据库商合作开发，在数据库商企业竞争情报服务系统的基础上加以改进，实现与企业 ERP 整合，实现侧重于满足研发资源需求的平台功能与制造、财务、销售、人力资源管理等 ERP 系统原有模块相互补与连通。平台具体构建要素如下。

（1）核心信息资源界定。根据战略性新兴产业规划及具体类目，企业所属三级类目相关资源应该作为核心资源，因其专业性、专指性强，应予以特别收集，相应的上位类资源可通过高校图书馆建设的产业共性资源实现共建共享。

（2）工商信息资源界定。高校馆藏体系以学科资源为主，对工商信息资源的收录远不及公共图书馆和其他图书情报部门。主要改进方案是与上述部门实现资源共享，尽可能收录涵盖并购、融资、市场发展形势、保险、银行等的市场信息，包含世界各大洲或地区企业和行业新闻、公司数据的竞争信息。

（3）专业特色资源界定。企业对专业特色数据库的需求迫切，如 CALIS 三期项目共建设包括天津大学图书馆的"纳米技术信息库"在内的战略性新兴产业相关数据库八个，国研网研发的"战略性新兴产业数据库"应酌情收录。

资源收录还应确保类型的多样化与全面性。按资源形式可以分为产业动态、邮件列表、供应商名录、金融信贷信息、搜索引擎等。应尽量包含期刊、综述报告类、案例、消息动态、摘要简报、论著、会议文献等在内的多类型文献。由于各省战略性新兴产业建设规划和相关政策不同，同一地市或省级政府部门、研究机构、教育机构、企业、行业协会的资源相关性最强，是重点收录资源。国外不同国家在各产业领域所处优势地位不同，重点收录处于较高产业链位置国家的资源。此外，有必要对以开放获取资源为主的网络免费资源予以关注。各类开放获取期刊、机构库等文献资源，名家微博、微信、专家数据库等专家信息资源都是馆藏的有益补充，并且能节约建设经费，符合企业"投入-效益"观念。

战略性新兴产业代表未来科技和产业发展新方向，体现当今世界知识经济、循环经济、低碳经济发展潮流。战略性新兴产业资源的收集要以及时性和可靠性为指导原则。产业领域信息更新速度快，企业能够获取前瞻性发展预测信息，把握关键时间节点作出正确决策影响发展前景。主要信息搜索与采集途径包括以下三方面。

（1）采购权威数据库商数据库。网络出版相比传统出版途径可能存在一定时滞，因此需要及时追踪其他渠道获取补充信息。

（2）利用服务系统自动采集功能，从互联网上抓取数据并加以标引、转换，通过高校图书馆馆员编辑、整理、加工等人工质量控制后以既定的资源格式、分类体系存储。

（3）分类与标引标准。战略性新兴产业员工希望能建立分类清晰的网络平台。因此对于平台资源分类应不拘泥于高校图书馆的学科资源分类方法，而应该以资源主题、来源渠道等为依据建立资源体系。网络信息资源的标引遵循既定的元数据标准并实现企业人员参与信息收集，实现资源共建。

建立开放的产业信息资源系统和资源门户是政府向战略性新兴产业提供服务的窗口，为用户提供高质量的信息资源和数据服务。从政府角度来看，资源门户可以提高政府的透明度和开放程度，从而提高政府的影响力和公信力；并且可以实现政府信息资源深度开发与利用，产生良好的社会、经济效益。目前国内的信息资源建设处于"各自为战"阶段，尚无从国家层面建立统一的政府开放数据平台，存在着信息内容范围狭窄、主题分类粗糙、信息内容完整性不统一、缺乏规模等问题。因此，有必要借鉴国外经验建立全国性的、统一的企业信息资源开放平台。采用协作共建模式，形成中央政府各部门积极参与、地方政府积极响应、社会力量作为补充，以国家企业信息门户和地方企业信息门户纵横相连的数据门户联盟。

在内容建设上坚持"四个统一"的原则：统一管理、统一规划、统一标准、统一规范。特别是要统一元数据描述规范。建立追踪全球技术前沿和进展的信息发布系统。组织专家对信息资源进行梳理、标引等深度整理加工，实时跟踪、收集、整理、发布产业内全球核心、关键、前沿和最新优秀技术，建设权威、全面、专业实用、方便用户并操作快捷的新兴产业专题信息数据库，切实发挥信息资源在自主创新和战略性新兴产业发展中的作用。图 5-1 为需求导向的产业信息资源集成系统架构模型。

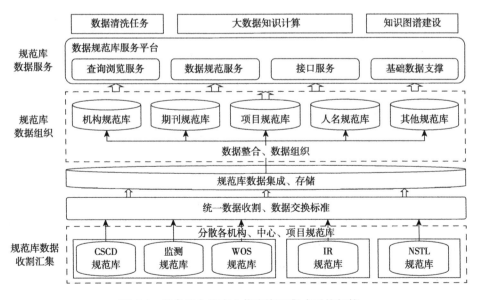

图 5-1　需求导向的产业信息资源集成系统架构

CSCD 表示 Chinese Science Citation Database，中国科学引文数据库；WOS 表示 Web of science；IR 表示 institutional repository，机构知识库

5.2.3　面向企业的多元信息资源服务平台

现代企业的生产经营活动中，需要各种类型的信息支持，所有这些信息需求及相关行为的集合就成为通常所说的企业信息需求。企业的信息需求往往比较复杂，种类繁多且各不相同。战略性新兴产业是知识密集型企业，其核心环节是科技创新，而实现科技创新的首要前提之一是对大量信息资源的占有和实现快速高效的知识信息的转移和扩散。知识的转化与集成是产业成长最为重要的创新机制。因此，信息资源建设和保障机构有责任和义务承担起对企业发展所需的技术、产品和信息资源的支持。如何充分利用这些资源，搭建起一个产学研共同发展、互利共赢的网络信息资源服务平台，加快科研成果产业化进程，进而提升企业自主创新能力和产业发展水平，是目前国内信息资源建设和保障机构亟待需要摸索和实现的任务。

本章仅以南京江宁科学园和南京高校（江宁地区）图书馆联盟为例，对如何实现产学研合作作了一定的探索，力图通过建立一个企业信息需求和科研成果展示、学科信息资源相结合的网络信息服务平台，并依托大学图书馆的学科馆员和信息服务平台，在产学研合作模式的基础上，建立一个多元信息资源建设和服务平台。依托网络信息服务平台，面向企业的现实信息需求，及时发布与企业信息需求相关的学科信息、已有的专利技术和高校最新的科研成果信息，通过高校与企业的分工与协作，加快产学研合作的进程，以及科研成果转化的进程。

以南京高校（江宁地区）图书馆联盟为例，目前江宁联合体成立了四个子项目任务中心，分别是：①联合体门户网站建设中心；②文献资源建设协调和原文传递中心；③参考咨询与培训中心；④馆际互借中心。该联盟由东南大学图书馆、河海大学图书馆、南京航空航天大学图书馆、南京医科大学图书馆牵头。东南大学图书馆作为"南京高校（江宁地区）文献资源共享项目"的主要牵头单位，面向这四个分项任务组工作，起到统筹和协调作用。目前"南京高校（江宁地区）数字图书馆"门户网站已建成，建立了统一的资源共享、管理运行、读者服务和信息发布平台，实现了联合体高校馆藏文献资源的集中揭示和联合服务。众所周知，企业获取网络信息的渠道主要包括搜索引擎、行业专题网站、公共科技服务平台、产业园区服务平台和高校产学研服务网站等。因此，上述企业资源服务平台也需要与上述互联网网站建立相互链接。资源平台要能实现移动终端信息服务，建立与信息提供方便捷及时的信息沟通渠道。

面向企业的多元信息资源服务平台架构如图 5-2 所示。

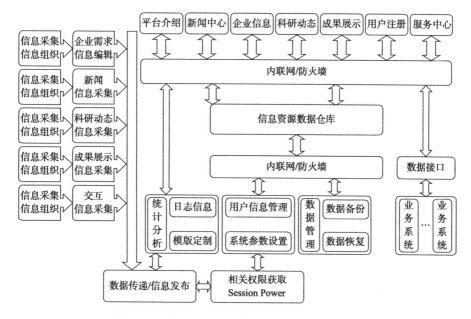

图 5-2　面向企业的多元信息资源服务平台架构

通过构建面向企业的多元信息资源服务平台架构,可以有针对性地为南京江宁科学园的企业用户承担起信息咨询和知识推送的任务,实现用户建模、信息定制和信息推送等功能。以社会化的知识服务为引擎,提升大学图书馆的知识服务能力和水平,促进江宁高校与企业的产学研结合,促进知识的转化和创新。

建设一个功能齐全且让用户满意的服务平台,是面向企业的多元信息资源服务平台建设的永恒追求,以网络服务平台为核心,实现信息资源的共建共享,实现信息资源保障机构与高新产业的对接,构成了 Web 2.0 时代信息资源建设和保障的服务新模式,不仅对战略性新兴产业的发展和创新提供了重要保障,而且促进了大学科研院所研究成果的转化和应用,同时能更好地支撑我国高校图书馆、科研院所信息中心的发展。

总之,通过国家宏观层面上信息政策法规的保障,促进信息资源的合理配置与高效利用;在新兴产业集群的中观层面,建立具有问题针对性的,以促进信息和知识资源转移、扩散的信息资源保障体系;在图书馆、情报所以及各类型信息咨询服务机构的微观层面,架构起具有市场竞争力的信息服务体系,形成有效的信息服务机制;由此形成合力,为科研创新和产业发展提供全程的信息资源保障,逐步形成具有国际先进水平的信息服务能力,提高我国战略性新兴产业的科技创新能力和国际竞争能力,这将会是信息资源建设和管理领域未来研究的一个方向。

5.3　我国自有国际论文资源机构知识库仓储建设

"国际学术论文"是指国内学者及科研人员在国际期刊、国际会议发表或被收录的学术论文。由于国际交流的需要以及国内大学国际化发展的要求，国内大学及科研机构发表的国际学术论文数量日益上升。《日本经济新闻》2021 年 8 月 11 日文章显示，日本文部科学省科学技术与学术政策研究所 10 日发布的一份报告指出，中国论文不仅在数量，而且在质量方面迅速提升，在研究人员引用次数排名前 10%的"受关注论文"数量上，中国首次超过美国。中国高影响力论文数量逐年增长。因此，国内研究机构及高水平大学发表的国际论文是一个数目相当可观的资源之所在，仅以通信科学（Telecommunication）这一个学科领域为例，通过在 WOK（Web of Knowledge）数据库中收集该学科 2006~2011 年在 SCI 来源刊上发表的该领域国际论文，可以发现 2006~2011 年的通信科学 SCI 论文依次为 496 篇、806 篇、884 篇、1293 篇、1516 篇、1882 篇，2006~2011 年通信领域国内 SCI 论文总数为 6877 篇。2012 年 SCI 收录的科技论文中，中国的论文占到 12.08%，达到 19.01 万篇。如果忽视对这些资源的存档、管理以及利用，无疑是对大量科研资源以及相关投入的巨大浪费。

2008 年在"数字图书馆高层论坛"首届年会上，众多与会专家大都认同我国多数数字资源面临着无明确保存政策、无长远经济保障、无可靠保存系统、无有效恢复与保障服务机制等问题。从国家学术数字信息资源安全的战略来看，我国与西方国家在学术数字信息资源的保存、管理和使用模式等方面差距甚远，尚不在同一个层面上。有鉴于此，中国科学技术协会于 2013 年 11 月 20 日宣布，由中国科学技术协会、教育部、国家新闻出版广电总局、中国科学院、中国工程院 6 部门联合实施中国科技期刊国际影响力提升计划，拟投入 9100 万元人民币资助 76 种英文科技期刊，计划分两步走，先提升国内英文期刊质量，后拟在 2020 年形成具有中国自主知识产权的世界顶级科技期刊群。这说明，国家已经意识到国际论文的流失对于国家发展是一个巨大的损失，同时也是对我国学术出版的巨大冲击。

与此相对应的，国内对于国外学术文献资源的需求也日益提升。从 2010 年开始国内高校以 DRAA 进行外文学术资源的集团采购（王波等，2012）。截至 2016 年底，CALIS/DRAA 一共发布了近 782 份集团采购方案，高校成员馆数量总计达到了 638 家。外文数字资源数据库在中国高校市场上占据垄断地位，根据 DRAA 的统计数据,2016 年中国各大高校一共引进了各式数字资源数据库 140

个（图 5-3），使用了政府采购资金近 13 亿元人民币。高校购买每个数字资源数据库的平均费用高达 1000 万元人民币。这仅是高校在引进数字资源数据库时一年时间需要付出的使用费，续费价格的涨幅平均年涨幅高达 10%。相比较而言，外文数字资源数据库的涨幅远远高于中国的 GDP 和 CPI 增速。西方国家在数字资源数据库产业链长期占领着制高点，中国想要在短时间内改变这种困境是极其不容易的。这一集团采购模式带来的后果是高校图书馆学术资源同质化严重，学术数字资源的保存与使用严重依赖数据库商。而在这巨额购置费用中，有相当部分费用用于支付我国学者所撰写的国际论文。

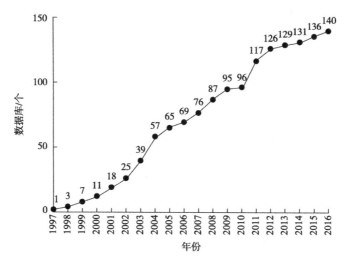

图 5-3　高校图书馆数字资源采购联盟数字资源采购统计图

　　因此，亟待重视国家学术数字信息资源安全的战略，在实际操作层面，则亟待尝试学术数字信息资源保存、管理和使用的新模式。面对现状，根据我国国情，建立自主学术数字信息资源（国际论文）的保存及管理体系是迫在眉睫之任务。因此，建设以机构知识库为基础，通过制定机构自主仓储（self-archiving）相关政策，构建大学机构仓储与管理服务平台，尽快实现对于国内优质国际学术资源，特别是国际论文的保存，不失为整合国际论文资源，为其提供合法存储和利用空间的有效途径。

5.3.1　建立我国自有国际学术论文机构保存体系

　　目前，许多国家和机构均要求研究人员将已发表论文存放在机构知识库中，提供开放获取服务。尽快建立全国学术机构的机构知识库学术资源服务平台，将有可能实现我国自主国际学术论文的共建共享、一站式检索和原文传递服务，从而在一定层面保障我国自主学术信息资源的安全和可被利用（袁曦临等，2014）。

早在 2000 年 12 月，美国国会即批准了国会图书馆的"国家数字信息基础设施和保存计划"（The National Digital Information Infrastructure and Preservation Program），从国家战略层面实现针对不断增长的数字资源的采集、存档、编目和长期保存。国外大学机构知识库的建设亦如火如荼，如加利福尼亚大学的 e-Scholarship、佛罗里达州立大学的 d-Scholarship 等。机构知识库是学术机构为捕获并保存机构的智力成果而建立的数字资源仓库，其职能不仅在于长期保存机构的研究成果，更重要的是借此体现机构的学术声望、学术水平和社会价值。

我国台湾地区在机构知识库的建设方面已经积累了一些成功的经验（陈雨杏，2011）。台湾大学基于 Dspace1.4 Betal，结合台湾学术环境、繁体中文语言特性及使用需求进行扩展开发的台湾大学机构典藏，实现了较好的本地化，建立了自己的机构知识库。2007 年起台湾大学图书馆将建置技术及经验与台湾其他学校分享，共同建立台湾学术机构典藏（Taiwan Academic Institutional Repository，TAIR）联合检索平台，以达到学校长久保存学术资源及提供便利使用之永续经营目的，也使台湾整体学术研究成果更有效地推向国际，进而与世界学术研究接轨。TAIR 采取"分散建设、集中呈现"的服务模式，收录的学术资源总量可观（王翠君，2011）。

基于机构知识库建立自主国际学术数字资源的保存体系，不仅是一个大学或研究所自身学术成果的存储问题，也是我国自主学术资产的保存、管理、保护和共享的要求；解决这一问题，将完善我国现有的数字学术资源保障体系；同时将有助于国内目前数据库集团采购模式的调整和优化，形成机构自主保存，集团成员馆际共享的新型数字学术资源建设与保障模式。

因此，借鉴 TAIR"分散建置，集中呈现"的机构知识库构建与推广模式，制定高校以收录国际论文为主的机构知识库自主学术资源典藏体系；通过进行质量评估、分级保存，以及提出鼓励学术机构和学者对自身学术产出进行自我存档的激励机制与政策等，将有可能实现国际论文资源的存档与发布，建立起相应的检索与利用平台，从而实现自主国际学术论文产出机构之间的长期合作保存、管理以及读者用户的永久访问。

目前国际上主要大学的机构知识库基本采用 DSpace 进行构建。DSpace 系统是由美国麻省理工学院图书馆（MIT Libraries）和美国惠普公司实验室（Hewlett Packard Labs）合作开发的开放源代码数字存储系统。该系统可以收集、存储、索引、保存和重新发布任何数字格式、层次结构的永久标识符研究数据。

（1）采用数据库系统平台，数据存储在独立的数据库服务器上。

（2）数据加工技术采用数字扫描和人工输入两种方式形成数字化资源，同时接入各高校的论文管理系统，实时获取论文资源。

（3）建立国际论文资源的元数据描述框架，实现数据标引、分类、导航等功能。

（4）实现自主国际学术论文产出机构之间的长期合作保存、管理以及读者用户的永久访问。

5.3.2　学术图书馆承担我国自有国际论文机构存储职责

美国大学与研究图书馆协会（Association of College and Research Libraries）研究规划与审查委员会发布的《2010 年研究型图书馆 10 大趋势》提出，学术图书馆应更专注于本机构资源和特殊馆藏，即"图书馆独有馆藏资源"（unique library collections）。这既是学术图书馆界的使命，也是国际学术资产管理的一个趋势。

首先，学术图书馆需要转变对于自身在学术交流环节中既有位置的认识，不能再满足处于"出版社/数据库商—图书馆—读者"这一学术交流循环的"中下游"，而应转向"中上游"，即成为以服务教育科研为宗旨的非商业性学术资源"有限出版者"，承担起保存、管理、传播机构学术资产，促进学术界和研究人员共享科研成果产出的职责；高校利用机构知识库自主学术资源，建立国内学术机构自主学术资源存档，应成为大学图书馆在数字化资源建设的共识。例如，美国的机构知识库 HathiTrust，就是由美国机构合作委员会（Committee of Institutional Cooperation）的 12 所大学联盟及加利福尼亚大学系统所属的 11 所大学图书馆发起，这一项目将这些学术图书馆的自主学术资源加以数字化，并聚合保存美国主要研究型学术图书馆的知识资源产出，形成一个共享的学术资源的数据仓库（苏海明，2009）。

其次，国家层面应根据国际不同出版社对于自我典藏的要求，建立我国学术机构知识库版权许可协议，并尽快制定相应的学术资源典藏政策，从而在制度层面保证我国自主学术成果产出，特别是国际论文的保存、交流和利用。仍以 HathiTrust 为例，其根据文献的书目记录，建立了版权数据库，并依照美国的版权法律，采取多种技术手段来进行版权管理，如开发了版权回顾管理系统（Copyright Review Management System）。

由此可见，无论是软硬件开发，还是机构管理，制度保障，以学术图书馆为承担主体建立自主国际学术论文存储体系都已经具备，并日趋成熟。利用高校图书馆联盟，建立自主国际论文典藏和管理机制是一个切实可行的解决途径。完全有可能通过在某个中心馆的试点，由点及面，从某一具体的学术图书馆推广到整个高校图书馆联盟，由此形成我国自主国际论文资源库在开放内容、开放范围、服务政策等一系列环节的制度建设。

借鉴 TAIR "分散建置，集中呈现"的机构知识库构建与推广模式，建立以学术图书馆为承担主体的国内学术机构知识库自主学术资源典藏体系；建立全国自主国际学术论文资源管理平台；通过建立全国高校机构知识库自主资源服务平台，将有可能真正实现对于国际论文的共建共享，一站式检索和原文传递服务，从而在一定层面保障我国自主学术信息资源的安全和可被利用。其功能包括：

（1）可以实现对国际论文的知识产权保护与知识资产的管理。

（2）可以更为便捷快速准确地为研究项目提供相关论文及线索。

（3）可以为国际论文管理及评价提供信息咨询及有偿使用服务。

（4）可以将高校国际论文整理发掘，创造良好的社会效益和经济效益。

（5）可以实现国际论文资源的深层次挖掘，实现统计分析与知识重用。

（6）提供国内高校图书馆之间的服务结算，使得学术资源服务持续化成为可能。

就国内现状而言，机构知识库的建设和管理可以采用"分散建置，集中呈现"的建设与管理模式，各学术图书馆可根据统一的技术协议与标准建设各自的自主学术资源机构知识库；而后，按照一定的学科体系与逻辑结构，建立全国自主国际学术论文资源管理平台，通过建设联合目录和全文索引，实现整合检索与原文传递；并在此基础上进一步制定出长期发展规划，加强国外学术资源集团采购与自主机构知识库资源建设的协调与合作。

5.3.3　加强国际论文知识库存储相关技术与标准研发

自主学术资源的知识产权问题涉及是否对数据库商或出版社侵权，以及如何提供服务与如何利用等方面；2010 年 10 月 27 日，中国科学院与 Springer 科技与商业媒体集团签署了开放存储合作框架协议，使中国科学院成为亚太地区首家达成这类协议的机构。根据协议，Springer 允许所有在 Springer 期刊上发表论文的中国科学院作者可以将论文的最终审定稿存放到中国科学院各研究所的机构知识库，可以在论文发表 12 个月后提供开放获取。而这只是起步，应该根据国际不同出版社对于自我典藏的要求，从全国层面建立我国学术机构知识库版权许可协议，并制定出相应的典藏政策，保存机构知识资产、促进公共资金资助研究成果的广泛传播和公共获取。

首先应建立学术信息资源的质量评估、分级保存制度和相应的技术标准，提倡和鼓励各类型学术研究机构建立自己的机构知识仓储。同时，出台宏观的信息典藏政策以及微观的机构自主仓储激励政策，鼓励学术机构和学者对自身的学术产出进行自我存档。其次，作为自主学术资源的存档和管理者，高校图书馆需要承担对于学术资源数据转换格式、元数据标准制定，以及质量评估和控制等方面的职能，规定机构知识库采用的元数据标准，制定元数据的质量控制方法，包括对元数据的编辑、审核等。通过规范的元数据促进学术资源共享，并保证数据存档、备份和迁移过程的安全性。国内外数字图书馆系统大多采用或参照都柏林核心（Dublin Core，DC）元数据标准建立核心元数据集合，早在 2002 年国家图书馆颁布的《中文元数据库》方案，在总体框架结构上就采用了开放档案信息系统（Open Archival Information System，OAIS）。OAIS 是由美国空间数据系统咨询委员会（Consultative Committee for Space Data System）制定的标准，2003 年最终作为 ISO 的标准（ISO 14721：2003）颁发，旨在为基于长期保存目的的信息系统建立一个参考模型和基本概念框架，以维护信息系统中数字信息的长期保护和可存取。为了满足数字环境下书目资源著录与检索的新需求，2010 年 6 月国际资源描述与检索（Resource Description and Access，RDA）规范正式发布，RDA 是语义网词汇的书目标准。2010 年底美国国会图书馆完成了对 RDA 的测试，2011 年 8 月作为 RDA 基本组成部分的词汇部分正式发布。RDA 可有效描述各类书目数字资源，有助于将图书馆的资源对象抽象为一个统一模型，所有不同类型的书目资源，可在同一个框架中以不同的属性、关系和取值进行描述和区别。2012 年适应数字网络环境的新型书目框架（Bibliographic Framework，BIBFRAME）发布，被定位为取代机读目录（machine-readable cataloging，MARC）的新编码模式。2016 年 BIBFRAME 2.0 正式推出，并陆续发布模型和词表，不断进行修改和更新。上述标准为制定我国自主学术论文资源存储的元数据方案的关联数据模型提供了参考依据（刘炜等，2012）。

　　与此同时，也要加强和重视自主国际学术资源的数字版权研究。自主学术资源的知识产权问题一直以来都是一个复杂纠结的问题，涉及是否对数据库商或出版社侵权，如何提供服务，以及如何利用等；对此，台湾大学图书馆馆长项洁教授于 2007 年在台湾机构典藏学术研讨会上阐述了有关机构知识库的知识产权归属，项教授的观点从某种意义上可视作对这一问题的一个权威解释：他提出机构拥有自我典藏权利（self-archiving right）、全文索引权利（full-text indexing right）和全文取得权利（full-text access right），这三种权利是隶属于自主学术论文作者所在机构的，但对于自主学术论文共享和重用的权利则需要进一步探讨。

　　基于这一认识，近些年开放存储活动发展迅猛，已经迫使许多出版社在著作权转移协议中允许作者在机构知识库中开放存储，但这些著作权转移协议主要只是针对作者本人的。大多数出版社的著作权转移协议或允许开放存储的框架协议也只允许作者的学术成果在其个人所在机构的开放存储中开放存储。英国联合信息系统委员会（Joint Information Systems Committee）资助的 RoMEO[①]项目研究和关注的就是自存储的版权问题，该项目提供了一些出版社对自我典藏版权转让协议的信息。在这方面，中国科学院已经作了相关尝试。2010 年 10 月 27 日，中国科学院与 Springer

---

① Rights Metadata for Open Archiving，开放存取权限元数据。

科技与商业媒体集团签署了开放存储合作框架协议，使中国科学院成为亚太地区首家达成这类协议的机构。

国内现行的数字学术资源保障体系存在资源同质化，对国外数据库商过于依赖等风险，给国家信息保障造成一定的隐患。本书提出要从更高的层面制定面向国内高校的以收录国际论文为主的机构知识库自主学术资源典藏体系；组织各研究型学术图书馆按照一定的学科体系、逻辑结构，建立面向全国教学和科研的自主国际学术论文资源的检索与利用平台，并制定出长期发展规划。完善我国现有的数字学术资源保障体系，更好地为我国战略性新兴产业的发展提供支持，并在国家学术资源长期保存安全战略方面迈出重要一步。

第6章　战略性新兴产业信息资源组织模型构建

知识社会中，对有效信息的及时利用直接影响着企业。对于战略性新兴产业来说，尤其如此。目前，国内对于面向企业创新发展的行业信息服务研究虽已逐渐重视，但对于特定行业/领域信息资源的组织往往还是以"学科拼图式"的分类体系为主，脱离企业的真实信息需求。因此，如何以企业的真实信息需求为基础，"量身定做"出与其需求配套的主题导向式知识组织方式，成为现阶段各方关注的核心点。

基于上述因素，本章根据前述战略性新兴企业对信息需求的新特征，采取典型分析的方法，进行企业信息本体模型的实证研究，选择所属交通行业的专利信息资源为研究对象，以《汉语主题词表》《EI 叙词表》《中国分类主题词表》为基础，结合实践所抽取的常用词来确定行业术语，使用经典的骨架法进行企业信息本体的构建，使用 Protégé 软件进行个案演示。最后，结合企业信息需求所要求的知识组织几大功能进行适用性分析与解读（吴琼，2014）。

6.1　企业信息资源组织功能要求

总的来说，企业信息资源的组织应当满足以下几点功能要求。

（1）针对性：企业整体的信息需求是广泛而多样的，但对于特定的部门及职员来说，所需求的信息则是具有针对性的。此时便需要一个快速的导航，能够指引到特定知识颗粒，同时提供有针对性的、有深度的高质量信息资源。

（2）集成性：企业是由各个部门人员所组成的，每个人的特定信息需求组成了企业整体的庞大而繁杂的信息需求，从企业整体来说，其所需的各具体信息应当通过一定方式集成为一体。

（3）知识性（有用性）：企业所需信息应当是具有潜在价值，即能够为企业的日常生产带来利润或提供便利的，而非一些似是而非、没有逻辑性的表面消息。通常情况下，能为企业带来价值的信息，应当是具有学术性和知识性特征的。

（4）真实可靠性：信息来源较为可靠，且具有很高的真实度。互联网发展的弊处在于产生了信息的混杂性，尤其在网络秩序尚未规范之际，劣质、虚假信息充斥着各个角落，而对企业来说，如何鉴别出真实信息、筛除虚假信息成为重中之重。

（5）时效性：对应于各生产周期，企业的信息需求具有较强的时效性。尤其是对于战略性新兴产业，及时利用真实有效的信息所产生的利润不可估量。而随着时间的变幻，原本价值量相当高的信息将会变得陈旧，甚至无用。网络科技的快速发展，使得信息周期循环的速度不断加快，企业对信息的"快速获得"需求也逐渐增加。

（6）与生产高度相关性：企业信息需求的最终目的在于为日常生产提供知识资产，以提高利润并促进效率。所以，其所需的信息是与企业的生产流程、部门职能呈现出高度相关性的。因此，实现对于信息需求的保障，就需要设计出一种能体现出企业生产流程的信息和知识组织方式。

6.1.1　本体组织工具的适用性

满足企业信息需求的知识组织方式应当能够体现出针对性、集成性、知识性、真实可靠性、时效性及与生产高度相关性等功能。

传统的知识组织工具以分类组配为主，在时效性与针对性方面有所欠缺，而本体工具在继承了传统知识组织工具分类组配思想的同时，又融合了网络工具的拓展性、智能性等特点，优势明显。比如，本体结合了分类法和叙词表的特点，首先将概念划分为类型，在以分类为主干的骨架下，揭示概念之间的关系。同时，本体还包括规则和定理，从而具备了推理的功能。经分析，本章研究发现使用本体工具能够很好地满足企业信息组织的几大功能要求。

首先，企业信息系统及其管理的信息的复杂性不断增长，产生对在企业中不同用户、不同任务和不同系统间交换信息的需求，为单个企业建立统一的知识本体，能够有效降低系统和信息的复杂性，提高管理的效用。本体作为一种直接体现语义的知识组织方式，可以借助相关描述语言，直接表达成计算机可理解的、显性化的、明确的、形式化定义。同时，由于本体所定义的概念是在特定语境下完成的，所以概念的表达、概念含义的揭示更清晰、更准确，在对信息进行组织时也更加规范。

其次，企业所属的行业市场环境是动态多变的，这就要求企业知识本体对企业信息组织具有灵活应变的能力,能够满足理解企业相关方面对共享的要求,解决语义模糊性的问题。而在基于逻辑语言表达的基础上,还具有推理功能。此外,使用本体工具不仅有利于对知识的形式化描述,而且基于本体论知识组织方法所建立的检索系统,在语义检索和智能检索方面,优点突出。

另外,本体工具能够实现对企业的虚拟集成,满足信息组织在异构环境下的互操作、可重用与共享。作为一种多维、网状的知识组织方式。本体采用了更容易为计算机理解和处理的、体现描述逻辑的概念表达方式。这种方式的使用,不仅有利于对各异构资源的集中整合,而且有利于描述和揭示资源之间的相互关系。

因此,本章选择本体作为组织企业所需信息资源的工具,通过构建企业信息本体,能够实现对企业所需要的信息进行主题式、智能化管理。

6.1.2　企业信息本体的功能要求

为便于表述,本章将拟构建的对企业所需信息资源进行组织的本体工具称为企业信息本体。

为了确保本体能发挥预期功能,提高系统运作效率,满足用户的检索需求,特定本体的构建应当针对具体企业的信息需求来进行,应当满足以下几个要求。

1. 充分揭示企业所属领域的知识主体结构

对应于企业信息需求的集成性、针对性和生产高度相关性,所设计的知识组织系统应当考虑各层次用户的需求,对于最外围的用户,其对具体行业的认知可能并不清楚,只有在了解企业所属领域知识主体结构的基础上,才能进行有针对性的学习及检索。因此,设计应当通过本体来为用户展现出一个清晰的行业知识脉络结构地图。

2. 提供规范的检索主题词

对应于企业信息需求的集成性和知识性,所构建的本体应该能够通过主题词和学科内各领域概念之间的联系,引导用户在正确的领域概念下找到能有效表达自身需求的检索主题词,进而查找到各类准确的信息资源。

3. 有效揭示资源本身的特征

对应于企业信息需求的真实可靠性,研究拟构建的本体应当能有效揭示信息资源本身的各项特征。资源自身特征的揭示是用户快速识别和利用资源的唯一途径,只有了解资源各方位的特征,才能准确、真实地识别该资源。这一点可借由元数据进行有效解决。

4. 实现基于语义的匹配查询

在构建本体时，应该反映出资源本身与其所涉及的主题之间的联系，能够实现基于语义的匹配查询，只要与用户请求相关，无论资源本身是否包含检索词都能被查询到，同时避免将包含检索词而实际上与查询不相关的资源输出。由此来提高查全率与查准率。

5. 在基本查询请求之外提供扩展检索引导

在用户进行检索时，通过基于本体内在关系所构建的推理规则来实现查询扩展，以引导用户扩大有效的检索范围，提高查全率。

6. 可持续性维护

随着人文、科技的不断进步，主题词的数量不断增加，词汇不断更替，信息资源也会有所变化，在后期对本体进行维护和更新尤为重要。借助编辑工具，本体可以实现随时根据领域发展状况对概念、关系和实例进行增删，而不需要重新构建本体，在操作上也极为便利。

6.2　企业信息本体的模块化设计

6.2.1　企业信息本体的模块化分解

本章拟构建的企业信息本体是根据企业信息需求来确定的，企业所需的信息资源往往来自各个领域，且每个领域都可以细分为子领域，如技术信息下层又包含专利信息、标准信息、科研项目信息等。为了便于信息的后续维护和有效重用，以达到对各类信息资源的一致性表达和理解，本节在构建目标本体之前，将模块化概念引入本体设计中。

模块化分解，是指对于给定一个目标本体结构，将其设置为初始本体模块 M，M 可划分为 $M_1,M_2,\cdots,M_j$ 各子模块。对于每个子模块 M_j，又可以进一步细分成粒度更小的子模块 $M_{j1},M_{j2},\cdots,M_{jn}$ 等，直到满足划分的粒度要求为止，完成模块划分过程。为便于理解，本章将初始本体模块 M，称为顶层模块；将不能进行继续分解的最小粒度模块，称为原子模块。

将知识体系划分成本体模块时，一般需要遵循三条原则。

（1）模块的划分要易于理解。构建本体一方面是让计算机能够理解所要处理的知识，但最终目的，还是要让用户能够理解。这是知识系统的共享性和重用性所决定的，同时也更有利于对系统的维护与扩展。

（2）在知识层面上，所划分的模块应最大限度地独立于其他模块。通过设立相对独立的知识模块，能有效降低模块间的耦合度，从而减少模块间通信，进一步提高系统的运行效率。所谓的最大独立性，是指使整个系统中跨模块的概念间关系集合与约束集合尽可能地缩小。这样设置能使各个模块之间易于重用和共享。

（3）尽量减少各模块与其他模块的关系数。通过减少相关的模块的个数，能够明确各模块间的依赖程度，从而减少模块体系之间的复杂度。

6.2.2　企业信息本体模块的划分过程

根据知识本体模块的划分原则，首先对企业所需信息资源进行模块划分，然后根据所划分的资源模块——映射至相对应的本体模块。

对企业所需信息资源进行模块划分的整体思想是：从领域、子领域、细分子领域、原子领域等几个层次上，采用结构模块方法对信息资源进行模块化划分，从而得到领域级、子领域级、细分子领域级和原子领域级的信息模块，然后对每个信息模块采用本体语言进行语义映射，即可得到相应的信息本体模块，各本体模块间可以通过关系桥规则（$BR_j\cdots BR_k\cdots$）进行连接，使得各知识本体模块相互不产生影响，并能保持整体的完整性。将企业所需的信息资源细化为技术信息、市场信息、政策法规信息、行业信息、管理信息五大子模块，每个子模块又可继续细分子模块，以技术信息为例，可细分为专利信息、标准信息、科研项目信息、新技术动态等，而科研项目信息更可以细分为国际项目、国家项目、省市级项目、校级项目等子模块，直到不能继续细分，形成多个原子模块为止，最终，形成的各个原子模块都可以单独构建成一个细分领域的专业本体。

在自顶向下划分的过程中，构建模块树能够保证模块设计的逻辑性。结合本章所涉及的企业信息本体构建，模块树的具体构造步骤如下。

（1）树的根节点是整个信息模块的入口模块 M，也是本章所称的顶层模块，即"企业信息需求模块"。

（2）根节点的直接后继节点是指直接与该节点连接的子节点，将其和入口知识模块的子模块——对应，则树枝的方向将由根节点指向它的直接后继节点，如"企业信息需求模块"的直接后继节点就与"行业信息模块""市场信息模块""政策法规信息模块""技术信息模块"和"管理信息模块"呈现——对应关系，并存在直接指向。

（3）以根节点的每个直接后继节点为子节点，重复第（2）步，将该直接后继节点对应的信息模块中的所有信息模块组织成一棵有方向的子树；如"技术信息模块"所对应的"专利信息模块""标准信息模块""科研项目信息模块""新技术动态模块"等。

（4）重复第（3）步，对每个新产生的叶子节点进行同样处理，如此类推，直到所有的叶子节点所对应的信息模块都没有子信息模块为止，便得到一个完整的企业信息需求模块树，如图6-1所示。

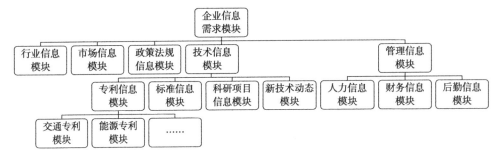

图 6-1　企业信息需求模块树

6.2.3　企业信息本体模块间的连接方法

各本体模块之间有时需要相互调用某些概念，就会存在着通信。各模块之间的通信可以通过特定模块所对应的方法库来实现，为了确保整个通信过程的有序性，使系统更易于管理，各模块所对应的方法库就需要有一个良好的组织结构，来规范方法间的知识调用。

为易于理解，可以将模块的方法库看作类似于软件包的一种形式。为了保证不出现循环调用方法的现象，规定单个方法库能引入一个或者多个方法库，但是，单个方法库能且只能被一个方法库所直接引入，并且不能出现方法库的循环引入现象。

为方法库中的方法定义使用范围属性，属性值设定为 Public（公共的）、Protected（受保护的）或 Private（私有的）。当属性值为 Public 时，各任务系统的各方法库中的方法都能够调用，当属性值是 Protected 时，只有直接或者间接引入该方法库中的方法才能调用，当属性值是 Private 时，只有该方法所在方法库中的其他方法才有权调用。

以图 6-2 为例，Q1、Q2、Q3、Q4 和 Q5 分别表示查询方法，其中 Q3、Q4 和 Q5 的属性均为 Public，表示查询对方法库中的所有方法都可见。Q1 的属性为 Protected，表示对财务信息方法库和管理信息方法库中的方法可见。而 Q2 的属性为 Private，表示只对管理信息方法库中的方法可见。对方法属性的不同设置，能够有效地对隐私信息与公众信息进行弹性设置。

例如，图 6-2 中，定义 Q1 表示财务信息方法库中经费的查询，Q2 表示管理信息方法库中个人考勤信息的查询，Q3 表示管理信息方法库中人员基本信息的查询，Q5 表示专利信息方法库中专利发明人的查询。根据各查询属性的设置，对人员基本信息的查询可以通过 Q1、Q5 和 Q2 的调用来完成。但专利信息方法库中的 Q5 却无法调用 Q1 和 Q2，这就在一定程度上实现了知识隐藏。

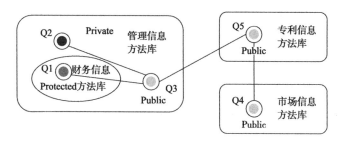

图 6-2　企业信息方法库范围示例图

6.2.4　企业信息本体原子模块的构建

原子模块即整个模块集中不能继续细分的模块，企业信息本体原子模块作为领域本体的一种，其构建有多种方法，本章对"骨架法"进行改进，增加了本体构建后的测评机制等，以使本体的构建与运行更为严谨。改进后的本体构建模型如图 6-3 所示。

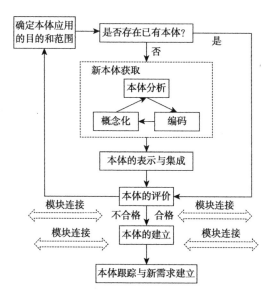

图 6-3　改进后的骨架法本体构建模型

本章以专利信息模块下的原子模块新能源专利为例，该本体应当涵盖新能源领域的所有专利技术。构建的过程如下。

（1）核对是否已经存在该领域的本体。在进行具体开发之前，有必要在已有的本体库中寻找系统可以重用的信息本体。如果已经存在该领域本体，可以直接调用。在本例中，目前尚未存在新能源领域的专利本体，故将重新构建一个新的本体。

（2）新本体的获取。对新本体的获取包括三个过程，即新本体的分析、概念化及编码。在该过程中，需要定义本体术语的意义及相互之间的关系，本章中，需要确定专利技术概念及概念之间的属性，并根据对概念的归类，进行层次化的表示，以此来确定概念之间的关联。

根据所选择的领域对象，确定对象的术语、事实、约束和规则等。以新能源专利技术模块为例，术语是指专利技术中包含的所有基本的和抽象的概念，如准单晶制造专利、多晶硅合成专利等。

通常情况下，领域本体的术语来自各类叙词表、主题词表等，如汉语主题词表、国际专利分类表等，也可是经规范化处理后的大众分类词表。本节所构建的领域本体整合了上述汉语主题词表、专利分类表以及规范化的自由词。

（3）本体的表示与集成。一般通过使用语义模型来对本体进行表示。语义模型是指用形式化的语言对本体概念化阶段所产生的领域概念进行形式化的编码，以便机器能够理解和处理这些概念化模型。本章选用网络本体语言（Web ontology language，OWL）进行本体及概念间语义关系的表示，使用普及率较高的 Protégé 软件进行本体开发。

（4）本体评价。本体评价指利用特定的参考框架对所构建的本体、开发的软件环境和本体文档等进行技术判断，主要是对结构和语法、所定义的内容等，在正确性、清晰性、一致性、完整性、有效性、共享性和可复用性等原则上，作出仔细检查与评价。对所构建的本体进行有效性评估能够保证所构建本体的质量，是本体开发过程中必不可少的环节。

（5）本体的建立，是指对第（4）步评价符合要求的本体所进行的存储和应用。本体的建立通常还涉及与文档化有关的工作，以保证本体构建的有效性，同时还有助于知识共享的实现。

（6）本体跟踪与新需求建立。在建立本体体系之后，需要进行适时的跟踪与控制。对本体的跟踪有助于了解该领域本体在具体的知识管理实践中的应用情况。例如，在对相关系统的运行情况进行检查控制的时候，能够及时发现所构建的信息中存在的特定问题，从而对企业信息本体的架构进行改进。

通过以上六个步骤构建出各原子模块本体后，通过模块连接方法，对各原子模块本体、子模块本体及顶层模块本体进行连接封装，形成一个综合领域的企业信息本体。

6.3　基于企业信息本体的应用系统架构

基于企业信息本体的知识应用系统可以分为三个层次，一是领域本体层，是有关某一具体领域信息的集合，如技术信息模块、管理信息模块、市场信息模块等；二是方法层，是通过执行推理来完成相应任务的方法集合，并且能够作为模块之间的查询接口；三是任务层，是具体系统具有的所有功能的集合，整个企业信息本体的模块化架构可以简化为图 6-4。

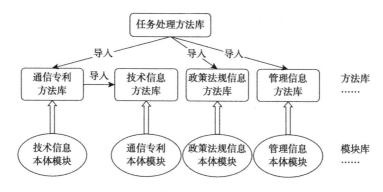

图 6-4　基于企业信息本体的知识组织系统结构

在具体处理某一任务时，任务层先将具体任务进行分解和描述，比如，查找与 5G 通信技术有关的领域权威人士信息，则可以将该任务描述为"查找通信领域专利本体模块中的 5G 技术"和"查找管理信息本体模块中的人物信息"，然后调用方法层中的方法对其执行逻辑推理，最终调用领域本体层的相关信息，实现一个完整的任务处理过程。

6.3.1　企业信息本体的知识组织系统结构

基于企业信息本体的应用系统，具有以下功能。

1. 模块化的设计使本体开发分工明确

在企业信息本体的开发过程中，需要不同学科领域的专家进行协作，如通信、交通、管理、财务等，但每个专家团队只能负责一小部分的本体构建，造成资源浪费与职责不清。在设计阶段引入模块化思想，使本体开发工作得以规范，各专家的职责也更为明晰，开发的成本得以降低，效率得以提升。

2. 模块化设计大大降低了系统的复杂程度

以企业信息本体为例，单个模块内只存在概念间的关系（如政策本体模块内就只存在政策名称、发布机构、政策作用对象等概念之间的相互关系），使得新本体更容易构建与维护；而两个模块间的通信可以通过方法库来实现，各个模块间的耦合度小，使得对外接口不变的情况下，改变模块内知识成为可能，更易于更新维护。

3. 模块化设计提升了本体的重用与共享性

本章研究认为，主题导向式的信息组织方式能够改变图情机构以学科分类为主体的传统信息组织模式，转而围绕企业的信息需求实现企业信息资源的主题导向式组织，从而有效服务于企业对创新的需求，同时也促进图情机构信息资源的流动，提高其社会利用度。

企业所需的信息资源涉及领域繁多，受研究环境、个人能力及资金等限制，本章研究无法顾及所有领域，经深思熟虑后选择一具有代表性的领域信息类型作为实例构建。

技术创新及产品研发已经成为现代企业的取胜之道，而对技术信息的快速获取是进行企业创新的必要条件。专利信息是技术信息的重要组成部分，专利信息对企业，尤其是技术企业在科研立项、技术转化的创新发展具有不可替代的作用。

通信领域是战略性新兴产业的主要发力点，下一代通信网络、物联网及三网融合已经成为各领域研究的重点。因此，本章选择构建通信领域的专利本体作为典型实例。

6.3.2　创建通信领域专利参考词表

抽取出通信领域中最重要的概念及概念间的特征，将其细化至适当的粒度，并作出定义，以便后期进行开发。通信领域专利词表创建流程如图 6-5 所示。

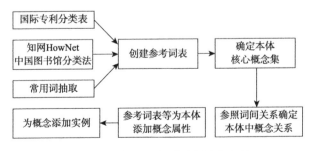

图 6-5　通信领域专利词表创建流程

　　《国际专利分类表》（IPC）是根据 1971 年签订的《国际专利分类斯特拉斯堡协定》编制的，IPC 中包含了与发明创造有关的全部知识领域，是目前唯一的国际通用专利文献分类与检索工具。IPC 第 8 版分成基本版和高级版两级结构。IPC 第 8 版基本版约 20 000 条，包括部、大类、小类、大组和在某些技术领域的少量多点组的小组。IPC 第 8 版高级版约 70 000 条，包括基本版以及对基本版进一步细分的条目。高级版供属于 PCT[①]最低文献量的工业产权局和大的工业产权局使用，用来对大量专利文献进行分类。

　　从专利分类表的内容和结构可以看出，IPC 对各个知识领域进行了详细的层次分类。根据用户的需求，可以把部、分部或者大类作为本体的专业领域和范围。但是，IPC 描述概念的关系比较单一，上下位关系清晰明了，而同位及其他关系表达不完善。因此，为了更好地解决 IPC 在本体构建过程中存在的问题，需要综合应用 HowNet。

　　HowNet 是一个以汉语和英语的词语所代表的概念以及概念的特征为基础的、以揭示概念与概念之间以及概念所具有的特性之间的关系为基本内容的常识知识库。利用 HowNet 可以查找等价类、同位类等概念，有利于解决本体构建过程中的同义词、同位关系等问题。

　　通过对通信领域各种信息资源（通信专利、产品技术手册、通信行业标准、通信领域主题词表）进行分析，抽取出通信领域的相关概念，构建出领域词表。通信领域词表的获取通过机器和手工两种方式得到，机器获取的方式采用了术语抽取方法，抽取对象主要为专利文献，利用串频最大匹配法从专利的名称和摘要文本中获取相关术语集合，该方法的术语抽取准确率较高，但是由于在抽取时未加入文献全文，同时抽取的文档对象仅限于国际专利分类号为 H04（电通信技术）大类，召回率较低。

　　为弥补这一点，需要通信领域专家人工提供所掌握的专业术语，再增加从产品技术手册和通信行业标准中人工获取的术语作为自动抽取的补充。此外，还要根据通信领域专家所了解的同义词和近义词，并参考主题词表和同义词近义词词典，对抽取结果的同义、近义词改写和替换，最终形成有效的领域词表。

　　将应用词表和通信领域词表中的术语集合并便可以得到通信领域本体的参考词汇表。在两个集合进行合并后，会产生三个集合，其中一个相交、两个不相交（图 6-6）。本章使用"包含原则"，进一步筛选集合中的通信相关词汇：参考词表中应该包括所有的相交部分的词汇；经过用户和通信领域专家进行确认后，适当选入一些交集之外的通信词汇。经过这一轮补充，一方面，词汇交集得以拓展，另一方面，与目标本体密切相关的交集之外的通信词汇也得以保留。

---

　　① Patent Cooperation Treaty，专利合作条约。

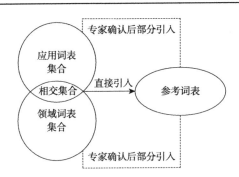

图 6-6　通信领域参考词汇表的构建

在参考词表的基础上，对通信领域的概念词汇进行解释和说明，从而得到参考专用术语表。实际上，对参考词表中的词汇进行语义描述并建立起关联后，参考词表就已经转换为参考专用术语表了。对通信领域术语的定义和语义描述全部来自权威的专业信息源，并经过通信领域专家和核心用户的筛选及认可后才最终确定，如表 6-1 样例所示。

表 6-1　通信领域参考专用术语表示例

术语	语义描述
传输线	以横电磁模的方式传送电能和（或）电信号的导波结构。传输线的特点是其横向尺寸远小于工作波长。主要结构有平行双导线、平行多导线、同轴线、带状线，以及工作于准 TEM 模的微带线等，它们都可借助简单的双导线模型进行电路分析。各种传输 TE 模、TM 模，或其混合模的波导都可认为是广义的传输线
波导	用来定向引导电磁波的结构。常见的波导结构主要有平行双导线、同轴线、平行平板波导、矩形波导、圆波导、微带线、平板介质光波导和光纤。从引导电磁波的角度看，它们都可分为内部区域和外部区域，电磁波被限制在内部区域传播（要求在波导横截面内满足横向谐振原理）
天线	天线是一种变换器，它把传输线上传播的导行波，变换成在无界媒介中传播的电磁波，或者进行相反的变换，是在无线电设备中用来发射或接收电磁波的部件
发电机	发电机是将其他形式的能源转换成电能的机械设备，它由水轮机、汽轮机、柴油机或其他动力机械驱动，将水流、气流、燃料燃烧或原子核裂变产生的能量转化为机械能传给发电机，再由发电机转换为电能。发电机在工农业生产、国防、科技及日常生活中有广泛的用途
物联网	物联网是通过 RFID+互联网、红外感应器、全球定位系统、激光扫描器、气体感应器等信息传感设备，按约定的协议，把物品与互联网连接起来，进行信息交换和通信，以实现智能化识别、定位、跟踪、监控和管理的一种网络
终端设备	终端设备是经由通信设施向计算机输入程序和数据或接收计算机输出处理结果的设备。通常设置在能利用通信设施与远处计算机连接工作的方便场所，由通信接口控制装置与专用或选定的输入输出装置组合而成
微波通信	微波通信，是使用波长在 1 毫米至 1 米之间的电磁波——微波进行的通信。微波通信不需要固体介质，当两点间直线距离内无障碍时就可以使用微波传送
无线高保真（Wi-Fi）	无线保真是一种能够将个人电脑、手持设备等终端以无线方式互相连接的技术。Wi-Fi 是一个无线网络通信技术的品牌，由 Wi-Fi 联盟所持有。目的是改善基于 IEEE 802.11 标准的无线网络产品之间的互通性

6.3.3 通信领域专利本体类的定义与编码

本章从梳理通信领域专利专用词表中的词条及其关系开始，逐步建立起各词条间的概念等级，并确定各概念的属性与公理，进而创建出通信领域专利本体的基本框架，将通信领域概念和关系从语言维度提升到概念的维度，进而使用编码工具对目标本体进行编码实现。

本节使用父子关系来对通信领域专利概念进行结构组织，结合本体应用目的，可以确定该本体分类体系包含三个主要概念集合，包括设备零件、通信产品、重点技术等，除此之外，也可通过一些辅助概念来对本体的雏形进行扩展，从而丰富和完善已有的本体，如专利基本信息、专利发明人、专利申请时间等。为便于操作，本节将这些辅助概念统一用属性关系进行表示。

本节使用核心扩展法来构建本体的概念模型。核心扩展法的起点是中间层，即首先确定领域核心概念，以此扩展出其他同层、上层及下层的概念。核心扩展法是目前公认的最有效的本体构建方法。目标本体的拟定核心概念集如下所示。

（1）设备零件类。设备零件指用于工控环境的有线通信设备和无线通信设备。有线通信设备主要介绍解决工业现场的串口通信、专业总线型的通信、工业以太网的通信以及各种通信协议之间的转换设备，主要包括路由器、交换机、调制解调器等设备。无线通信设备主要包括无线网桥、无线网卡、无线避雷器等设备。

（2）通信产品类。通信产品指应用通信技术来制造，能够实现有线或无线通信的产品，包括 GPS 系统、布线产品、电话机配附件、固定电话、手机、通信电缆、天线及传输交换设备等。

（3）重点技术类。本例中所提及的重点技术，是指与通信有关的专利技术，包括交换技术、无线技术、计算机通信网、通信电子线路、数字电子技术、光纤通信等。

每个类还可以继续往下细分，直到不能继续细分为止。

（4）辅助概念类：包括责任者、责任机构、资源来源等辅助概念类。

（5）概念集的表示。

表 6-2 列举了部门核心概念术语的 OWL 形式化定义的表示。

表 6-2 部门核心概念术语的 OWL 表示

OWL 描述	注释
<owl: Class rdf: ID="设备零件"/>	定义"设备零件"类
< owl: Class rdf: ID="通信产品"/>	定义"通信产品"类
< owl: Class rdf: ID="重点技术"/>	定义"重点技术"类

续表

OWL 描述	注释
<owl：Class rdf：ID="无线网桥"> rdfs：subClassOf rdf：resource="#设备零件"/> </owl：Class>	定义"无线网桥"类，并指出它是"设备零件"类的子类 其余子类定义与此相同
<owl：Class rdf：ID="无线技术"> rdfs：subClassOf rdf：resource="#重点技术"/> </owl：Class>	定义"无线技术"类，并指出它是"重点技术"类的子类 其余子类定义与此相同

1. 面向对象域的属性关系

关系描述领域概念间的相互作用，基本的二元关系有四种：part-of（部分与整体关系）、kind-of（概念间的继承关系）、instance-of（实例与概念间的关系）、attribute-of（某个概念是另一个概念的属性）。在实际建模中，概念之间的关系不限于这四种，可以根据领域的具体情况定义相应的关系，如 connect-to（概念间的关联）关系。

本节所构建应用本体的面向对象域的属性关系主要是反映各核心概念之间的关系，部分属性关系列举如表 6-3 所示。

表 6-3　部分概念之间的属性关系

属性关系名称	定义域	值域
is part of	设备零件	设备零件
has	设备零件	设备零件
has key word	设备零件	重点技术
is part of	通信产品	通信产品

2. 面向数据域的属性关系

面向数据域的属性关系主要是用来描述资源类型类的各种资源的属性关系，它反映资源本身的一些特征，用于帮助用户识别资源。这类关系的确定主要是借鉴了元数据的方式，选取其中能够反映资源特征的符合门户需要的元数据标准作为属性关系。

为方便属性的识别和操作，根据资源类型共创建了九种属性关系，每种关系下分别包含特定的资源特征子属性，其定义域均为各自归属的资源类型类，值域默认为字符串。同时，由于"简介"和"摘要"性质的属性一般字数较多，所以定义为注释性的面向数据域属性。如表 6-4 所示。

表 6-4　面向数据域的属性关系举例

类	面向数据域的属性
设备零件	尺寸，材质，价格，生产厂家等
通信产品	产品序列号，生产者，价格，重量，材质，生产日期，产地等
重点技术	专利号，专利类型，摘要，专利申请人，地址，发明人，申请号，申请日期等
辅助概念	责任者，责任机构，资源来源

本节在命名上，采用为每种子属性加上其父属性作为前缀的办法，如"通信产品_产地"表示"通信产品"的属性"产地"。

3. 属性关系的表示

根据上述定义的属性关系，用 OWL 描述如表 6-5 所示。

表 6-5　属性关系的 OWL 表示

OWL 描述	注释
<owl：ObjectProperty rdf：ID="has key word"> < rdfs：range rdf：resource="#设备零件"/> <owl：inverseOf> <owl：ObjectProperty rdf：ID="is part of"/> </owl：inverseOf> < rdfs：domain rdf：resource="#重点技术"/> </owl：ObjectProperty>	定义"has key word"为面向对象域的属性，其定义域为"设备零件"类，值域为"重点技术"类； 定义"is part of"为"has key word"的逆关系； 其余面向对象域的属性定义与此类似
<owl：DatatypeProperty rdf：ID="通信产品_产地"> <rdfs：subPropertyOf> < owl：DatatypeProperty rdf：ID="通信产品属性"> </rdfs：subPropertyOf> < rdfs：domain rdf：resource="#通信产品"/> </owl：DatatypeProperty>	定义"通信产品属性""通信产品_产地"为面向数据域的属性，并且定义后者为前者的子属性，其定义域为"通信产品"类，且其默认值域为字符串； 其余面向数据域的属性定义与此类似

6.3.4　通信领域专利本体的实例添加

实例是领域本体中最基本、最具体的对象，与类紧密相关，如果单个个体从属于某个类，就自动成为这个类的一个实例。类有外延和内涵两个侧面。外延指类所涵盖个体的边界范围，可以认为是该类中所有实例所构成的集合；内涵则是该类中的实例所共同具有的所有特质。当且仅当个体具有特定类内涵所规定的所有性质时，该个体才是特定类的实例。

1. 设备零件类的实例添加

在设备零件类所划分的类目下，还包含二、三、四级类目，可将它们依次设置为子类，也可以将它们全部作为设备零件类的实例添加进本体，并通过 has 和 is part of 关系来指明二、三、四级类目之间的包含与隶属关系。

例如，设备零件类目下包含二级类目馈线设备、发送设备、接收设备、终端设备等，而馈线设备下又包含三级类目传输线等。本例中将三、四级及之后的子类全部作为设备零件类的实例添加，互相之间则建立 has 和 is part of 属性关系，来反映它们之间的从属关系。以下列举部分实例进行说明，具体如表 6-6 所示。

表 6-6　部分实例 1

类名	子类	实例
设备零件	馈线设备	传输线、电缆、滤波器、同轴电缆、线路板、射频电缆、功分器、腔体合路器、带阻多工器、陶瓷基座……
	发送设备	光发送机、激光对讲机、激光器、节点装置、无线发射装置、发射机……
	接收设备	衰减器、半导体光接收器、调幅光接收机、光放大器、车载数字电视信号接收系统……
	终端设备	显示面板、电光显示器、LED 显示屏、液晶显示器、等离子显示装置等

2. 通信产品类的实例添加

与上类似，添加通信产品类的实例，如表 6-7 所示。

表 6-7　部分实例 2

类名	子类	实例
通信产品	GPS 系统	GPS 系统、传输交换设备……
	固定电话	IP 电话机、插卡电话机、触摸屏电话机、网络电话机、无绳电话机……
	手机	三星手机、苹果手机、华为手机、联想手机、诺基亚手机、HTC 手机……
	天线	电话线、电脑接口线、网络线……

3. 重点技术类的实例添加

重点技术类实例的添加，既要指明其面向对象域的属性值，还要添加其面向数据域的属性值。现以"分布式蜂窝移动通信网络结构"的专利实例添加为例，进行说明，如表 6-8 所示。

表 6-8　专利实例

属性名称	属性值
申请号	200510037619.0
名称	分布式蜂窝移动通信网络结构
公开号	CN1642339

续表

属性名称	属性值
公开日	2005.07.20
申请日	2005.01.06
主分类号	H04Q7/36
分类号	H04Q7/36；H04Q7/24
申请人	东南大学
地址	210096 江苏省南京市四牌楼 2 号
发明人	尤肖虎；赵新胜
摘要	分布式蜂窝移动通信网络结构是一种基于分布式无线电技术的，用于移动通信系统的无线接入网的网络结构，该结构采用多个射频天线组成的分布式天线系统构成的广义小区替代传统小区的集中式天线系统；分布式蜂窝移动通信网络自顶向下分为三个层面，即最上层为移动无线接入网覆盖层面，中间层为基站收发器（BTS①）无线覆盖层面，最下层为无线接入单元（RAU②）无线覆盖层面；基站控制器（BSC③）与若干基站收发器连接，负责广义小区间的资源调配；基站收发器的无线覆盖范围由其管辖的若干无线接入单元即射频天线构成，它主要负责所在广义小区内部的无线资源管理，包括物理层快速切换，快速闭环功率控制，动态分配信道，链路自适应。

这样设置之后，能够通过面向对象域的属性关系来建立资源和领域概念、主题词之间的关系，以便进行语义匹配检索。同时，能够通过面向数据域的属性反映资源特征，以帮助用户在检索资源以后能够快速定位、识别和利用该资源。

辅助概念的实例添加与上面类似，包括具体的人名、机构名、资源来源地等。

6.4　通信领域专利本体的功能实现

6.4.1　通信领域专利本体的概念映射

通信领域专利本体涵盖四大类，分别是重点技术、设备零件、通信产品和辅助概念，每个类下又设小类，如通信产品类下的天线、手机、固定电话等。在对本体进行软件开发的前一步，需要对本体内所含的类、子类等概念进行语义映射，即明确各类之间的对应方式，并加以关联。本节所构建的通信领域专利本体，以重点技术类为核心对其他类进行逻辑关联与扩散。

据此，通信领域专利本体所设计的映射关系可以通过图 6-7 来表示。

---

① base transceiver station。

② radio access unit。

③ base station controller。

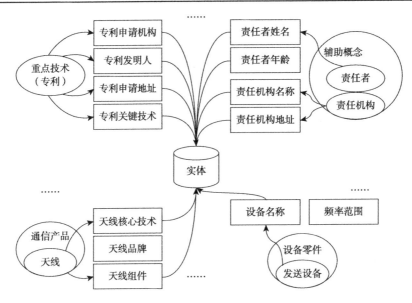

图 6-7 通信领域专利本体概念映射关系示意图

通信领域专利本体中的重点技术类，就是指专利信息，其属性包括专利名、专利申请机构、专利发明人、专利类别、专利分类号、专利申请地址等。同样地，其他概念类也还有各自的属性。例如，设备零件的子类发送设备类，就含有发送设备名称、频率范围等属性。

其中，专利发明人与辅助概念类下责任者子类的责任者姓名属性是相互对应的，专利申请机构也与辅助概念类下的责任机构子类中的责任机构名称属性相对应等。以专利发明人与责任者为例，其映射的过程可以表示为："重点技术→专利发明人→实体（人）←责任者姓名←责任者←辅助概念"。以此类推，便形成了该本体中的映射关系。

通过提前对各概念进行映射，能够增强本体概念间的逻辑性，加快本体开发的速度，优化效率。

6.4.2 采用 Protégé 开发通信领域专利本体

Protégé 软件功能全面，可圆满地完成各种任务，满足用户学术需求，尤其对中国用户来说，可以输入中文字幕，支持中文操作，使用简单方便。Protégé 提供了开放的本体源代码，具有良好的稳定性。

本节的企业信息本体是以 Protégé4.2 为工具来完成的，在之前章节已经说明了相关的概念、关系等，该本体实例构建的具体过程如下。

1. 建立并保存项目

安装好 Protégé4.2，打开软件后，点击"Create New Project"，出现对话框之后，选择"OWL Files"选项，点击"Finish"按钮，本节选择 OWL 为本体构建语言，便于阅读，同时能表达出机器能够理解的含义。

2. 创建并命名类

开始构建本体类时，选择 Classes 来编辑。点击 Classes 标签会发现，在软件本体的类编辑器中，系统自身会提供一个顶级类 Thing，作为其他所有类的父类。在 Asserted Hierarchy（添加阶层）的栏目中，点击顶级类 OWL：Thing 斜上方的 Create subclass（ 按钮）或右击 OWL，Thing 选择 Create subclass，会出现新创建的类，输入拟定的名称即可。在主页面右半部分为 CLASS EDITOR 栏目（类编辑器），用来对特定类进行各关系的操作。

按照该种方法，可以为下位类继续建立下位类，全部设立完成后，本体的树状结构就形成了。本案例在顶级类"Thing"之下构建了领域概念、信息内容、信息形式、信息来源四个下位类，又在每个下位类中构建出若干不同的下位类。

设置完类和下位类之后的层次结构如图 6-8 所示。

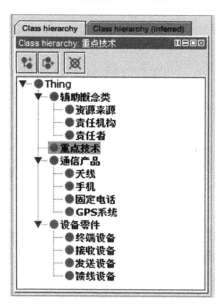

图 6-8　专利技术本体的层级结构图

3. 创建属性并与类相关联

在 Properties 插件中编辑属性，属性是一种二元关系，由"域-属性-值"

构成，domain 为定义域，range 为值域。本体的常见属性有三种，即对象属性、数据类型属性和注释属性，其中，对象属性表示两个类实例间的关系，数据类型属性表示实例与本体语言之间的关系，注释属性可以为类、实例和属性添加信息。

在对象属性选项框的左侧点击鼠标，创建对象属性，将属性名称改为"has-key-word"，说明此对象属性是用来表示信息内容中有哪些关键词。设置该属性的定义域和值域，这样就将几个类关联起来了，如图 6-9 所示。

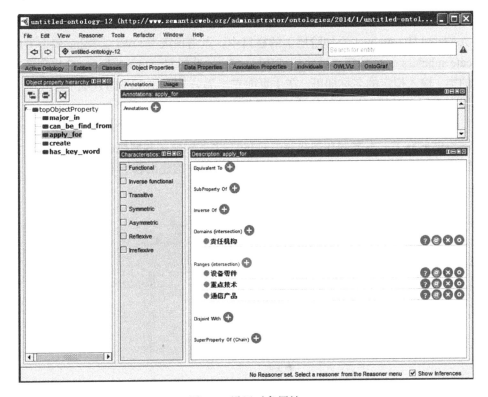

图 6-9　设置对象属性

依照同样的方法，设置"major in"等属性。创建出对象属性后，类之间就有了关联。按照同样的思路与方法，创造数据类型属性和注释属性，在创建数据类型属性时，值域不需要设定，为默认字符串。

4. 创建实例并与属性相关联

该步骤与创建类、类的属性关联设置类似，选择 Individuals 来编辑，在各类目下分别添加实例，如图 6-10 所示。

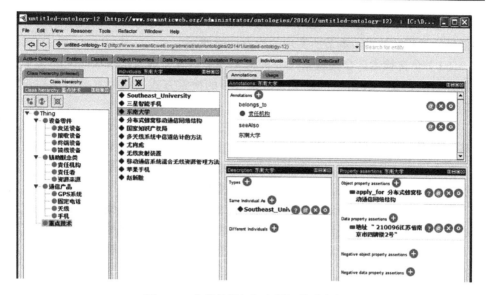

图 6-10　实例的添加与实例间关系定义

6.4.3　通信领域专利本体的检索功能

检索的过程从用户在客户端输入要检索的信息开始，输入的信息通过查询接口到达查询模块进行查询处理，在该模块中转换查询信息；然后系统根据被转换的信息进行检索匹配，得到一个初步的检索结果，如果检索的结果不合格，则重新进行语义处理，返回检索模块；若合格，则将检索到的相关文献按照与查询主题相关程度由高到低的顺序发送回用户。整个检索的模型如图 6-11 所示。

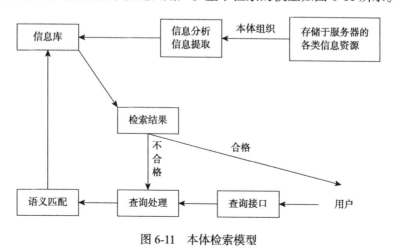

图 6-11　本体检索模型

信息检索是指信息按一定的方式组织起来，并根据信息用户的需要找出有关的信息的过程和技术。本节所实现的检索功能如下。

（1）全文检索。全文检索是一种将文件中所有文本与检索项匹配的文字资料检索方法，是一种用于提供全文检索服务的检索方式，如检索某一专利的所有信息。

（2）主题检索。主题检索是用叙词、关键词等表达信息需求而进行的检索。从某一主题出发，对信息进行查找，其检索的结果是找出含有某一主题的相关文献。在本例中，关键词可以是参考词表中的概念术语，也可以是其他术语，但使用参考词表中的概念术语，检准率和检全率更高。

本节的检索模型，原则上是基于成熟完善的领域本体，检索原理是按照规定的语义规则对各类信息资源进行语义标注，同时把用户查询时使用的自然语言转化为语义描述语言的检索需求，两者达到一致即相互匹配就得到相关的知识，最后返回给用户。

在 Protégé 工具中，用户也可以直接使用语义描述进行推理检索，本节以 Sparql 语言为例加以说明。

1. 关联查询

直接关联指两个实例通过某种关系可以直接联系起来。间接关联指有些实例在通常情况下并不相干，但一些中间关系的存在，使其建立了某种联系。

先以直接关联为例，拟查询通过"发明"关联起来的专利技术与人名，Sparql 语句为：

```
PREFIX   untitled-ontology-12:
http://www.semanticweb.org/administrator/ontologies/2014/1/untitled-ontology-12.owl
WHERE{
? 重要技术  untitled-ontology-12：isCreatedBy ? 责任者.
? 重要技术  untitled-ontology-12：isCreatedBy ? 责任者 2.
FILTER(? 责任者=? 责任者 2).   }
```

运行该查询，可以发现有四组结果，分别是尤肖虎–分布式蜂窝移动通信网络结构、尤肖虎–多天线系统中信道估计的方法、尤肖虎–移动通信系统混合无线资源管理方法及赵新胜–分布式蜂窝移动通信网络结构。

2. 推理查询

推理查询指在本体库中并没有指出两者之间的关系，但是能通过与其他实体相互关联而隐性存在的知识。Protégé 软件中，可以通过编写简单规则语句引用推理机来实现推理查询功能。以 SWRL[①]语句为例，判定两个责任者为同事关系，使用的规则代码如下：

```
责任者(? p)  ∧ 责任者(? q)  ∧
责任机构(? m)  ∧ 责任机构(? n)  ∧
WorkPlaceAt(? p, ? m)  ∧  WorkPlaceAt(? q, ? n)  ∧
WorkTimeAt(? p, ? j)  ∧  WorkTimeAt(? q, ? k)  ∧
sameAs(? m, ? n)  ∧  sameAs(? j, ? k)  ∧
→ isWorkmate(? p, ? q)
```

添加该段代码后，就对同事关系进行了定义，重新运营 Protégé 软件和推理机，输入以下内容：

```
PREFIX   untitled-ontology-12:
http://www.semanticweb.org/administrator/ontologies/2014/1/untitled-ontology-12.owl
SELECT ? 责任者 ？ 同事
WHERE{? 责任者   untitled-ontology-12: isWorkmate  ?  q 同事 }
```

通过该查询，就可以看出尤肖虎与赵新胜之间是同事关系，都任职于东南大学。

6.4.4　通信领域专利本体查询可视化

现以案例查询为例，进行该本体查询结果的可视化演示。

（1）以"尤肖虎"为检索词，在 OntoGraf 检索框中检索，具体结果如图 6-12 所示。

检索出四个实例，其中，三项为尤肖虎所创造的专利技术名称"分布式蜂窝移动通信网络结构""多天线系统中信道估计的方法"和"移动通信系统混合无线资源管理方法"，分别用"create"进行连接，另一项为尤肖虎所属的机构名称"东南大学"，用"belongs to"来连接。

（2）框前有"+"的结果表示可以继续展开，点击各个带"+"的检索结果，得到图 6-13 所示结果。

---

① semantic Web rule language，语义网规则语言。

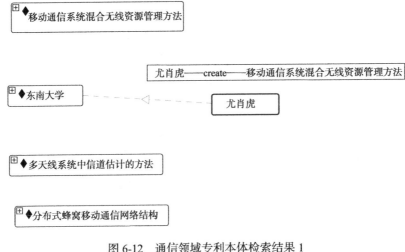

图 6-12　通信领域专利本体检索结果 1

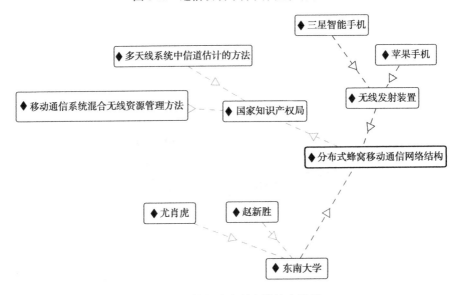

图 6-13　通信领域专利本体检索结果 2

　　图中带箭头的线条表示不同含义的连接关系，线①示"create"关系，如尤肖虎和赵新胜一起发明了"分布式蜂窝移动通信网络结构"专利；左下方的线②表示"belongs to"关系，如尤肖虎和赵新胜均隶属于东南大学；与此同时，线③"apply for"表示东南大学这个机构申请了该专利；线④表示"has"，如苹果手机、三星智能手机均含有"无线发射装置"；线⑤为"can be find from"，如图中的三项专利都可以在国家知识产权局查找到详细文件。

　　（3）将鼠标放在单个检索结果框上，停留稍许，会出现该检索结果项的相关属性，如图 6-14 所示，通过此举可以看出"分布式蜂窝移动通信网络结构"专利的申请号为 200510037619.0，专利的公开日期为 2005.07.20，分类号为 H04Q7/36；H04Q7/24，同时也说明这一实例是属于该本体的重点技术类。

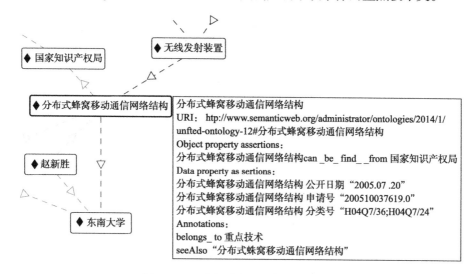

图 6-14　通信领域专利本体检索结果 3

本章以通信领域专利本体为例，对企业信息本体作出了实证探索。

通信领域专利本体的构建，可以将通信领域所涵盖的各种专利信息以本体库的形式集成为一体，满足了企业信息需求集成性的功能要求；而本体模块化的设计及多重检索方式为用户搜寻特定信息提供了便捷通道，有效满足了企业对信息的针对性需求。

本章在构建本体的过程中，参考词表来自专业的叙词表、主题词表和通信领域的大众分类词表，并借助领域专家的力量，进行规范化筛选与转化，做到对概念的规范与统一性。而本体实例大部分来自行业正规网站及图书情报机构的专业信息资源，在一定程度上保证了信息资源的真实可靠性与知识性。

在时效性方面，可以通过本体工具的进化及自动、半自动更新功能进行旧资源的删除及新资源的快速导入。本章所构建的本体，在有效揭示信息资源本身特征的同时，能实现基于语义的匹配检索，实现推理机制，通过对信息属性进行分析推理，实现推广查询及可视化操作，因而能够有效满足对企业信息资源的组织要求。

第7章 我国战略性新兴产业数据开放路径

1998 年美国商务部就发布了《浮现中的数字经济》系列报告，此后"数字经济"一词传入我国。G20 杭州峰会所发布的《二十国集团数字经济发展与合作倡议》认为，数字经济是指以使用数字化的知识和信息作为关键生产要素、以现代信息网络作为重要载体、以信息通信技术的有效使用作为效率提升和经济结构优化的重要推动力的一系列经济活动。随着大数据技术的飞速发展，大数据应用已经融入各行各业。大数据产业正快速发展成为新一代信息技术和服务业态，即对数量巨大、来源分散、格式多样的数据进行采集、存储和关联分析，并从中发现新知识、创造新价值、提升新能力。大数据本身既能形成新兴产业，也能推动其他产业发展。技术革命引发数字经济浪潮，数字经济以其高创新性、强渗透性、广覆盖性深刻影响实体经济、科技创新、现代金融和人力资源的发展与协同。

7.1 大数据资源的开放与应用

在维克托·迈尔-舍恩伯格及肯尼斯·库克耶的《大数据时代》提到了大数据的 4 个特征，即大量（Volume）、多样（Variety）、高速（Velocity）和价值（Value），即所谓的"4V"，如图 7-1 所示。

Volume：数据规模大。随着互联网、物联网、移动互联技术的发展，人和事物的所有轨迹都可以被记录下来，数据呈现出爆发性增长。

Variety：数据来源的广泛性，决定了数据形式的多样性。大数据可以分为三类，一是结构化数据，如财务系统数据、信息管理系统数据、医疗系统数据等，其特点是数据间因果关系强；二是非结构化的数据，如视频、图片、音频等，其特点是数据间没有因果关系；三是半结构化数据，如 HTML 文档、邮件、网页等，

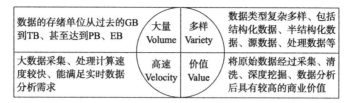

数据的存绪单位从过去的GB到TB、甚至达到PB、EB	大量Volume	多样Variety	数据类型复杂多样、包括结构化数据、半结构化数据、源数据、处理数据等
大数据采集、处理计算速度较快、能满足实时数据分析需求	高速Velocity	价值Value	将原始数据经过采集、清洗、深度挖掘、数据分析后具有较高的商业价值

图 7-1　大数据 4V 特征

GB 表示吉字节，TB 表示太字节，PB 表示拍字节，EB 表示艾字节

其特点是数据间的因果关系弱。虽然结构化数据是整个互联网数据量的主流，但产生价值的大数据，往往是非结构化数据。

Velocity：数据的增长速度和处理速度是大数据高速性的重要体现。与以往的报纸、书信等传统数据载体生产传播方式不同，在大数据时代，大数据的交换和传播主要是通过互联网和云计算等方式实现的，其生产和传播数据的速度是非常迅速的。

Value：任何有价值的信息的提取依托的就是海量的基础数据，当然目前大数据背景下有个未解决的问题，即如何通过强大的机器算法更迅速地在海量数据中完成数据的价值提纯。

据《中国智库》2021 年 1 月的报道，2019 年全球数字经济规模达到 31.8 万亿美元，同比名义增长 5.4%，占全球经济总量比重为 41.5%，较 2018 年提升 1.2 个百分点。一些发达国家的数字经济已经成为经济发展的主要部分，数字经济占其 GDP 的比重超过 60%；数字经济已经成为各国实现稳定经济增长的关键抓手。我国具有天然的大数据规模优势。巨大的人口基数以及经济规模，具有形成大规模数据的天然优势。丰富的数据资源，构成了我国推进大数据应用的资源基础。根据 2021 全球数字经济大会的数据，我国数字经济规模已经连续多年位居世界第二。《求是》杂志 2022 年第 2 期发表习近平总书记重要文章《不断做强做优做大我国数字经济》。文章强调，要"促进数字技术和实体经济深度融合，赋能传统产业转型升级，催生新产业新业态新模式，不断做强做优做大我国数字经济"，这对发展我国数字经济提出了一系列明确要求。

7.1.1　数据开放与重点行业数据应用

早在 2002 年《国家信息化领导小组关于我国电子政务建设指导意见》就提出规划和开发重要政务信息资源，并启动建设政务信息化四大基础数据库，即人口基础信息库、法人单位基础信息库、自然资源和空间地理基础信息库、宏观经济数据库。然而数据资源在开放范围、开发利用方式、开放模式和标准等方面仍不尽如人意，存在局限性和不足。首先是数据资源开放具有行业和区域的局限性，开放集中在经济发达的东部地区和信息化基础较好的行业，数据资源开放依赖地方和部门自行推动，数据资源开放地域、行业局限性强。其次是已经开放的数据资源开发利用方式单一，综合利用困难，受到数据开放局限性的影响，数据资源开发利用内容和方式比较单一，不具备综合开发利用的基础，因此仍需加快开放经济价值高、社会需求大的数据资源，不断扩大数据资源开放的范围。2015 年国务院印发《促进大数据发展行动纲要》，提出要在 2017 年底前形成跨部门数据资源共享共用格局，并在 2018 年底前建成国家政府数据统一开放平台。

随着互联网与各领域的深度融合以及数据资源战略价值的日益凸显，国际社会高度重视数据资源的开放与利用，将其视作促进互联网产业创新，支撑新兴业态发展的必备要素。大数据应用于各个行业，金融、汽车、电信、能源、体能和医疗等在内的社会各行各业都已经融入了大数据的印迹。大数据向各行各业的渗透，大大推动了社会生产的发展，未来必将产生重大而深远的影响。整体来看，大数据应用目前尚处于从热点行业领域向传统领域渗透的阶段。中国信息通信研究院的调查显示大数据应用水平较高的行业主要分布在电信、金融、生物医疗等领域。

1. 电信领域

对于电信运营商而言，大数据首先意味着利用便捷的大数据技术提升其传统的数据处理能力，聚合更多的数据提升洞察能力。中国移动通过对消费、通话、位置、浏览、使用和交往圈等数据的分析，实现主动营销和客户维系，并寻求合适的商业模式，尝试数据价值的外部变现。中国移动和中国联通也与第三方合作，开展智慧旅游、智能交通、智慧城市等项目，探索数据外部变现的新型商业模式，寻找新的业务增长点。

2. 金融领域

金融领域是信息产业之外大数据的又一重要应用领域。金融行业的主要业务应用包括企业内外部的风险管理、信用评估、借贷、保险、理财、证券分析等，可以通过获取、关联和分析更多维度、更深层次的数据，提升金融企业内部数据分析能力。美国的 LendingClub 通过获取 eBay 等公司的网店店主的销售、信用记录、顾客流量、评论、商品价格和存货等信息，以及他们在 Facebook 和 Twitter 上与客户的互动信息，借助数据挖掘技术，把这些店主分成不同的风险等级，以此来确定提供贷款金额数量与贷款利率水平。

3. 生物医疗领域

从数据种类上来看，医疗机构的数据不仅涉及服务结算数据和行政管理数据，还涉及大量复杂的门诊数据，包括门诊记录、住院记录、影像学记录、用药记录、手术记录、医保数据等，作为医疗患者的医疗档案，颗粒度极为细致。基于这些数据，可以有效辅助临床决策，有效支撑临床方案。同时，通过对疾病的流行病学分析，还可以对疾病危险进行分析和预警。大量的基因数据、临床试验数据、环境数据以及居民的行为与健康管理数据形成的"大数据"，能够为研究机构、临床医师等医疗服务行业提供最基础的研究素材。

未来大数据的应用场景无疑将会更为广泛。推进数据资源开放共享是实施大数据战略的关键，切实以数据流引领技术流、物资流、资金流、人才流，强化统筹衔接和条块结合，才能实现跨部门、跨区域、跨层级、跨系统的数据交换与共享，构建起全流程、全覆盖、全模式、全响应的信息化管理与服务体系。但就现状而言，大数据应用尚处于初步阶段，主要受制于数据获得、数据质量、体制机制、法律法规、社会伦理、技术成本等多方面因素，对于数据的开放和应用是战略性新兴产业发展过程中一个值得重点关注的问题。

7.1.2　科学数据与数据密集型科研

随着计算机技术、网络技术的飞速发展，科学研究的规模日益扩大，伴随而来的是海量的科学数据的产生。John Rumble，曾任国际数据委员会主席，多次在不同场合反复强调科学技术数据工作的重要性和它在科技发展中的定位。他认为科学数据的作用在新的时代背景下已经不仅仅局限于提供科学研究的基础，更是为科学技术的发展提供了数据环境，对科技的进步发挥巨大的推动作用。而伴随数据库技术、数据挖掘技术的发展，在经历了实验室研究、基于某种理论或假设的模型推演和仿真模拟研究之后，科学研究的范式逐渐转向第四阶段，即所谓的第四范式，也就是数据密集型科研（data-intensive scientific discovery）。这些研究数据不仅是研究的直接产物，也是印证研究过程的必要依据，从某种意义上讲，还是同行评议的基础。学术科研环境的变化，促使科研人员在学术研究和学术交流过程中越来越重视使用和共享他人的研究数据，保存和提供自己的研究数据。换言之，在大数据环境下正在兴起一种异于传统科研途径的新流程，由此带来的影响是，科学研究已不再完全依赖实验室，而逐渐开始以既有的科学数据作为研究的起点，通过内容分析和数据挖掘来探索发现"新知"。简而言之，科学数据正在成为驱动科研发展的重要动力。由于数字化科研、数据密集型科研范式等新型科研方式的兴起，科学数据在科研中发挥的作用显得越发突出，对于科学数据的共享和管理也更加受到科学界的重视。一方面，由于科学数据管理的复杂性，科学家们不得不花费大量时间为管理这些数据而开发解决方案，从而减少了其在科研和发现上的时间；另一方面，在解决这些科学应用问题中，若涉及分布式资源的协作和使用，将会使数据的管理和存储问题更加严峻。为此，建设一个统一的科学数据管理环境日益重要，甚至产生了一门新兴学科——"数据科学"。

《数据资源加工指导规范》认为科学数据资源是科技活动或通过其他方式所获取到的反映客观世界的本质、特征、变化规律等的原始数据，以及根据不同科技活动需要，进行系统加工整理的各类数据集，用于支撑科研活动的科学数据的集合。科学数据指人类在认识世界、改造世界的科技活动中所产生的原始性、基础性数据以及按照不同需求系统加工的数据产品。它既包括社会公益性事业部门大规模观测、探测、调查、实验和综合分析所获得的数据，也包括科技工作者在科学研究与实践过程中产生的原始科学数据、分析加工后的数据以及相关信息。其存储类型包括文本、数字、图像、视频、软件、算法、动态模拟、模型等。

《OECD 关于公共资助科学数据获取的原则和方针》定义科学数据是作为科学研究基本来源的事实记录（数值、文本记录、图像和声音），被科学团体所共同接受的对研究结果有用的数据。但不包括以下内容：实验室笔记、初步分析、科学论文的草稿、未来的研究计划、同行评论以及个人和同行的交流，以及实物（如实验样本、细菌和测试的动物）等。

从数据生命周期的角度来看，科学数据产生于科学研究，拥有自己的生命周期。科学数据生命周期大致可以分为六个阶段，分别为创建数据、处理数据、分析数据、长期保存数据、获取数据、重用数据，每个阶段的输出即是下个阶段的输入，六个阶段循环往复。一般可以简化为三个阶段：原始数据、中间数据和最终结果。各种探测器、高端仪器设备产生海量原始科学数据；经过科研处理为中间数据；在数字化科研背景下，最终的科研结果不仅包括传统的科学出版物，也应该包括科研过程中产生的有较高价值的科学数据，记录科学数据并出版有助于在学术交流中理解科研中数据处理的过程，这使得科学数据体现出科学资源和科学证据两方面价值。

从来源方式来看，科学数据可以分为观测型数据、实验型数据和计算型数据三种类型。它们都是数字化科研的产物，观测型数据不仅包括来自各类观测设备和测量仪器，如人造卫星、天文望远镜等记录的不可重复数据，还包括社会统计数据，如人口调查、经济统计和社会行业调查数据等，这类数据一般也是数据驱动型科研的起点。实验型数据是指在人工控制的条件下，来自医学临床试验、生物实验以及大型实验设备（如粒子加速器）等的实验结果数据，这类数据一般在科学研究的过程中产生，在科学工作流（scientific workflow）中主要体现为中间数据。计算型数据是指来自由大规模计算模拟产生的数据，这类数据是在实验数据的基础上，通过模拟计算环境获取的数据，一般可以重复获取。

从组织形式来看，科学数据的数据集类型可以分为关系型数据集、专业型数据集和文件型数据集三种。关系型数据集是由若干二维表组成的数据体，每张表的字段（表头）相对固定，一般存储于关系型数据库中，可以使用数据操纵语言（data manipulation language）进行数据的管理。专业型数据集是指具备特定学科属性，在本专业内使用专门仪器或软件处理产生的数据集。例如，地球科学数据独具的由地图数据构成的空间类型数据集，地图数据由点、线、面组成，基本单元是图层，一般通过商用的 GIS 软件，如 ArcInfo、MapInfo 等对空间类型数据集进行管理。文件型数据集是以数据文件为基本单元的科学数据集，其形式较为灵活，且没有特定的结构特征，例如对于某个天体运行轨迹一年观测记录可以形成一个表格形式的文件类型数据集，或者某一药物对于不同样本各个阶段治疗状况的照片记录也可以形成一个文件型数据集。

7.1.3　科学数据的保存与开放使用

无论是 Science，还是 Nature 杂志都鼓励作者提供"裸数据"，Science 已经搭建 SOM（Supporting Online Material）系统，这一系统支持作者呈现已发表研究成果所依据的相关数据，并确保外界可获取。Nature 专门给出了一个针对不同学科或研究领域的数据仓储（data repository）列表，其中生物科学领域中有美国国家生物技术信息中心（National Center for Biotechnology Information，NCBI）的数据库 GenBank、NCBI Assembly、NCBI Trace Archive 等；如基因芯片数据可以存储到欧洲生物信息学研究所的 ArrayExpress 数据库或 NCBI 的基因表达综合数据库 GEO；基因序列数据可以存储到欧洲分子生物学实验室（European Molecular Biology Laboratory）或日本 DNA 数据库（DNA Data Bank of Japan）。此外，还有 ENA（核酸序列数据库），Ensembl（基因组），UniProt 蛋白质序列数据库（Unified Protein Database），InterPro（蛋白质家族/域/蛋白指纹）数据库等。如果某一研究领域目前尚未建立起公认的数据仓储库，那么可以将相关的研究数据上载到通用的仓储库系统 Figshare 或 Dryad 系统。Figshare 是一个科学数据管理平台，提供研究数据的上传、存储和公开分享服务。Dryad 系统是目前全球通用的数据仓储库系统，提供免费的提交集成服务。Dryad 数据仓储能够实现将数据存储过程与学术论文出版结合，提供数据的更新保存以及免费使用、引用服务。这两个通用科学数据平台都支持学术同行评议。除了上述数据仓储库之外，美国科学公共图书馆（Public Library of Science）也为医学研究人员提供数据管理服务。

在建立数据仓储和数字保存的同时，对于科学数据的重用和挖掘日趋普遍，并有飞速发展之势。2012 年底，汤森路透正式推出数据引文索引（data citation index^{TM}，DCI）数据库。DCI 提供分析挖掘工具来搜索和发现与研究有关的研究数据。

与此同时，越来越多的学术出版政策支持集成出版有影响的科学数据资源，包括基因芯片数据、蛋白质或 DNA 序列以及其他各类型科学数据。例如，*Nature* 出版集团 2014 年春季正式推出在线出版的开放获取杂志《科学数据》（*Scientific Data*），帮助科研人员发布、发现和重用研究数据。现行的数据出版主要有三种。

（1）将研究数据作为附录和论文一起出版，作者必须在其论文发表之后，保证其所有的研究数据可以不受限制地被获取到。

（2）将研究数据作为一个独立的信息对象，存储在某个研究数据知识库中，如 Dryad。

（3）以数据论文的形式，将研究数据作为文本性文档（data paper）直接发表。如 *Nature* 出版集团的 *Scientific Data* 和 Copernicus Publications 旗下的 *Earth System Science Data*。几乎所有的 SCI 论文都会要求研究者提供原始数据、数据处理过程，甚至还要求提供所使用处理软件的序列号以证明研究结论的准确可靠。研究者的原始数据需要按期刊要求上传至相关公共数据库，上传成功后会获得 approve 和 accession number。生命科学领域测序类的论文，基本都需要将原始测序 reads 数据上传到某个公开的数据库，然后在文章末尾标明数据存储位置和登录号。相应地，对于科学数据的使用也日渐频繁。

大数据时代，开放数据已经成为一股世界性潮流。国际开放知识组织（Open Knowledge International）将开放数据定义为可以被自由使用、再利用和重新分发且最多只限于满足属性和共享要求的数据。2009 年，美国政府数据开放平台 Data.gov 正式上线，2010 年，欧盟委员会提出"欧盟开放数据战略"，麦肯锡 2013 年发布关于全球开放数据的报告——Open data：Unlocking innovation and performance with liquid information，指出每年有 3 万亿~5 万亿美元的经济价值是由教育、能源、医疗保健等关键领域的开放数据带来的；2014 年数据中心联盟（Data Center Alliance）和开放数据中心委员会（Open Data Center Committee）相继成立。国内外研究对开放数据展开了广泛探索，研究内容主要集中在开放数据的概念定义、政策、平台与项目、利益与障碍、机制与模式、利益相关者角色与责任、应用与调查、对策与建议等方面。在科学研究领域，开放数据资源正在成为推进数字学术交流和科学研究的关键角色，科研人员越来越倾向于在研究论文中使用开放数据资源。2015 年，国务院印发的《促进大数据发展行动纲要》中多次提及"开放""共享"等相关关键词，同时明确提出积极推动由国家公共财政支持的公益性科研活动获取和产生的科学数据逐步开放共享。在国家数据战略政策的支撑与推动下，开放数据的实践达到前所未有的热度，开放数据蕴含的经济价值和社会价值亦日益凸显。教育、能源、医疗保健等民生领域的开放数据将直接推进这些领域的发展，普惠民众，并创造巨大的社会价值。

但数据开放的路径才刚刚起步。2017 年万维网基金会《开放数据晴雨表（第

4 版）——全球报告》显示，中国政府数据的开放程度在全球 115 个国家中排名第 71 位。《2017 年中国地方政府数据开放平台报告》称：在 19 家地方政府数据开放平台中，"约 77% 的数据集为相对静态数据，其中又以按年更新为主（占59%）"。可下载数据集与可机读格式数据集数量排在前列的上海和深圳也只有1298 项和 1195 项，与首尔的 4817 项和纽约的 2050 项（统计时间为 2018 年 9 月24 日）相比相差甚远。

7.2　战略性新兴产业数据开放基本路径

　　与信息资源保障相关的数据资源是最为重要的信息资源，借助于网络技术、数据库技术等，实现数据开放是信息资源保障体系中重要组成部分。战略性新兴产业数据开放以创造公共价值和产业价值增值为最终目标，将实现战略性新兴产业发展的长远效益（郑磊，2015）。因此，结合战略性新兴产业发展的数据需求，借鉴欧美发达国家政府数据开放的经验教训，从管理体系建设、多方参与的合作机制、创新商业模式、完善相关政策制度、发展数据管理关键技术等方面提炼出战略性新兴产业数据开放的一般路径（王斯妤，2016）。

　　战略性新兴产业数据开放基本路径如图 7-2 所示，指导理念和基本原则对战略性新兴产业数据开放起根本限制和约束作用，在整个路径体系中处在核心地位。管理体系和合作机制、服务体系和商业模式、相关政策、评估指标和机制、数据技术、开放平台、人才队伍、数据标准和开放范围共同构成战略性新兴产业数据开放服务管理体系主要内容。按照这一路径模型，可以确保战略性新兴产业数据开放平台的适用性和合理性，进而推动数据开放，促进产业创新和发展。

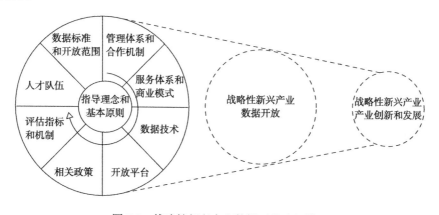

图 7-2　战略性新兴产业数据开放路径模型

7.2.1　指导理念和基本原则

数据开放，首先要明确指导理念和基本原则，它是关于战略性新兴产业数据开放的目标、意义、方式、方法、体系、机制等的基本规定，是战略性新兴产业数据开放路径选择的起点（赵艳枝和龚晓林，2016）。例如，2013 年八国（Group of Eight，G8）集团首脑在北爱尔兰峰会上签署了《开放数据宪章》，提出了开放数据五原则。原则之一是数据开放为本。免费获取和运营这些数据有重要的社会和经济价值，是数据开放的基本判断。不能公开的数据主要考虑的是一些个人隐私或者商业秘密等法律法规所限制的内容。原则之二是注重数据质量和数量。原则之三是让所有人都可以使用。原则之四是为了改善治理而发布数据。原则之五是发布数据以激励创新（洪京一，2014）。

1. 无歧视公开、易于获取的原则

为了保障各方的均等参与和信任，开放应当是最为核心的理念，即各不同利益相关主体应当将数据开放，使得任何第三方能够访问和利用数据。开放数据则不同，一般开放数据习惯采用知识共享许可协议（Creative Commons license，CC 协议），从而确保第三方在获取数据后可以自由、免费地使用、加工、复制、分发这些数据。

数据可被获取，并尽可能地扩大用户范围和利用种类，可被计算机自动抓取和处理。数据对所有人都平等开放，不需要特别登记。国外政府和国际组织均将数据的公开、开放、透明、易获取作为首要原则。开放数据的优先目标，是建立和维护公共数据的目录，促进和优先发布有价值数据，防止敏感数据的不适当泄露（洪京一，2014）。《OECD 关于公共资助科学数据获取的原则和方针》提出开放、灵活、透明、负责任、专业、互操作、安全、有效、可计量和可持续的原则（谷秀洁和李华伟，2012）。战略性新兴产业的数据开放的基本原则首要的也是公开、自由获取，没有这一条原则保证，数据开放就没有任何意义。目前的开放数据共用许可协议有 PDDL、ODC-BY、ODBL 以及各国制定的政府数据开放许可协议 UK OGL、License Ouverte、OGL Canada、NLOD、DLG-BY 2.0、DLG0 2.0。《公有领域贡献与许可协议》（Public Domain Dedication and License，PDDL）或 CC0 将已发表成果的数据置于公有领域（public domain），使之与"科学共同体"（Science Commons）"实施开放数据获取纲要"和"开放知识"（数据）的定义相一致。

2. 原值能被重塑、重用、加值的原则

开放从源头采集到的一手数据，而不是被修改或加工过的数据。只有原

始数据才能反映事物的本来发展面貌。不同人对数据加工的结果都会因为其加入了使用目的给数据注入了其他因素,而与原始数据反映的情况有所出入。数据开放的目的是希望通过众多相关数据的挖掘发现商业价值,因此,这些数据是可以被允许并能被重新加工,被重新利用,通过转变形式、融合其他相关数据,实现数据价值的增值。数据价值的体现在于数据的广泛应用,只有加快数据应用创新,才能有效提升数据的使用价值,创造出新的社会效益(张磊,2016)。

3. 及时、完整、有效的原则

在第一时间发布和更新数据。除非涉及国家安全、商业机密、个人隐私或其他特别限制,所有的政府数据都应开放,开放是原则,不开放是例外。Panton 原则规定,如果希望你的数据被有效利用及被别人补充充实,数据应该按照开放知识与数据定义所要求的那样来开放,特别是不要使用"非商业性使用"和其他限制性语言(郑磊,2015)。

4. 隐私与安全原则

数据的开放容易触及个人隐私问题。美国研究显示,即使把姓名、地址等标识数据拿掉,只要有邮政编码、性别、生日等三项数据,就有 60%~90%的可能性锁定个人。有两个因素导致数据的去脱敏非常困难,一是互联网对各行各业的渗透,个人已经越来越离不开互联网,互联网成为我们学习、工作和生活的一部分,每天都有大量的行为被互联网记录,而且这种记录具有持久性;二是智能数据挖掘技术越来越先进,虽然这些先进工具大部分都是商业化的,个人消费困难,但网上也有一些开源或免费的挖掘工具,可以极为方便地发现个人的隐私信息。

同时,不是说所有数据都需要公开,无原则地公开一切数据,在任何国家、产业和组织内都是难以想象的。正确处理数据开放和保密的关系,就是平衡国家利益和公众利益的关系。数据公开有利于维护本国产业发展的利益,增进本国人民福祉,否则,数据公开将不能进行。

7.2.2　数据标准和开放范围

1. 统一数据标准和格式

当今世界的竞争已由产品、技术的竞争升级为标准的竞争,掌握技术标准在竞争中就掌握了主动权或控制权。战略性新兴产业数据开放的成功取决于开放标准的制定。

开放数据的相关法律法规应覆盖开放数据的产生、采集、集成，维护、共享、应用等各个环节。建立开放数据的相关标准规范，其内容涵盖开放数据的诸多环节和领域，包含开放数据平台的技术标准规范，开放数据共享与分发服务的标准规范，开放数据分类分级共享模式，开放数据结构及交换接口标准规范，基于开放数据的数据集成标准规范，基于开放数据的发布策略等（温俊丽和刘兴万，2013）。

数据按照一定的标准规范发布有利于用户发现和利用数据，为了推动和提升数据质量、标准化程度和关联度，英美均公布了相应的标准规范。表 7-1 列举了一些开放数据标准。

表 7-1　各类开放数据标准示例

标准名	主题	说明	提出者
GTFS（General Transit Feed Specification）	交通	标准化的公共交通时刻表及相关数据。GTFS-realtime 版本则标准化交通实时数据	Google 与波特兰交通部门提出
Open311	投诉举报	标准化的居民投诉举报性数据及标准接口	OpenPlans 提出
LIVES（Local Inspector Value Entry Specification）	餐饮	标准化的餐厅卫生检查结果数据	Yelp 连同旧金山和纽约市技术部门
House Facts Data Standard	住房	标准化的居住性用房检查结果数据	旧金山市、Accela、Code for America 等多元群体志愿性参与
Open Contracting	合约	标准化合约数据，特别是公共招标结果合约、基金会资助项目合约的数据	Open Contracting Partnership，由基金会资助形成的非官方标准联盟
BLDS（Building & Land Development Standard）	建设项目	标准化建筑项目许可和土地开发项目许可数据	Zillow、Socrata、Accela 等多家企业、机构、政府单位合作提出

作为政府开放数据的倡导者和先行者，美国的国家级政府开放数据平台 Data.gov 为各国提供了相关的数据管理和开放的标准规范，以指导数据公开项目的发展。

Data.gov.uk 的资源可分成两类：①普通的数据，如政府的政策报告、官方的统计数据等，主要采用专门的数据管理系统 CKAN[①]的 CSV[②]和 JSON[③]两种格式记录数据变更，称为 CKAN 记录格式。②地理空间数据（geospatial metadata，或 geographic metadata），即用来表示地理实体的位置、形状、大小及其分布特征诸

---

① comprehensive knowledge archive network，综合知识档案网络。

② comma-separated values，逗号分隔值文件。

③ Java script object notation，JS 对象标记。

多方面信息的数据，表现为 INSPIRE[①]/Location datasets（位置数据集），遵循 GEMINI[②]。地理空间元数据是关于地理空间数据及其相关数据的描述性数据（汪小林等，2001）。而 CSV 则是一种通用的、相对简单的文件格式，被用户广泛应用于商业和科学研究中。CSV 格式是分隔的数据格式，有字段/列分隔的逗号字符和记录/行分隔换行符。

　　JSON 是一种轻量级的数据交换格式。它基于 ECMAScript 规范的一个子集，采用完全独立于编程语言的文本格式来存储和表示数据。JSON 简单的语法格式和清晰的层次结构明显要比 XML 容易阅读，并且在数据交换方面，由于 JOSN 所使用的字符要比 XML 少得多，可以大大节约传输数据所占用的带宽。简洁和清晰的层次结构使得 JSON 成为理想的数据交换语言。总体而言，CSV 与 JSON 在描述对象的核心主体时，具有一致性。JSON 能标注的数据比 CSV 多，在数据完整性上，JSON 明显优于 CSV，但 CSV 较 JSON 更为精简（赵蓉英等，2016）。

　　INSPIRE/Location datasets 数据来自 UK Location Metadata Editor 和 GIS。

　　无论是 CKAN 记录格式，还是 GEMINI 标准，都是 Data.gov.uk 根据自身需要，在所选择的国际标准上对元素、语法规则等具体细节进行修改。目前，可供参考的国际标准有很多，如 DC government 都柏林核心元数据（Dublin Core，DC）和政府信息定位服务系统（Government Information Locator Service）核心元数据。Data.gov.uk 采用的资源格式有：HTML、CSV、WMS、WCS、XLS、WFS、PDF、ZIP、KML、GeoJSON。

　　"开放获取目录"（open access directory）中社会科学开放数据仓储元数据字段包括名称、摘要、编号、收集时间、主题词、关键词、贡献者（主要指作者）、调查者、发布者（一般为机构）、调查方法（包括样本产生情况、收集情况等）、相关出版物、时空范围（余文婷，2015）。

　　北京市政府数据资源网所有数据集通用的元数据字段有 12 项，分别是资源名称、资源分类、资源摘要、资源所有权单位、关键字说明、资源更新周期、资源类型、资源语种、数据安全限制分级、资源记录数、数据文件大小、在线资源链接地址（余文婷，2015）。

　　《国家科技基础条件平台资源元数据核心元数据》确定科技基础条件资源信息核心元数据包括七个元数据元素——标识符、名称、最新提交日期、描述、关键词、访问限制、资源信息链接地址，以及两个元数据实体——负责单位、资源类别。北京大学开放研究数据平台元数据标准及实例如表 7-2 所示。

---

① infrastructure for spatial information in the European Community，欧共体空间信息基础设施。

② geo-spatial metadata interoperability initiative，地理空间元数据格式。

表 7-2　北京大学开放研究数据平台元数据标准及实例

元数据项	中国人文社科类一级学科数据（2006~2015 年）示例
数据集持久标识符 Dataset Persistent ID	doi：10.18170/DVN/3VU4L6
发布时间 Publication Date	2016-11-29
标题 Title	中国人文社科类一级学科数据（2006-2015 年）
作者 Author	北京大学科学评价研究组（北京大学数据管理系）
联系人 Contact	北京大学科学评价研究组（北京大学数据管理系）
提交者 Depositor	北京大学科学评价研究组
提交日期 Deposit Date	2016-11-28
描述 Description	针对人文社科类一级学科……本批数据涵盖了 17 个人文社科类一级学科：中国语言文学、外国语言文学、哲学、社会学、理论经济学、应用经济学、政治学、图书情报与档案管理、马克思主义理论、新闻传播学、法学、教育学、体育学、中国史、世界史、考古学、民族学
学科 Subject	社会科学
关键词 Keywords	人文社科、一级学科、国家社会科学基金项目、长江学者奖励计划、高校科学研究优秀成果奖
语言 Language	中文
覆盖的时间段 Coverage	开始：2006-01-01 ；结束：2015-12-31
备注 Remarks	共包含三个数据集：2006~2015 年国家社会科学基金项目、2006~2015 年教育部长江学者奖励计划、2006~2015 年高校科学研究优秀成果奖

2015 开放数据中心峰会在北京召开。大会由开放数据中心委员会主办，百度、腾讯、阿里巴巴等单位承办。会上发布了天蝎技术规范 2.5 版、天蝎 3.0 发展规划、天蝎多节点服务器技术规范、整机柜服务器发展报告、微模块和预模块数据中心技术规范、预制电力模块技术白皮书、模块数据中心发展报告、天蝎测试认证的相关方案和首批测试认证成果等八项具有国际先进水平、符合国家对数据中心总体政策导向的技术标准与技术成果，为数据中心产业确立了未来的发展方向（人民邮电报，2015）。这是战略性新兴产业数据开放可以参考的标准之一。

2. 明确数据开放范围

G8《开放数据宪章》确定政府开放数据的十四个重点领域（洪京一，2014），如表 7-3 所示。

表 7-3　《开放数据宪章》确定的十四个重点领域

序号	数据分类	数据集实例
1	公司	公司/企业登记
2	犯罪与司法	犯罪统计、安全
3	地球观测	气象/天气、农业、林业、渔业和狩猎
4	教育	学校名单、学校表现、数字技能
5	能源与环境	污染程度、能源消耗
6	财政与合同	交易费用、合约、招标、地方预算、国家预算（计划和支出）
7	地理空间	地形、邮政编码、国家地图、本地地图
8	全球发展	援助、粮食安全、采掘业、土地
9	政府问责与民主	政府联络点、选举结果、法律法规、薪金（薪级）、招待/礼品
10	健康	处方数据、效果数据
11	科学与研究	基因组数据、研究和教育活动、实验结果
12	统计	国家统计、人口普查、基础设施、财产、从业人员
13	社会流动性与福利	住房、医疗保险和失业救济
14	交通运输与基础设施	公共交通时间表、宽带接入点及普及率

Data.gov 数据集的分类如下：Local Government、AAPI、Climate、Agriculture、Education、Energy、Ocean、Ecosystems、BusinessUSA、Consumer、Finance、Disasters、Safety、Law、Aging、Research、Maritime、Manufacturing、Opportunity 等，截至 2017 年 3 月 25 日，Data.gov 已建数据集 191 835 个。

2012 年 2 月 29 日，纽约市通过了《开放数据法案》，首次将政府数据大规模开放纳入立法体系，从而确保了其在制度上的稳定性。纽约市政府"开放数据"（NYC Open Data）行动始于 2012 年 3 月。NYC Open Data 的基本结构是：①10 类别（category），具体为商业（business）、城市政府（city government）、教育（education）、环境（environment）、健康（health）、房产和开发（housing & development）、公共安全（public safety）、娱乐（recreation）、社会服务（social services）、交通运输（transportation）；②每个类别下各有多个数据集（featured datasets）；③每个数据库由 9 种数据类型（types）组成，分别是：重要事件（calendars）、图表（charts）、数据透视页（data lens pages）数据集（datasets）、外部数据集（external datasets）、档案文献（files and documents）、过滤视图（filtered views）、表单（forms）、地图（maps）、城市办公室或机构（city office or agency）。

《国家人口与健康科学数据共享平台科技资源标识规范》（征求意见稿 V3）规定的科技资源类型有：科学数据库（集）、标准规范、知识产权（包括专利权、计算机软件著作权、集成电路布图设计、专有权等）、论文、论著、科技报告、产品（含农业新品种、新药等）、技术与方法（含工艺、模式等）、新材料、新装置、生产线及中试线、示范工程、计算机软件、集成电路布图设计、科学仪器设备、研究实验基地、重大科技基础设施、生物种质资源、人类遗传资源、标本资源、实验材料、标准物质、科普资源、案例、创新团队、人才、其他科技资源。

开放获取（open access），开放知识（open knowledge）和开放创新（open innovation）的3O会聚资源具有覆盖性、开放程度、可计算性及再利用等特性。选择具有3O会聚特征的国内外网站，按照机构类型（政府、大学图书馆、特殊机构、其他）、发布数据的学科分类（自然科学、社会科学、综合科学）、资源类型（数据、解决方案、工具）、数据来源（自有资源、合作资源、第三方资源、会员资源）进行分析（高丽等，2013），见表7-4。

表7-4　3O会聚特征网站的数据特征分布（一）

统计项	机构类型				学科分类			资源类型			数据来源			
	政府	大学图书馆	特殊机构	其他	自然科学	社会科学	综合学科	数据	解决方案	工具	自有资源	合作资源	第三方资源	会员资源
合计	7	9	4	9	12	4	13	29	3	1	20	7	3	3

按照数据类型（期刊文献、书、新闻、报告、学术论文、评论、数据、开源工具、音频视频、报纸、图片、西文手稿、地图、乐谱）进行分析，见表7-5。

表7-5　3O会聚特征网站的数据特征分布（二）

统计项	数据类型													
	期刊文献	书	新闻	报告	学术论文	评论	数据	开源工具	音频视频	报纸	图片	西文手稿	地图	乐谱
合计	27	11	3	7	5	2	8	5	5	3	4	2	4	3

按照开放方式（全文开放、全文+题录开放）、导出方式（在线浏览、下载、原文传递）、使用限制（无访问限制、注册后可提交评论、注册后访问数据、注册收费后访问）进行分析，见表7-6。

表7-6　3O会聚特征网站的数据特征分布（三）

统计项	开放方式		导出方式			使用限制			
	全文开放	全文+题录开放	在线浏览	下载	原文传递	无访问限制	注册后可提交评论	注册后访问数据	注册收费后访问
合计			18	26	3	28	7	4	6

根据上述规定以及分析结果，可以将战略性新兴产业的开放数据范围规定为

表 7-7 所示的内容。

表 7-7　战略性新兴产业的开放数据范围表

序号	开放范围	具体内容
1	环境数据	国家的国情与发展方向，如政治、经济等基本国情状况；国家相关的法律法规政策，如财政、税收、环保等相关政策；国际环境数据，包括国际经济环境、国际创新发展方向等
2	技术数据	区分行业
3	市场数据	市场供给情况、消费者需求情况、企业的市场份额、消费者的满意度等
4	竞争对手数据	竞争对手的产品构成、经济实力、产品策略、竞争战略

7.2.3　建立数据开放管理体系和合作机制

战略性新兴产业的技术和产品对未来中国的国计民生、经济发展和国家安全至关重要，其投入大，研发周期很长，需要更高的人力资本、金融和物资资本。对于这些产业的扶持，应该向发达国家学习，由国家统一规划。约翰逊（Q. Johnson）在对亚洲新兴工业国家或地区（亚洲"四小龙"）的经济成就分析后强调指出，为了经济的发展，一个发展导向的集权的"硬的"政府是必要的，因为它为投资提供了稳定的环境，并且为政策的有效贯彻提供了所需机构（芮明杰，2010）。

体系（system）是指若干有关事物或某些意识互相联系而构成的整体。机制（mechanism）原指机器构造和工作原理，泛指一个工作系统的组织或部分之间相互作用的过程和方式。体系是人类活动的产物，有些是自然发展的结果，有些是人为设计的（中国社会科学院语言研究所词典编辑室，2014）。西蒙在《关于人为事物的科学》中基于广义设计理念认为，相较于天然事物形成的"目的—载体—功能"发展顺序，人工系统的区别在于，先有设计目的，继之确定功能，而后设计载体结构去实现功能从而达成目标，因而设计的一般逻辑顺序为"目的—功能—载体"（王昌林和姜江，2017）。对于数据开放的管理体系，由于其牵涉面广，意义重大，需要见效快，只有予以人工设计，才能满足这样的需求。

1. 整体规划，分层管理

2013 年，美国、英国、俄罗斯等 G8 集团首脑在北爱尔兰峰会上签署《开放数据宪章》；2015 年，智利、韩国等 17 个国家签署《国际开放数据宪章》，该宪章确立了开放数据的六大准则：默认开放、及时和全面、可获取和可使用、可比较和可互操作、改善政府治理和扩大公民参与、包容性发展和创新。《国际开放数据宪章》提出了开放数据必须保证互通性的倡议，加入《国际开放数据宪章》的国家、地区、城市，都将努力制定并实现统一、开放的数据标准，从而确保数据的格式、结构和通用标识符都具备互通性（高丰，2016）。G8《开放数据宪章》主要由正文和技术附件两部分组成，明确了 5 大原则、14 个重点开放领域和三项共同行动计划。其宗旨就是推动政府更好地向公众开放数据，并且挖掘政府拥有的公共数据的潜力和对经济增长的创新，同时也可提高政府的透明度和责任（洪京一，2014）。

《开放数据宪章》确定的三项共同行动的目的是使得数据开放实现落地。共同行动之一：G8 国家的行动计划，详细描述国家在开放数据这个框架下怎么依据《开放数据宪章》推进数据开放的具体计划。共同行动之二：发布高价值的数据。共同行动之三：元数据的映射。在这个整体框架下，G8 国家政府开放数据得以顺利进行。从美国开放数据的经验来看，建立专门的、跨部门的政府数据开放机构对美国的政府数据开放发挥了主导作用。在美国，首席数据官负责政府的数据开放，同时还承担与首席采购官、首席财务官、首席技术官、地理空间数据的高级办公室、高级机关隐私办公室、首席数据安全官、高级档案管理办公室，以及数据自由法案官、首席办公室等协调的工作。2009 年美国总统奥巴马颁布了《透明和开放政府备忘录》，2009 年欧盟发布《数字议程》，2012 年英国发布《数据开放白皮书》等，通过政策顶层设计和构建开放政府数据的整合、协调、共享、评估的机制，将会极大地推动中国政府数据开放的进程（迪莉娅，2016）。

1997 年在深圳召开的中国首次全国信息化工作会议确立了中国信息化建设的 24 字指导方针："统筹规划，国家主导，统一标准，联合建设，互联互通，资源共享"（李彬，2014）。《"十三五"国家信息化规划》提出构建全国信息资源共享体系。制定政府数据资源共享管理办法，梳理制定政府数据资源共享目录体系，构建政府数据统一共享交换平台，推动信息资源跨部门跨层级互通和协同共享，打通信息壁垒。

在此基本方针政策基础之上，结合我国战略性新兴产业数据开放服务体系建设的主要目的，我国战略性新兴产业数据开放服务体系应该遵循"整体、共享、效益、服务、开放"的基本原则（贺正楚和吴艳，2013a）。这要求对战略性新兴产业相关的数据进行整体的规划、布局、优化从而实现资源的共享。在数据开放服务体系的建设中，不仅仅是简单的数据汇总，而是相关群体相互互补、配合而形成的具有完整数据开放服务能力的数据开放服务体系。同时，战略性新兴产业数据开放服务体系的建设目标应与国家数据资源建设的总目标相一致，实现数据开放服务体系与社会的协调发展。

通过建立整体的思维方法，通过全方位的视角和综合的测量，实现不同相关群体的利益与需求平衡，才能实现数据开放服务体系的可持续发展。目前，在政府数据的管理与运行方式方面，公民获知政府数据的方式仍是政府主动公开和依申请公开，这与前期政府信息公开制度的程序要求一致。在政府数据的管理方面，为满足公众能够对各类数据进行重复使用、关联分析、自由加工的需求，各政府部门应当制定统一的数据口径、发布格式、质量标准和相关原则。而要做到这一点必须对现有政府数据管理体制进行改革，为构建政府数据开放制度构建坚实的制度基础。与政府数据公开相比，政府数据开放最直接最核心的特点是精细化和互动性。

首先，建议设立或指定开放政府数据工作的主管部门，并赋予该部门足够的职权；提高领导支持力度。在政府体系内树立起开放政府数据的观念，增强数据开放意识，提升开放数据工作能力建设，指导并支持主管部门推进开放政府数据工作。

其次，基于社会需求进行数据开放。通过网站和社交媒体上的互动交流，采集公众需求，不断改进、完善自身工作，并为基于政府开放数据开发的应用提供充分的展现平台，从而激励社会数据利用；提升数据可机读比例；规范数据更新周期。再由社会机构或企业竞标，负责相应数据 API 的开发和维护；完善数据授权协议。清晰、明确地保证用户享有的数据访问、获取、利用和分享的权利及相应义务；降低数据获取与互动门槛（郑磊，2015）。

分层管理体系是指数据开放是按照数据开放主体从上到下的不同行政级别，划分开放的范围和程度。分类是按照数据的内容类别进行有选择性的开放。分级分类的结果就是将数据集划分为不同的颗粒，这些颗粒对应着开放的层级和类别。如图 7-3 所示。

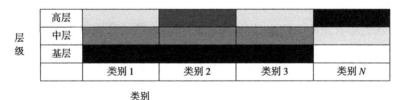

图 7-3　分层数据开放示意图
颜色深浅代表开放的程度

因此，我国就必须从国家角度出发，把割据存储在不同政府部门的数据在统一的平台上开放，出台政府数据开放目录标准、数据开放范围、通用统一的元数据标准、分类标准规范、数据脱敏标准等，才能有效地保证政府数据有效地开放和融合。通过数据挖掘、关联技术等措施，对开放的数据进行整合，过滤掉无效、重复的数据，为公众提供优质的便于再利用的政府数据资源（周文泓，2015）。

2. 建立中心，融合数据

各部门应当在相关领导机构的统一组织下，尽快打破政府各部门、企事业单位之间的数据壁垒，建立一个开放的、一站式的数据管理平台，即独立的数据融合中心（谢倩，2017）。加强开放数据的标准性和统一性，进行数据之间的整合与分享。根据统一标准、统一管理全面整合各级各部门政府数据，将不同格式的数据整合在一起，在统一数据口径下实现数据库的互联互通，成为一个政府数据库的集散地，为用户提供方便、快捷的数据获取途径。

3. 统一发布流程和机制

着力推动各级各部门政府间数据共享和协调机制、数据收集和统一发布机制等；各种数据集标准的制定与出台，改变当前数据库建设与统一开放平台搭建之间割裂的状态。首先，收集各级各部门的政府数据，在统一的数据口径下实现多个数据库的互联互通，确保数据的准确性和一致性，切实做到政府数据的对接与整合，为公众查询和分析各类政府数据提供物质基础。其次，运用政府数据管理的理论和技术应用，对平台后端接收到的政府数据进行规范高效的管理，确保政府数据从调用、收集、整合、传输、提取到最终由公众获取的全过程都具有高质量。要在网站的明显位置提供各类数据分析在线应用工具，方便公众直接对政府数据进行分析。吸收和利用先进的技术成果和丰富的人力资源，并将一些不涉及机密的建设和管理工作外包出去，从而降低成本、提高效率；同时，还要正确认识并充分发挥公众的作用，将互动的理念贯穿在统一平台建设和运营的全过程中，简化审批流程，支持公众上传数据和应用数据的行为，在平台上提供相应的渠道（沈亚平和许博雅，2014）。

英国数字策展中心（Digital Curation Center）将研究数据生命周期分成六个阶段：创建数据、处理数据、分析数据、长期保存数据、获取数据、重用数据。澳大利亚政府数据开放通过五个阶段将数据开放流程化，这五个阶段依次是：发现数据（discover）、过程处理（process）、授权许可（license）、数据发布（publish）、数据完善（refine）。这种发布模式符合数据管理的根本要求，是我国战略性新兴产业数据开放遵循的基本流程规范。

4. 主体协同管理

习近平总书记指出，建设全国一体化的国家大数据中心，推进技术融合、业务融合、数据融合，实现跨层级、跨地域、跨系统、跨部门、跨业务的协同管理和服务（习近平，2016）。各地区、各部门根据职能，梳理本地区、本部门所产生和管理的数据集，编制数据共享开放目录，依法推进数据开放。稳步实施公共信息资源共享开放。

战略性新兴产业数据发布主体多样，就光伏产业而言，国家资助的数据机构有国家能源局、国家可再生能源中心、国家发改委、国务院发展研究中心、中国科学技术信息研究所、国家科技图书文献中心等。市场化机构代表有中国光伏产业联盟、江苏省光伏协会、中国太阳能光伏网、中国光伏网、全联新能源商会、中国汽车工业协会、北京新能源汽车产业协会、中国节能与新能源汽车网、中国新能源汽车网等（李彬，2014）。这些主体的相互合作至关重要。强化政府数据资源统筹管理，进一步整合各级政府和部门数据，建立各级政府部门间、战略性新兴产业内部不同行业、不同企业的数据收集、协调和发布机制，构建互联互通的服务应用体系，进一步促进战略性新兴产业数据的开放与共享（张磊，2016）。

数据共享开放体系中的三大主体，即管理主体、运营主体与研发主体都蕴含了大量的数据。通过构建政府、企业、科研中介机构、高校及公共图书馆之间的协作机制，能够为战略性新兴产业中的企业提供良好的数据资源，促进政府产业政策的实施、高校及科研机构研发成果的转化以及图书馆档案数据的传播等，使各个主体在数据开放服务体系中发挥最大的潜能与优势。

另外一种划分方法是，与战略性新兴产业有关的数据开放主体可以分为四种类型，即产业主管部门下属的数据机构、国家产业宏观管理部门和职能管理部门下属的数据机构、公益综合性数据机构和市场化的社会性数据机构。

我国战略性新兴产业数据开放服务一方面应由国家投资或国家政策引导社会投资，建立国家层面的满足共性数据需求的国家战略性新兴产业数据开放服务体系；各区域战略性新兴产业的布局有着极大的相似性，战略性新兴产业本身所需的技术、人才等资源以及面对的市场等都具有极高的相似性。各区域在发展战略性新兴产业时，数据资源可以在各区域的相近产业之间传递，区域之间可以通过共享的方式获取该种产业所需的数据。由于各地战略性新兴产业存在很多的共性数据需求，与此同时，通过国家层面的数据开放服务体系可以方便地为各地战略性新兴产业提供高质量的数据开放服务，因而建设国家数据开放服务体系有利于大幅降低全国战略性新兴产业数据开放服务的总成本和风险（李彬，2014）。

另一方面，除了靠政府主导进行管理外，还应该引进市场化的竞争机制，鼓励从事数据产业、与战略性新兴产业相关的企业以及科研机构参与到数据的搜集、存储、加工、传递与利用中。从全国性的角度出发，由企业或社会资金投入，建立满足企业差异化数据需求的战略性新兴产业数据开放服务体系。因此，应加强企业间数据的战略联合。对于战略性新兴产业中的中小企业而言，通过加盟等方式获得国家战略性新兴产业数据开放服务体系的数据开放服务，将能够减少初期的数据投入，同时还能够确保数据及其服务的质量。在一些发达国家，产业内的企业之间通过建立战略联盟，分享各自拥有的数据、科技成果等，实现资源的共享，从而提升企业的竞争力。然而，在我国很少有类似的企业战略联盟。通过建立产业内各企业间的数据战略联盟，可以为其中的企业提供更强大、更系统的数据，同时有助于企业节省获取数据的时间成本、资金成本与人力成本。通过加强产业内企业之间的有效联系和数据互联共享，可以有效推动战略性新兴产业整体的发展（邓仲华等，2012）。

此外，公众作为数据开放的推动者、参与者和受益者，正发挥着越来越重要的作用。美国阳光基金会举办程序员公共数据开发大赛，在只公开了47组数据的基础上收到了47个新开发的应用程序（张毅菁，2014）。纽约市政府自2009年起资助"NYC BigApps"（纽约城大应用）竞赛，邀请公众运用来自32个市政部门的政府开放数据来设计网页或移动应用程序。2016年7月12日，上海开放数据创新应用大赛（Shanghai Open Data App，SODA）聚焦"城市安全"，面向全社会征集数据应用解决方案，涵盖数据安全、社会治安、交通安全、环境治理、食品安全、金融安全、商圈安全等多个领域。

7.2.4　建立数据开放服务体系和商业模式

战略性新兴产业数据开放体系被定义为：战略性新兴产业数据机构按照统一的规范和标准，协调进行数据的采集、整理、加工、存储、共享、开放、开发和利用，以促进战略性新兴产业发展、建设和知识创新、技术创新、商业模式创新为主要宗旨，以最大限度地满足战略性新兴产业用户个性化、专门化、系统化和高效率数据需求的数据开放服务系统（李彬，2014）。

数据开放服务体系是指一个国家或地区通过数据整体化建设，建立能在一定范围内有效地满足社会在科学、文化、经济等方面数据需求的数据和服务系统。从服务产业发展的角度来看，产业数据开放服务体系的主要功能可以概括为以下三个方面（杨青青，2014）。①数据服务功能：通过建立数据开放服务体系，可以有效地提供产业发展所需的数据，服务于企业数据需求。②产业指导功能：从科学决策的角度分析，政府或企业的决策质量都有赖于所获得的数据的完整性与质量，通过建设动态的数据开放服务体系和咨询服务，有助于提升我国各级政府的决策水平和质量。③数据甄别与加工功能：通过数据开放服务体系对各种渠道收集到的数据进行甄别、加工，有利于从事战略性新兴产业的企业从质量参差不齐的海量数据中获取对企业最直接、有效的数据。

从结构划分，战略性新兴产业数据开放体系由管理与运行机制、数据来源、数据服务对象以及数据服务内容与方式四个部分共同构成。战略性新兴产业数据开放服务体系作为产业性数据开放服务系统，以组织、传递、交流、提供知识数据服务为主要目的，是国家数据开放服务体系的重要组成部分，也是国家知识基础设施的有机组成模块。

战略性新兴产业数据开放服务体系包括数据服务系统、管理协调系统、政策支撑系统，具体情况如表7-8所示。

表7-8　战略性新兴产业数据开放服务体系

数据服务系统	需求数据	宏观数据：社会产业、经济政策、技术、市场、服务、国内经济形势对比等数据 中观数据：按产业分类的各项技术、投资、创新等数据 微观数据：产品、技术、成果转化、专利应用、市场、服务合作等数据
	数据来源	政府、企业、科研机构、高等院校、服务中介
	数据中心	政府数据仓库、企业数据仓库、科研数据仓库、行业数据仓库、海外数据仓库
	平台支撑	功能模块：数据服务系统、专业技术服务系统、合作服务系统、综合支持服务系统、 电子商务服务系统、部门服务系统 支撑技术：应用系统技术架构、数据库建设与关键技术的选择（面向对象的系统分析与 建模，统一的界面、个性化的显示，XML 技术的采用）
管理协调系统	管理协调	团队建设，管理协调对象，管理协调规章、制度、监督系统
政策支撑系统	决策支持	该系统为政府资金投入和政策支持服务

注：参考赛迪网的数据库类别

战略性新兴产业数据开放服务体系在建设时必须遵循开放性原则，即内与国家政策、产业发展、高校科技研究和人才培养紧密结合，外与国内外其他不同产业的数据开放服务体系保持紧密联系，通过对外的合作交流获得新的发展。

1. 选择合适的商业模式

现代数据服务模式主要由服务主体、服务客体、服务方法及服务内容四大要素组成。

产业的成功取决于企业的经营能力，不过政府的行动可以提高企业的经营能力，也可以使之受损。政治经济学研究的核心就是要在政府与市场之间找到一个适当的平衡。战略性新兴产业数据开放需要政府提供资本、法规、政策和各种扶持，需要市场主导和社会广泛参与。完善的市场机制是产业竞争力的最重要的制度条件。政府既要有所为，也要有所不为，调整所有制结构，既坚持公有制为主体，又积极鼓励和引导个体、私营等非公有制经济健康发展，为产业竞争力创造一个充满活力的微观基础。

从国际经验来看，数据开放模式存在四种。①负面清单模式：即除了涉及国家机密、个人隐私和商业秘密的公共数据外，其他数据一律向社会开放。②增量开放模式：由各部门确定本部门开放的数据内容，但要求各部门的开放内容项目按一定数量逐年增加。③借鉴模式：借鉴国外开放的、没有争议的数据进行开放。④基于清单的协商模式：由各级政府统一向社会公布本级政府部门和公共企事业单位拥有的公共数据清单，再由社会提出需求，根据需求确定开放的优先级。

数据开放服务的商业模式可分为三类。①数据资源型，即先天拥有或者以汇聚数据资源为目标的企业，以在自身行业积累了丰富数据和力图汇聚开放网络数据的企业为代表。这类企业将占据一定先发优势，利用手中的数据，或挖掘数据来提升企业竞争力，或主导数据交易平台机制的形成。②数据工具型，即专注开发数据采集、存储、分析以及可视化工具的企业。这类企业将是大数据市场的中坚力量。数据采集的实时性，存储分析的效率，可视化的逻辑性等技术难题将由它们来攻关。而突破技术难题的质量和数量便是这类企业的核心竞争力。③数据应用型，即对接其他行业，用大数据思维和技术提供解决方案服务的企业。利用专业化的一体化解决方案，广泛对接各个行业，这类企业专注于产品的便捷化和易维护性，同时要针对不同行业客户的需求提供差异化的服务（赛迪顾问，2016）。

世界银行高级开放数据顾问安德鲁·斯托特（Andrew Stott）在其撰写的《为经济增长开放数据》（*Open Data For Economic Growth*）报告中，将商业模式归纳为五类，见表7-9。

表 7-9　Andrew Stott 商业模式

序号	商业模式	含义	具体操作形式	典型示例
1	供应者 Supplier	发布开放数据供第三方使用和重利用的企业和机构	双轨模式：一个免费版本，一个收费版本	①英国铁路运营公司 ②德国统计局
2	聚合者 Aggregator	搜集并聚合开放数据，有时也包括封闭数据的企业和机构	分级收费模式	①Data Publica ②Open Corporates ③Placr/Transport API
3	开发者 Developer	设计、开发并售卖 Web 应用或移动应用的企业或个人开发者	通过吸引人的方式表现给终端用户。数据本身一般是免费模式	纽约地铁应用
4	增值者 Enricher	通过分析开放数据获取进一步洞见后再整合进相应面向终端消费者的服务或产品的企业或机构	以公开数据支撑有价值的商业服务，也是更容易在市场估值中得到认同的一类	①Climate Corp ②Zillow ③Zoopla
5	赋能者 Enabler	提供平台和技术来供第三方企业和个人使用的企业和机构	向数据供应者和消费者提供高性价比、易于访问的服务	①Socrata ②OpenDataSoft ③Musigma ④Cloudera

2. 用户驱动数据开放

结合战略性新兴产业的数据需求特点，从产业数据需求、数据服务产品生产商、战略性新兴产业、数据服务方式和数据服务产品五个因素构建面向战略性新兴产业的数据服务模式，表现在：产业初期的"用户–吸引模式"，该模式以服务策略为导向；产业成长期的"内容–合作模式"，该模式以内容共建为导向；产业成熟期的"用户–问题解决模式"，该模式以问题解决为导向（孙振和郑德俊，2014）。

从一般产业的数据服务的演化过程来看，一般要经历"面向数据源"→"面向数据交流过程"→"面向数据用户"的三个过程，这是一个由寻找信息源和占有文献转变为指引数据和集成数据，最后转变为主动提供数据并服务用户的过程。

东方灵盾公司的数据流程就属于第三种模式，即"用户-问题解决模式"：从用户需求出发进行数据采集（包括免费采集和付费采购），对数据信息进行处理（包括数据定量定性分析、数据分类、数据的基本标引和深度标引），再对数据结果实施发布传递等公开行为。

从当前看，应优先开放人民群众迫切需要、商业增值潜力大的数据集。加强对开放数据的更新维护，不断扩大数据开放范围，保证动态及时更新。战略性新兴产业数据开放服务体系建设的主要目的是支撑我国战略性新兴产业的发展，将数据转化成战略性新兴产业的竞争优势。这决定了数据开放服务体系建设是以用户需求为驱动发展的，因而产业中的数据用户是推动战略性新兴产业数据开放服务体系不断发展的动力（贺正楚和吴艳，2013b）。战略性新兴产业的数据需求种类多样化是一个重要特征，要求数据开放服务应以用户为中心，为用户提供不同类型、不同层次、不同格式的数据。

要实现数据开放资源服务效用的最大化，关键还要满足相关企业的差异化数据需求。为此，需要国家层面的战略性新兴产业数据开放服务体系与各类社会化的营利性数据开放服务组织合作，鼓励并培育其专业化的服务能力，从而为战略性新兴产业的从业企业提供个性化的数据开放服务。

3. 多主体参与

有企业家指出，目前关于大数据的交易以及"买、卖、存储管理"都有问题，也并无成功的数据交易模式，所以仍是探索期。更要看是否有政策落地的监督机制。应该发动社会力量，让更多的企业和政府沟通碰撞，让企业参与进来，由企业主导，通过对大数据应用价值的开发，提高社会效率，最后带动政府数据的开放。政府数据开放需要以应用为抓手，除了单个领域的应用，还包括很多领域的跨界应用，以需求为导向，让各部门看到数据应用的好处，才能激发各部门的积极性，更好地打破数据孤岛。

为了鼓励不同类型、大小的企业、初创公司、个人能够利用开放数据进行创新，并找到合适的商业模式来持续化自身的产品和服务，一批专注于开放数据的孵化器正在诞生。英国开放数据研究所（Open Data Institute，）便是此类孵化器的先驱之一。欧盟在 2015 年也启动了面向整个欧盟的开放数据孵化器（opendataincubator.eu，简称 ODINE）。ODINE 项目由英国南安普敦大学协同开放数据研究所在内的共七家机构组成联盟共同组织运营。从 2009 到 2015 年，在这 10 年不到的光景中，开放数据的发展从依靠透明化为单纯动力演变到了透明化和商业潜能双驱动的模式（高丰，2015）。庞大、杂乱的数据，经过信息工程师们分析、整理、清洗后，变得条理清晰、价值陡升，成为金融、证券、司法、医疗、社保、慈善等部门的核心资源。

7.3　战略性新兴产业数据开放保障条件

7.3.1　突破关键性数据技术

数据技术和数据应用相互促进，共同提升。一方面，数据规模不断膨胀，且可获取性越来越大，极大地刺激了新技术和新方法的发展，包括数据整个生命周期中涉及的所有技术等。另一方面，这些技术反过来又提高了原始数据的使用价值，激励着更广泛、更大规模的数据收集和应用。

1. 关联数据技术

数据的可应用性依赖于数据、元数据的质量和数据发布门户网站对数据的获取方式。只有具备互相关联的 RDF 格式数据、开放的 API 才能让数据在开发层面进行应用（晴青和赵荣，2016）。

2006 年蒂姆·伯纳斯·李（Tim Berners Lee）提出了一套关联数据（linked data）发布原则（严骏，2014）：①使用统一资源标识符（uniform resource identifier，URI），作为任何事物的标识名称，不仅是标识文档；②使用 HTTP URI，使任何人都可以指针解引用（dereference）这一全局唯一的名称；③当有人访问名称时，以 RDF 形式提供有用的数据；④尽可能提供链接，指向其他的 URI，以使人们发现更多的相关数据。

2. 本体和语义网技术

本体和语义网有助于实现科学数据的有效整合、语义检索和可视化显示。采用 OWL 语言定义领域模型，VSTO①数据模型同时也是可扩展、重用的本体库。可通过创建元数据应用文档和使用基于框架的元数据表现形式，实现科学数据的跨仓储访问。

3. 数据整合技术

传统的数据整合被分成三个部分，即从语法、结构以及语义角度进行整合。与数据整合不同的是科学数据整合还需要研究科学数据的表示、元数据标准、科学数据格式转换以及从混合科学数据源中提取语义数据等。科学数据集成过程中

---

① Visual Studio Tools for Office。

的关键问题是中间件的构建，一个好的中间件可以高效准确地进行科学数据集成。目前，中间件构建方法主要有两种，分别是基于 XML 和基于语义（模型）的中间件构建（白如江和冷伏海，2014）。

在科学数据整合领域，各个国家和大型科研机构都进行了积极的实践，表 7-10 介绍了几个具有代表性的系统。

表 7-10　科学数据整合代表性系统

名称	主要功能	机构	子项目
GEON（geosciences network）项目	地理数据管理	美国国家科学基金会数据技术研究计划	开放地球框架、集成数据浏览器、接口、合成地震记录生成工具、古代环境项目
TAMBIS（Transparent Access to Multiple Bioinformatics Information Sources）	异质生物数据管理	英国曼彻斯特大学	生物概念模型、知识驱动的图形用户界面、源模式、查询转换模块、查询执行模块
MOMIS（Mediator Environment for Multiple Information Sources）	数据整合框架	摩德纳大学	通用数据模型、包装器和中间件

4. 数据分析技术

数据分析模块开发将以数据库、方法库、指标库为基础功能模块进行框架设计。利用关联规则、聚类、分类、预测等数据挖掘方法对不同类别的数据进行综合分析，并生成分析报告供专家参考。目前已有多个数据分析软件可以应用，如 Thomson Data Analyzer（TDA）文本挖掘软件、NVivo 质性分析（qualitative data analysis）软件、UCINET 社会网络分析软件、Pajek 大型复杂网络分析工具等。专利分析指标包括：专利数量、技术集中度、技术生长率 v、技术成熟系数 α、技术衰老系数 β、美国授权量、PCT 申请数、专利增长率、当前影响指数、技术力量、技术独立性、技术影响力指标、发明专利率、前向引文量、科学关联度（刘宇飞等，2016）；论文分析指标包括：分区刊均论文数量、论文综合指标、文献增长率、篇均引用量。

7.3.2　选择合适的数据开放平台

1. 主流的数据平台软件比较

战略性新兴产业数据服务平台可以将各主体有机地协调和组织起来，进行相互沟通、相互配合、相互协作。数据服务平台的建设还能够为战略性新兴产业的发展提供有力的数据技术支持，整合知识、技术、市场等各方面数据，实现数据共享、资源共享。战略性新兴产业数据服务平台由四部分构成：管理层、资源层、平台层和用户层。平台构建的目的在于通过多种渠道收集战略性新兴产业的数据，由专业的科研团队对数据进行加工处理，发布政策法律、市场需求、生产资源、产品数据等。

美国、英国、澳大利亚、新加坡在内的全球几十个国家和地区陆续新建了政府数据服务网站，将以前政府专有的各类民生数据通过互联网向公众开放，成为全球开放数据运动的标志性成果。见表 7-11。但并非所有国家都选择新建一站式政府数据门户网站的方式，爱尔兰、中国香港等地就另辟蹊径，依托原有的政府官方网站，通过增强和完善网站数据服务功能来实现政府数据的开放。此举在实现数据开放目标的同时，减少了重新建设网站的大量资金投入，并且很好地延续了用户的使用习惯（张毅菁，2014）。

表 7-11　研究数据管理主流平台

软件	软件性质	开发机构
Dataverse	开源软件	哈佛大学量化社会科学研究所
Data Conservancy	开源软件	约翰斯·霍普金斯大学开发
CKAN	开源软件	开放知识基金会开发
DKAN	开源软件	DKAN 是 Granicus 的一个项目
Dryad	开源软件，基于 Dspace 开发	Dryad 期刊
PURR（Purdue University Research Repository）	基于开源软件 HUBzero 定制开发	普渡大学
ICPSR（Inter-university Consortium for Political and Social Research）	自建平台	密歇根大学
GenBank	自建平台	美国国家生物技术信息中心
Figshare	商业软件	Digital Science 公司，原型由细胞学博士开发
Nesstar	商业软件	英国国家边境署

北京大学开放研究数据平台采用 Dataverse 开源软件研制，因为它具有如下特点：①Dataverse 的元数据方案以数据文件倡议（Data Documentation Initiative，DDI）为基础，DDI 试图为社会科学数据资源的描述生成元数据规范。所提供的模型包括八个元素，它们是研究概念、数据收集、数据处理、数据存档、数据分发、数据发现、数据分析和重新调整用途。相对于都柏林 DC 标准，在对数据集描述的完整性和细化粒度上具有更大优势，并支持学科专有元数据。②Dataverse 具有强大的团队管理功能和灵活的访问控制方式。Dataverse 对数据空间、数据集、数据文件定义了 13 种细粒度的访问控制权限。③Dataverse 具有基于数字对象唯一标识符（digital object unique identifier，DOI）和版本管理的数据发布功能。④Dataverse 支持多学科数据的在线分析和可视化功能（朱玲等，2016）。

2. WordPress+CKAN

WordPress 是一款基于 PHP 语言和 MySQL 数据库的开源博客软件，用户可以在支持 PHP 和 MySQL 数据库的服务器上建立自己的博客。WordPress 插件众多，易于扩充功能，已经成为主流的 Blog 搭建平台和日益普及的内容管理系统（content management system），在搭建个人及中小型网站方面具有极大优势。

CKAN 是开放知识基金会开发的一款用于发布、查找和利用数据的免费开源门户平台工具。CKAN 已被超过 40 个数据仓储使用，国家、地方等各级政府机构和国际组织等用它来发布官方和社团数据，如英国的 data.gov.uk 和欧盟的 publicdata.eu。例如，英国的 data.gov.uk 和美国的 data.gov 均以 CKAN 系统为基础搭建。同时，美国 data.gov 利用 WordPress 内容管理软件，使其内容更丰富、美观（黄如花和王春迎，2016）。

CKAN 可以提供成熟的开源数据管理解决方法，如每个数据集都有自己的界面，并包含丰富的元数据集，使得数据成为有价值的易检索资源。具体来说，它包括以下八个特点：①具有易用网络界面和强大 API 的完整目录系统；②细粒度获取控制；③和诸如 Drupal 和 WordPress 等第三方内容管理系统紧密整合；④集成数据存储和完整数据 API，这样第三方应用和服务能在此基础上建立新的平台；⑤数据可视化及分析；⑥方便通过普通查询建立新例子的联合结构；⑦支持部门或者小组管理自身数据发布的工作流（workflow），涵盖数据发布、查找、保存、管理、交互和扩展等整个开放数据生命周期；⑧CKAN 能支持关联数据及 RDF，主要通过完整和功能化的 CKAN 数据集框架和关联数据格式的映射实现。在 CKAN 中可以使用都柏林核心元数据 DC、DCAT①等方法描述数据集。

3. Drupal+DKAN

Drupal 是使用 PHP 语言编写的开源内容管理框架（content management framework），它由内容管理系统和 PHP 开发框架（framework）共同构成，是著名的基于 PHP 语言的开源 Web 应用程序。著名案例包括：联合国、美国白宫、美国商务部、纽约时报、华纳、迪士尼、联邦快递、索尼、哈佛大学、Ubuntu 等。

DKAN 是一个基于 Drupal 的开放式数据平台，具有全套编目、发布和可视化功能，可让政府、非营利组织、企业和大学向公众轻松发布数据。DKAN 提供了一个易于使用的界面来添加数据。DKAN 还包括一个可选的工作流模块，允许内容创建者发布的数据在发布之前由编辑审核。DKAN 不仅仅是数据目录，它还具有内置的图表和图形工具和拖放式仪表板，可以让数据可视化。典型用户有：

---

① data catalog vocabulary，数据目录词汇表。

HealthData.gov、美国农业部等数据网站。万神殿和 Acquia 提供了 Drupal 托管平台，可免费尝试 DKAN。

7.3.3　洞悉数据开放的相关政策制度

在承认组织与具有创新精神的个体驱动创新的同时，需要肯定政府在启动、支持和鼓励创新方面的作用。一个国家如果想在全球化经济竞争中脱颖而出，那么需要把握的一个最重要的因素就是创新政策。创新政策关注的是增强一个国家创新生态系统的实力。新古典主义经济学家所坚持的"市场总是能自我修正"的观点，所带来的创新乃至经济福利是不足的。创新并不是生产某个零部件，它是一个极其复杂且受各种"市场失灵"影响的系统（阿特金森和伊泽尔，2014）。制度要素渗透于创新环境中，主要由市场和政策为各种创新客体要素的协同配置提供游戏规则和运行框架。需要市场"看不见的手"与政府"看得见的手"协同运作，各要素才能相互影响、相互作用，引领战略性新兴产业数据开放的发展（凌峰等，2016）。

1. 在战略性新兴产业政策框架内推进数据开放

数据开放共享政策是对活动中当事各方利益进行保护，对数据管理与共享行为进行规范，对数据开放共享秩序进行维护，从而推进数据开放共享的良好实践。完善的政策内容是保证数据开放共享活动顺利进行的重要前提（王凯，2015）。

处于不同生命周期阶段的战略性新兴产业需要不同的政策加以引导和扶持。西奥多·莱维特（Theodore Levitt）认为，产品生命周期包括开发阶段、成长阶段、成熟阶段和衰退阶段。产业生命周期的研究始于 1982 年迈克尔·戈特（Michael Gort）和史蒂芬·克莱伯（Steven Klepper）对 46 个产品生命周期的跟踪研究，从而完成了以观察个别产品作为分析单位的产品生命周期观念向以产业组织方法分析内生的产业演化转移。应根据战略性新兴产业的基础研究阶段、应用研究阶段、示范运营阶段、产业化阶段等不同发展阶段，采用不同的政策工具（汪涛等，2016）。

在政策分析时，从政策结构和政策要素入手，从政策层级（根政策、干政策和枝政策）、政策主体（个人、团体或组织；单部门、多部门）和政策工具（供给层面工具、需求层面工具和环境层面工具）三个维度入手。供给层面包括资金投入、人才培养、基础设施建设；需求层面包括政府采购、消费者政策、海外机构管理；环境层面包括金融支持、税收优惠、科技中介、知识产权保护、法规管制、科技中介、数据引导、科普教育（汪涛和谢宁宁，2013）。

在宏观政策方面，一是营造公平的竞争市场环境，二是完善基础设施和服务体系，三是建立并完善适应战略性新兴产业发展的要素市场；在微观政策方面，一是通过创新政策的组合运用提升企业创新能力，二是政府要有更加开放的胸襟和国际化视野，三是培育各类市场主体、构建基于市场的商业网络和产业"生态圈"，四是建立适合的定价机制（陈志，2012）。

从政策调控的宏观、中观和微观三个层面展开，宏观层面关注政策顶层设计对国家创新体系的引导，中观层面聚焦战略性新兴产业创新能力提升，微观层面诠释市场导向下要素结构在创新主体间动态配置的变化态势。应合理、有效地运用并引导创新要素供给体系中的各种动力机制，进行政策顶层设计和中观及微观层面的策略引导，充分发挥创新要素供给体系的效能（凌峰等，2016）。

美国、西欧各国、日本在发展本国战略新兴产业过程中，政府都采用了一系列干预措施，如政府采购、研发投入、税收减免等。按政策作用领域可以划分为产业技术政策、市场培育政策、国际合作政策、产业投融资政策、税收政策和专项政策等几个方面；从政策工具视角将战略性新兴产业政策工具分为战略规划类、具体措施类、政策支持类和组织保障类政策（魏巍，2012）。

第一，当前的产业政策应倾向于企业所最关注的市场培育类。第二，当前战略性新兴产业处于成长期，政策体系在提供政策支持时主要注重市场在产业发展中的巨大作用，发挥政府在拉动市场需求、规制市场发展环境、延伸产业发展等方面的巨大作用。同时，在人才、资金、环境要素支撑等方面提供支持，满足战略性新兴产业发展的多样需求。第三，当前战略性新兴产业政策体系覆盖面较小，对中小微企业发展支持力度不足，未来要扩大政策体系的支持面，加强对中小微企业的扶持力度。

从纵向层级上看，在我国现行的政治体制下，不同的权力主体发布的政策具备不同的效力级别。按照政策主体的权力序列划分，战略性新兴产业政策样本的基本构成是：中共中央、国务院、国家部委，以及各机构联合制定的战略性新兴产业政策，具体包括：国务院、发改委、工信部、财政部、科技部、国资委、商务部、生态环境部、海关总署、国家税务总局、国家市场监督管理总局、国家知识产权局、教育部、中国科学院、中国工程院和国家自然科学基金委员会等。

从政策内容上看，现有政策涉及产业技术支持、市场培育、国际合作、产业投融资、税收优惠和专项政策等各方面。在政策形式上，政策样本具体包括战略规划、条例、办法和通知等各种形式。从政策工具上看，现有政策样本又可分为供给型、环境型和需求型三种政策类型（孙蕊和吴金希，2015）。

2. 积极借鉴政府数据开放的政策经验

加快法规制度建设，提升数据开放保障能力：一方面对现行的法律法规进行修订完善；另一方面加快数据开放相关配套性的法规制度建设，制定更加具体、有针对性的法律法规（张磊，2016）。

　　各个国家、地区和机构积极地制定相关政策，为数据开放共享活动提供指导。2012 年以来美英澳日颁布了一系列的大数据重要举措，见表 7-12。这些举措对我国战略性新兴产业数据开放的发展有重要借鉴意义。

表 7-12　　2012 年以来美英澳日颁布的一系列的大数据重要举措

国别	举措名称	举措概述
美国	"大数据研究和发展"计划	2012 年 3 月正式启动，用以大力推进大数据的收集、访问、组织和开发利用等相关技术的发展，进而大幅提高从海量复杂的数据中提炼数据和获取知识的能力与水平。该计划涉及美国国防部、美国国防部高级研究计划局、美国能源部、美国国家卫生研究院、美国国家科学基金、美国地质勘探局等六个联邦政府部门
	大数据行动计划	2012 年提出，重点在基础技术研究和公共部门应用上加大投入。已开放海量数据集和数据工具，并研发出优于 Hadoop 近百倍的"伯克利数据分析软件栈"（Berkeley Data Analytics Stack）
	《大数据：抓住机遇，守护价值》白皮书	2014 年 5 月发布。在发挥大数据正面价值的同时，应该警惕大数据应用对隐私、公平等长远价值带来的负面影响
英国	开放数据研究所	政府于 2012 年 5 月注资 10 万英镑，支持建立了世界上首个开放数据研究所。英国政府通过利用和挖掘公开数据的商业潜力，为英国公共部门、学术机构等方面的创新发展提供"孵化环境"
	"数据英国"网站	专门建立了"数据英国"（data.gov.uk）网站，将公众关心的政府开支、财务报告等数据整理汇总并发布在互联网上，并对其中的热点议题和重要开支进行进一步阐释，并对公众意见进行反馈。通过合理、高效使用大数据技术，英国政府每年可节省约 330 亿英镑。2013 年 5 月，英国政府和李嘉诚基金会联合投资设立全球首个综合运用大数据技术的医药卫生科研机构，集中顶尖人才集中分析庞大的医疗数据
	英国农业技术战略	2013 年 8 月 12 日发布该战略，英国今后对农业技术的投资将集中在大数据上，目标是将英国的农业科技商业化。在该战略的指导下成立的第一家"农业技术创新中心"研究焦点将投向大数据，致力于打造农业数据学世界级强国
日本	活力 ICT 日本	2012 年 7 月推出了新的综合战略"活力 ICT 日本"，将重点关注大数据应用，并将其作为 2013 年六个主要任务之一，聚焦大数据应用所需的、社会化媒体等智能技术开发，以及在新医疗技术开发、缓解交通拥堵等公共领域的应用
	创建最尖端 IT 国家宣言	2013 年 6 月公布。2013~2020 年以发展开放公共数据和大数据为核心的日本新 IT 国家战略，提出要把日本建设成为一个具有"高水准的广泛运用数据产业技术的社会"
	开放数据流通推进联盟	2012 年 6 月，日本 IT 战略本部发布电子政务开放数据战略草案。居民可浏览各级政府公开数据的网站，政府将公共数据以标准化的方式，在紧急情况时向移动用户提供，这些数据可重复使用。2013 年 7 月 27 日，日本三菱综合研究所牵头成立了"开放数据流通推进联盟"，产官学联合，促进日本公共数据的开放应用
	日本个人数据保护法	修改日本个人数据保护法，加快数据流通
	面向 2020 年的 ICT 综合战略	2012 年 7 月发布，"面向 2020 年的 ICT 综合战略"将重点关注大数据应用所需的社会化媒体等智能技术开发、传统产业 IT 创新，推动医疗交通等公共领域应用等

续表

国别	举措名称	举措概述
澳大利亚	政府数据目录开放数据平台	Data.gov.au 是政府数据目录的开放数据平台,该网站包括 114 个部门的 1103 个数据库和 18 个应用软件。用户可以在该网站上简便地检索使用公共数据,政府鼓励所有用户通过更新工具和应用从数据中得到实惠。澳大利亚政府数据开放通过五个阶段将数据开放流程化,这五个阶段依次是:发现数据(discover)—过程处理(process)—授权许可(license)—数据发布(publish)—数据完善(refine)
	超级国家宽带网工程	2010 年,澳大利亚联邦政府通过了超级国家宽带网工程。全国宽带网络将覆盖全澳 93%的用户,剩余的使用速度相对较慢的无线和卫星网络
	知识库网络	2013 年 1 月 7 日,澳大利亚研究理事会发布新的开放获取政策,要求受其资助的研究项目的出版成果都必须在出版日期后的 12 个月内存储到开放获取机构知识库中
	公共服务大数据战略	2013 年 8 月澳大利亚政府信息管理办公室发布了《公共服务大数据战略》,推动大数据分析利用,促进公共服务改革,以制定更好的公共政策,保护公民隐私,使澳大利亚在公共服务大数据领域跻身全球领先水平
	数据中心建设	2013 年 8 月,隶属于澳大利亚财政与解除管制部门的 ICT 采购部发布了《数据中心结构最佳实践指南》草案。Gartner 的数据显示,2012 年,澳大利亚数据中心的总数达到 49 577 家,2015 年降至 45 545 家。为了满足业务需求,许多大型机构或企业包括微软、甲骨文、Rackspace 等都在澳大利亚投资建设了数据中心
	数据分析平台应用	政府部门开始推出其定制的数据分析平台 Odysseus。澳大利亚默多克儿童研究所(Murdoch Children's Research Institute)将利用大数据解密 DNA

在政策制定与内容方面的特点有:政策制定的参与主体比较广泛,公共资助机构具有很强的领导力,不同部门政策制定者达成共识并广泛合作,政策内容翔实具体、有很强的可操作性。我国现已形成了以《网络安全法》《数据安全法》和《个人信息保护法》为基础的法律框架体系。《国家安全法》提出国家层面应鼓励网络数据安全技术和利用技术,促进公共数据资源开放。《数据安全法》提出国家应建立集中统一、高效权威的数据安全风险评估、报告、信息共享、监测预警机制。2015 年 8 月国务院发布《促进大数据发展行动纲要》,2017 年最高领导人在第二次政治局集体学习中指出,"实施国家大数据战略加快建设数字中国",2020 年中共中央、国务院发布《关于构建更加完善的要素市场化配置体制机制的意见》指出"推进政府数据开放共享","提升社会数据资源价值""优化经济治理基础数据库,加快推动各地区各部门间数据共享交换,制定出台新一批数据共享责任清单"。《信息技术　大数据　政府数据开放共享》规定了政务数据开放共享的相关术语与定义、概述、系统参考框架和总体要求。可见,在制定战略性新兴产业数据开放政策时,需要政府先行,发挥政府部门甚至公共资助机构的领导力,积极引导开放共享政策的制定;建立社会沟通交流机制,开展广泛的合作;深入企业基层调研,确保政策内容有实际操作性(温芳芳,2017)。

7.3.4　完善和补充相关政策制度

1. 知识产权制度

知识产权保护程度对技术创新及效益至关重要，通过知识产权获取的利润可以进一步加大科研开发投入，规范市场竞争，更好地促进产业的发展，提升国家整体产业竞争力。技术是战略性新兴产业谋得继续发展的基础，通过保护知识产权成果可以保持企业研发的积极性，使其在市场竞争中始终走在前列。发达国家的经验表明，对于那些由多种技术融合形成的新兴产业，宽松的专利体制有助于其初期的发展，但在产业发展逐步成熟后，专利保护可进一步激励新技术的发明和投资。1994 年以前，日本对于知识产权保护较为宽松，希望通过知识扩散迅速消化西方国家的先进技术，但到后期则采用严格的专利制度，激励企业自主创新，保护企业的利益（魏巍，2012）。

强化知识产权保护在激励企业自主研发、提高国外技术引进效果、促进 FDI 知识溢出等方面均发挥了正向作用。

刘宇飞等（2016）认为，专利和文献的大数据分析方法是以战略性新兴产业的论文、专利为数据，采用文献计量学、数据挖掘、数据分析等方法，研究论文、专利数据中所包含的相关数据，从而分析相关技术的热点和前沿、发展趋势、国家对比情况、企业竞争力等。

2. 隐私保护制度

数据隐私权，即数据所有者对个人数据的采集、传播、使用等所享有的控制使用权，是人格权在网络 Web 3.0 空间的延伸。大数据时代"公共数据开放"与"个人隐私保护"的冲突表现在如下方面：首先，大数据规模庞大，隐私数据与公共数据模糊混杂，在云端，哪些属于保护的范围难以界定。"大数据"是独立于人的行为自动产生、自动分析甚至自动决策的。隐私问题的真正发生，实际上是通过各种算法进行数据挖掘的机制。要想在公共云端获得有价值的个人（作为受众或消费者）数据，实际上是一个算法选择和分析、数据准备和管理、数据处理和转换、算法开发和应用、结果展示和验证及知识积累和使用的过程。理论算法是数据得以解读的依据，常见的算法有决策树、聚类算法、最大期望算法、PageRank、邻近算法、贝叶斯分类器等（田新玲和黄芝晓，2016）。

数据时代数据开放下个人隐私面临的风险包括：个人隐私无意识地泄露、个人隐私未经许可的商业利用、个人隐私的恶意使用、个人隐私泄露带来的歧视（张学锋，2016）。大数据本质上是对数据价值的挖掘利用，通过对海量数据尤其是非结构化数据的挖掘分析，可以获得某些敏感的关键数据，或者使已经去除身份数据的数据重新获得身份属性（闫晓丽，2015）。

美国从 18 世纪到 21 世纪出台的隐私保护的法律文件主要有：《公平信用报告法》《家庭教育权利和隐私法》《隐私法》《金融隐私法案》《隐私权保护法》《有线通信隐私权法案》《电子通信隐私法》《录像隐私保护法》《驾驶员隐私保护法》《个人隐私与国家数据基础结构》《儿童网上隐私保护法》《公民网络隐私权保护暂行条例》《有效保护隐私权的自律规范》《互联网保护个人隐私的政策》《公平准确信用交易法》《2009 个人隐私与安全法案》《数据泄露事件通报法案》《消费者数据隐私保护法案》（张晓娟等，2016）。以上一些相关法律可以为国内提供借鉴。

作为数据开放的主体，政府要在数据开放之前对数据进行过滤，基本遵循四大原则：基于公共利益的个人数据要优先开放；基于商业利益的个人数据要限制开放，对商业利用个人数据要进行监管；基于个人利益的个人数据以保护为主、适当开放。

3. 风险防范制度

当务之急需要提升个人数据保护法律的位阶，制定我国的《个人数据保护法》，防止在大数据环境下自由裁量权的滥用和个人敏感数据的泄露，有助于保护个人数据的正确使用，为我国的政府数据公开和数据的开放创造健康的环境。知识共享许可应用到政府数据开放当中，有助于推动政府数据开放理念的践行，促进政府数据的使用、重复性使用和创新性使用，同时也保障了权利人的利益。

数据是一种重要的战略资产，掌控大数据的能力是一国综合竞争力的重要体现。新一代数据技术的应用以及经济全球化，使得数据的跨境流动十分频繁，在优化资源配置的同时，也加重了数据主体面临的各种威胁，更可能威胁国家数据安全。对于国家、企业、个人等拥有的数据，都应当纳入国家主权范畴考虑，明确数据的权利归属以及是否允许数据跨境流动。例如，欧盟数据保护指令明确，禁止将个人数据传输到欧盟以外的国家，除非经安全评估该国能提供与欧盟同等程度的数据保护水平；俄罗斯 2014 年通过法律，要求所有收集俄罗斯公民数据的互联网公司都应当将数据存储在俄罗斯境内（迪莉娅，2016）。

数据安全是国际社会共同面临的挑战，有效应对是企业和政府的共同责任，国际社会应当加强合作，充分尊重不同关切，制定国际大数据法律法规，增强安全技术支撑能力，建立健全安全防护体系，合力打击网络攻击侵犯隐私行为，有效保护个人数据隐私，共同维护数据安全和有效流动（马凯，2015）。

4. 人才激励制度

在国家或区域联盟下，以各省级服务平台为单位，为上一级提供相应的服务板块数据，依次类推，直至落实到企业等生产类单位，保证战略性新兴产业可以动态、全面地获取国内的数据。各省级、市级机构可在国家或区域联盟的网站基础上，或添加个性化的服务功能，或减少难以支撑的服务板块。各网站从上到下，以链接形式保证数据沟通的顺畅（闫晓丽，2015）。激励机制应该对战略性新兴产业数据的提供者、加工者、传输者、应用者进行激励，重点激励数据的创新运用以及利用数据指导战略性新兴产业发展的行为。

7.3.5　完善数据开放的评估指标和机制

目前开放政府数据评估项目的指标体系主要包含"基础""平台""数据""使用"和"效果"五个维度。大多数现有评估项目主要围绕"数据"和"基础"两个层面进行评估（郑磊和关文雯，2016）。

国外几个具有代表性的开放政府数据评估主要包括世界银行的"开放数据准备度"、万维网基金会的"开放数据晴雨表"、开放知识基金会的"全球开放数据指数"、联合国的"开放政府数据调查"以及经济合作与发展组织的"OURdata指数"等。

世界银行的"开放数据准备度"评估框架主要考察了高级领导力、政策/法律框架、体制结构和政府责任/能力、政府数据管理、开放数据需求、公众参与和能力、开放数据项目融资、国家技术与技能基础等八个维度（郑跃平和刘美岑，2016）。

国外开放数据主要关注七个方面。第一是开放的程度，万维网之父 Tim Berners Lee 提出了数据开放的五星标准，以保证数据质量：一星是开放授权的格式，比如说 PDF；二星是结构化，把数据从文件变成了像 Excel 这样的表；三星是开放格式，如 CSV；四星是能够通过 URI 定位每一个数据项；五星是能够跟其他数据链接，形成一个开放的数据图谱。第二是开放许可证，主要解决数据使用权、修改权以及数据的适用性三个方面的问题。第三是数据安全，除了传统的数据和数据安全外，还要注意数据关联的风险。第四是数据的质量。第五是数据的形式。第六是实施的方法。第七是开放数据的技术。李彬（2014）认为数据开放服务机构的考察维度主要包括：数据服务范围、服务内容、数据更新速度、数据库、企业获取数据的便捷性（即经济与时间成本）、服务团队、个性化增值服务。晴青和赵荣（2016）认为数据评价包含对数据、元数据质量、数据门户网站的评价。数据质量主要指标包括：完整性、原始性、时效性、可机读性；元数据质量主要指标包括：完整性、加权完整性、准确性、对数据的描述能力、可获取性；网站数据质量主要指标包括：透明度、成熟度、用户参与度、检索效果。

本节在上述论述以及国内学者郑磊和高丰（2015）设计的中国开放政府数据

平台的评估框架基础上提出战略性新兴产业数据开放的评估指标体系，如表 7-13 所示。

表 7-13　战略性新兴产业数据开放评估框架

序号	指标维度	具体指标
1	环境维度	组织和管理、政治和法律、经济和社会、国家技术能力、项目融资
2	数据维度	数据数量、数据质量、数据格式、元数据、时效性、易用性
3	平台维度	平台性能、数据导航、透明度、数据获取、数据分析、数据安全、隐私保护、界面体验
4	应用维度	需求满足、数据应用、增值服务、公众参与
5	效果维度	改善管理、促进创新、增进信任

7.3.6　打造数据管理人才队伍

《哈佛商业评论》声称，21 世纪最富挑战、最热门的职业是数据科学家（data scientist）（达文波特和帕蒂尔，2012），Google、Amazon、Facebook、BAT（百度、阿里、腾讯）等著名企业相继设立"数据科学家"工作岗位。

《促进大数据发展行动纲要》（国发〔2015〕50 号）强调"创新人才培养模式，建立健全多层次、多类型的大数据人才培养体系"。数据管理人才需要掌握计算机科学，如数据获取、数据存储、数据检索等数据工程知识和数据挖掘与机器学习知识，数学、应用统计学等基础专业知识，经济、物理、生化等交叉学科知识，以及商业数据分析、科学数据分析和自然语言处理等相关应用技能，掌握大数据分析应具备的大规模并行处理技术（如 Hadoop、Spark、MapReduce、Mahout 等工具），尤其是根据其所在领域参与商业大数据项目（应用案例）的分析处理（夏大文和张自力，2016）。

大数据时代需要的数据人才主要有：①数据（处理）技术人才，主要负责数据处理的全过程，即数据的获取、存储、清洗、加工、建模、传输和诠释，数据架构师、数据工程师都属于数据技术人才；②数据管理人才，主要负责对数据的保存、管理、维护和运营；③数据安全人才，主要负责对数据安全（包括数据本身和数据防护安全）的维护和保障，包括维护数据隐私、防止数据盗用和滥用、保护加密数据、阻止黑客攻击、建立数据安全防护体系等；④数据分析人才，主要负责对大数据进行价值挖掘，包括对数据统计结果的甄别与分析，对数据分析结果的评估与展示，对用户数据需求的判断与反馈；⑤数据政策人才，主要负责数据相关的政策、法律及制度的研究；⑥数据开放人才，主要负责开放数据的相关事宜，如数据开放理念的传播和普及、开放数据运动的呼吁和推动、开放数据平台的建立和维护等；⑦数据科学家，数据科学家为能获取、清洗、探究、建模和诠释数据的人。这类人才除了具有一般管理人才应该具备的素质和能力外，还特别应该具备数据的处理能力，即掌握编程、算法、数据采集、数据统计、数据整理、数据建模、数据挖掘、数据分析、数据可视化等方面能力（马海群和蒲攀，2016）。

数据人才培养目前主要是在经济管理、统计学、图书情报、计算机、信息管理等相关专业增加数据类课程，或对这些专业在职人员进行数据类课程培训和实训，并积极推动建立资格认证制度，如数据分析师、数据架构师、数据工程师等认证，从而尽快建立起符合战略性新兴产业数据开放需要的人才队伍。

第8章 面向战略性新兴产业的信息服务模式重构

从一般产业的信息服务的演化过程来看，一般要经历面向信息源—面向信息交流过程—面向信息用户的三个过程，这是一个由寻找信息源和占有文献转变为指引信息和集成信息，最后转变为主动提供信息并服务用户的过程。

信息服务体系是一个类生态系统的结构，信息服务机构与信息用户之间的信息流转存在一种链式依存关系，可以引入信息生态理论进行分析。信息服务机构通过信息流转方式的演变可以更好更有效地为用户提供服务。

8.1 战略性新兴产业信息服务有效性影响模型

战略性新兴产业之间的性质差异较为明显，信息需求存在一定区别。但对我国来说，由于战略性新兴产业正处于产业初期，各产业的发展重心均放在核心技术掌握、主要市场抢占方面，相应的信息服务内容也具有共性，主要集中在对关键政策信息、技术信息、市场信息等方面的服务。因此，本章侧重于从共性视角开展讨论，暂时不考虑不同产业之间的性质差异。考虑到战略性新兴产业信息服务影响要素彼此密切的关联关系，拟引入信息生态理论进行分析和模型构建。

8.1.1 信息生态理论及其适用性分析

1. 信息生态理论

1989 年德国学者拉斐尔·卡普罗（Rafael Capurro）发表了论文《信息生态学进展》（Towards an information ecology），提出信息生态学概念，并论述了信息平衡、信息污染、信息富有社会与信息贫乏社会的数字鸿沟问题。1997 年 Davenport 和 Prusak 正式提出信息生态的概念。基于信息科学与生态学的学科基础,信息服务领域对信息生态理论的应用探索,旨在利用生态学的观点和方法,研究信息服务生态系统的作用因子、因子间作用关系、信息流转规律以及系统构建与优化等问题(靖继鹏,2009)。学者们认为,信息生态系统指的是在一定的信息空间内,信息、信息人与信息环境三者在不断的信息交流的信息循环过程中,形成的相互作用、相互统一的整体。从定义来看,信息生态系统的构成要素包括了信息、信息人、信息环境,"三要素说"得到了众多学者的一致认同(李美娣,1998),不过也有学者提出了"二要素说"(信息人、信息生态环境)(娄策群和赵桂芹,2006)和"四要素说"(信息生产者、信息传递者、信息分解者、信息消费者)(王东艳和侯延香,2003)。在国内外学者的进一步探索下,信息生态位、信息生态链、信息生态平衡等理论的提出和研究,丰富了信息生态理论的内容。信息生态位是指信息人在信息生态环境中所占据的特定位置,具有一定的宽度,包括功能、资源和时空三个维度(娄策群,2006);信息生态系统中不同种类信息人之间信息流转的链式依存关系形成了信息生态链(娄策群和周承聪,2007b),其中,存在多种信息流转方式;信息生态环境则是指信息生态系统中各信息人或组织周围一切进行信息交流的要素总和,包括人与社会组织、各种信息资源、各种信息技术和信息基础设施、信息政策法律与伦理、信息文化等(蒋录全,2003);信息、人、环境之间的均衡状态表示整个信息生态系统的平衡,当信息生态系统内部和外部交换的信息受阻或其自身要素与子系统之间的比例失调,则意味着信息生态的失衡(卢金荣和郭东强,2007)。

　　把生态学与信息生态学的理论和方法引入信息服务管理研究领域,从构成要素的相互作用机制、生态主体定位机制、生态环境优化机制、信息流转机制、生态系统平衡机制五个方面揭示信息服务生态系统的核心本质,形成了相对完善的信息服务生态系统研究体系(周承聪,2011),进一步衍生出信息服务生态链、信息服务生态环境、信息服务机构生态位、信息服务生态演化等理论。然而目前在一定区域或产业范围内的宏观信息服务生态系统中,不同类型信息机构对信息生态位的选择以及机构内部不同部门和人员的信息服务生态位确立的研究其少,对信息服务生态链的依存关系和信息流转模型研究尚不全面,对微观信息服务生态系统中各构成要素之间的作用方式、生态环境优化与生态链功效提升的研究有待进一步加强。

　　学者们对信息理论的不断探索,逐渐形成了全新的信息学研究体系,其中,以"人本观、互动观、系统观、平衡观"为核心思想的信息生态理论是学者们较为推崇的理论(马捷等,2010)。在现有的研究成果中,主要的信息生态理论既有认为信息是具有生命特征的个体的信息中心论,也有只强调对信息资源管理研究的关注的信息环境论，还有认为人始终位于信息生态的中心位置的人本观（张新明等，2007），以及生态视域下的系统整体观，突出信息生态在整体系统中的知识存在（张福学，2002）。

以上众多观点几乎都只强调以单一要素为中心，具有明显的差异，而系统整体观从指导思想和方法论入手，强调一个有机整体（朱永海，2008）。本书认为，信息生态理论对信息管理领域的思想启示集中表现为整体生态系统观下"以人为本"理念的凸显，主张将人视作系统的核心，强调信息、信息人、信息环境三要素之间的互动合作，实现协同进化。信息生态理论的管理思想有助于以系统的、平衡的全新视角审视整个战略性新兴产业信息服务活动，突出服务主、客体的主导能动作用，同时加强对信息服务生态系统核心价值的关注，以促进各信息人与信息环境的信息交互，实现全社会整体的可持续健康发展。

2. 适用性分析

从理论内涵来看，将信息生态理论应用到战略性新兴产业信息服务的研究中具有适用性。

首先，协同进化是提升服务有效性的有效方式。信息生态理论突出人在生态系统中的主导控制作用，通过人的积极能动性，促进信息生态链的有效运转，以及人、信息、环境三者的信息交互，带动整个系统的平衡发展。服务主体分散、未能形成合力是目前战略性新兴产业信息服务面临的主要问题，形成这种现象的原因是服务主体的能动性不够，无法充分发挥出对信息服务的主导控制作用，各服务主体的定位出现了严重的偏差。信息生态理论的人本观理念，为服务主体之间的互动合作提供了新的视角，以协同进化为目标，更有助于调动服务主体的积极性，提升信息服务的有效性。

其次，信息流转是保证服务可持续的重要途径。生态系统整体自运行的循环过程，保证了系统的生态可持续性，加速了系统中物质、能量的流转速度，不断优化因子之间的作用关系，以维持系统的先进性，满足进化需求。信息生态系统进化有两层含义，一层是指信息生态系统内的各个种群自身的优化，另一层指的是各个群落输出的产品得到优化，两层含义的结合，凸显了信息生态系统进化的意义所在。因而，战略性新兴产业信息服务有效性的增强，要从系统整体入手，对服务过程中的信息流转方式进行系统研究，在各个构成要素功能提升的基础上促进整个服务流程的生态进化，保证信息服务的可持续。

另外，宏观配置是加强服务调控力的必要手段。生态系统的平衡，指的是系统中各构成因子之间协调互补，系统结构优化、因子功能良好的一个相对稳定状态。从平衡的角度来说，研究战略性新兴产业信息服务流程的生态平衡，分析服务主体、服务技术或平台、服务方式及策略等构成要素的作用及相互关系，有利于服务过程优化、服务功能良好状态的形成，从而促使信息、人才、服务等平衡配置的实现，加强服务的调控力度，从宏观上体现出整个社会的和谐发展。

3. 可行性分析

信息生态理论为战略性新兴产业信息服务提供了一个全新的视角，从构成要素、信息流动方式、模式优化演进等方面来看，战略性新兴产业信息服务模式是一个类生态系统，信息生态理论应用于战略性新兴产业信息服务研究具有一定的可行性。

学者们普遍认同的信息生态系统"三要素说"（李美娣，1998）指出，信息生态系统由信息、信息人和信息环境三个要素构成，以此为准则，对战略性新兴产业信息服务的构成要素进行梳理，借用信息因子、信息人因子、信息环境因子之间相互依存、相互制约的有机互动理论，对战略性新兴产业信息服务构成要素的作用关系，以及对信息服务有效性的影响进行探索。

信息生态链是信息人之间相互关系、相互作用的一种形式，是不同信息流转之间的链式依存关系（娄策群和周承聪，2007b）。信息流转的方式与特点，对战略性新兴产业信息服务流程中的信息流动方式优化选择具有指导作用，尤其是贯穿整个服务过程的服务内容资源流动。信息流动方式优化得适当与合理，能够保证信息服务活动的高效运行，有利于服务生态系统的不断进化，保持服务主体的活力。

信息生态理论强调努力实现系统的平衡稳态，从而保障系统的正常运行。对于战略性新兴产业信息服务来说，生态系统的平衡稳态也是服务主体所追寻的最佳服务状态，也即能够实现服务的自运行，并在这样的过程中实现进化。因而，可以借鉴信息生态系统平衡理论，对战略性新兴产业信息服务模式的平衡稳态进行研究，以此为契机，探究模式的演化机理，保持模式的先进性。

8.1.2　战略性新兴产业信息服务影响因子识别

战略性新兴产业信息服务体系可以被看成一个包含信息人、信息资源、信息环境的类生态系统。本章根据当前信息服务过程所涉及的相关要素，在战略性新兴产业信息服务体系中，将信息人进一步划分为服务主体因子和服务客体因子；将信息资源对应为内容资源因子；将信息环境进一步划分为技术系统因子、服务策略因子和服务环境因子（包含服务文化氛围营造、服务政策制定、服务伦理选择等内容）。

各生态因子相互联系相互制约，共同推进着战略性新兴产业信息服务生态系统的演化，有助于更好提升信息服务的有效性。各生态因子的基本内涵如下。

1. 服务主体因子

服务主体是战略性新兴产业信息服务活动的主要承担者，包括图书馆、情报所等公益信息服务机构，市场化的专业信息服务公司，以及行业协会等职能部门。服务主体的认知水平、自身知识素质决定了其信息需求理解力、信息资源分析能力以及信息服务产品创新能力等，是影响信息服务生态链功效的重要因素。

2. 服务客体因子

服务客体是战略性新兴产业信息服务的对象，主要指战略性新兴产业领域内的各类企业用户。一切信息服务活动都是围绕着服务客体的信息需求开展的。服务客体是信息资源和服务产品的最终去向，引导整个信息服务生态系统的信息流转方式。

3. 内容资源因子

内容资源是战略性新兴产业信息服务的基本构成单元，它可以包括原始信息资源本身，如政策信息、技术信息、市场信息，也可以包括对原始信息资源加工整理后的信息产品，如分析报告等。信息内容资源的时效性、丰富性、可靠性都会直接影响服务客体的需求和信息使用习惯。

4. 技术系统因子

技术系统是战略性新兴产业信息服务的重要传递途径。建立功能齐全、界面友好、易于操作的技术系统，可以有效地提高信息传递服务的效率。考虑到现代信息服务技术环境下的信息用户的行为变化，信息技术系统正逐渐演变为战略性新兴产业不可或缺的组成部分。

5. 服务策略因子

服务策略是信息服务有效运行的润滑剂，影响着服务主体与服务客体之间的作用关系。服务主体选择不同的服务策略，会得到不同的信息服务效果。可能的服务策略有：主动性服务（根据用户需求和偏好，自动为用户提供服务）、个性化服务（区分不同用户的需求差异，进行针对性服务）、动态性服务（考虑用户不同时间的需求变化，信息内容的不同时间价值变化，提供适时服务）、整合性服务（汇总、整合多种类型资源，提供一站式服务）、互动性服务（推动与用户双向交流，减少盲目性）等。

6. 服务环境因子

服务环境是战略性新兴产业信息服务生态系统的重要组成部分，具有复杂性、可持续性、交互性等特征，它影响和制约着其他因子的成长与发展。服务环境因子还可以细分为服务文化、服务政策与法律、服务伦理等子因子，其中，服务政策与法律对战略性新兴产业信息服务关系的有序化、服务流程规范化、服务的可控性等会产生重要的影响，在提高信息服务的效率和有效性方面发挥着重要的作用。

8.1.3　战略性新兴产业信息服务影响因子结构关系模型

要厘清战略性新兴产业信息服务的生态因子之间的结构关系，分析不同生态因子对信息服务效果的影响，有必要构建战略性新兴产业信息服务影响要素（服务主体、服务客体、内容资源、技术系统、服务策略、服务环境）和信息服务效果的测评量表，通过调研和测评建立起信息服务影响因子的关系模型，从而为重构战略性新兴产业信息服务模式提供依据和认识基础。

1. 测评量表构建

在战略性新兴产业信息服务影响要素的量表构建方面，目前可以借鉴的国内外相关研究成果较少，本章侧重于依托专家访谈进行测评量表设计。专家们认为：依托信息生态系统中信息人、信息资源、信息环境三类因子所划分出的六个子因子彼此联系密切，特别是内容资源因子与信息环境中技术系统因子在当代信息服务环境中常常被集成到统一的服务平台之中，建议将内容资源因子与技术系统因子合并为内容平台因子。服务主体主要考察其资源累积情况、信息服务经验及多个服务机构的协同服务能力；服务客体主要考察其使用意识、需求表达能力和信息获取与分析能力；内容平台主要考察服务平台中资源的新颖性、针对性、可靠性、资源的深度，资源检索的便利性等；服务策略主要考察信息服务机构的主动性、收费情况、个性化及不同服务机构的竞争情况；服务环境主要考察政府为推动战略性新兴产业的信息服务而在资金、人才、合作、服务规范和服务氛围营造方面的努力。而对战略性新兴产业信息服务效果的衡量可着重考察是否对确立企业研发方向、革新生产工艺、争取竞争优势、促进市场销售有帮助。

经与南京一家 IT 企业和天津一家生物医学企业的部分员工交流，本章设计了具体的测评题项，其中战略性新兴产业信息服务影响要素测评题项有 20 项，信息服务效果的测评题项有 4 项。为节省篇幅，本章将两个不同测评方向的测评题项汇总在表 8-1 之中。

表 8-1 初步设计的测评题项构成

方向	测评维度	测评题项
战略性新兴产业信息服务影响要素（IF）	服务主体	XA1 信息服务机构拥有比较丰富的信息资源积累（印本资源或各种数据库）
		XA2 信息服务机构拥有为企业提供信息服务的成功经验，水平专业
		XA3 信息服务机构在区域范围内整合资源，协同为战略性新兴产业提供服务
	服务客体	XB1 相关企业主动愿意接受信息利用意识培训
		XB2 相关企业主动请信息服务机构为自己培训或培养信息人才，从而提升企业的信息获取能力和信息分析能力
		XB3 相关企业经常与信息服务机构沟通，主动表明自己的信息需求
	内容平台	XC1 为抢占战略性新兴产业发展制高点，信息资源建设偏向新颖
		XC2 为寻找战略性新兴产业发展空白点，信息资源建设偏向全面可靠
		XC3 为减少企业信息加工分析的工作量，侧重于提供行业深度信息分析报告
		XC4 为提高服务的针对性，与企业联合建设专题性的信息资源数据库
		XC5 为减轻企业信息检索负担，建立不同数据库的一站式信息资源检索平台
		XC6 为方便企业自助浏览查询信息，建立不同信息类型的专题性战略性信息资源服务网站
	服务策略	XD1 免费信息服务在战略性新兴产业发展初期很重要，政府应给予适当扶持
		XD2 主动信息服务（服务营销）很重要，有利于企业获知信息服务机构的信息服务能力
		XD3 差异化信息服务很重要，有利于企业选择适合自己的信息服务机构
	服务环境	XE1 政府制定战略性新兴产业信息服务的财政（资金）扶持政策
		XE2 政府制定战略性新兴产业信息服务的人才发展政策
		XE3 政府制定不同信息服务机构的资源合作利用政策
		XE4 政府制定战略性新兴产业的信息服务活动规范政策
		XE5 政府重视战略性新兴产业的信息服务氛围营造
信息服务效果（SE）		YA1 能解决相关产业或相关企业的研发方向
		YA2 能解决企业的生产工艺技术难题
		YA3 能促进企业抢占行业领先地位或获得行业生存空间
		YA4 能促进企业对销售市场的把握

本章在南京地区选择符合战略性新兴产业发展方向的部分企业作为调查对象，数据主要来源于入驻中国（南京）软件谷的部分高新企业、南京新城科技园部分节能环保、新材料企业。共发放问卷 130 份，回收 116 份，其中有效问卷 107份，可用于战略性新兴产业信息服务影响因子（20 项）和信息服务效果（4 项）两个测评方向的探索性分析。在两个不同的测评方向上，问卷数量均符合 Gorsuch所倡导的测评题项与受试者比例最好为 1:5 的要求，以保证因子分析结果的可靠性（Gorsuch，1983）。

从数据的信度分析结果来看，均达到所认可的信度要求，其中战略性新兴产业信息服务影响要素初始测评量表的 Cronbach's α 系数为 0.866。而信息服务效果测评量表的 Cronbach's α 系数在 0.70 至 0.80 之间，为 0.754，信度也算是相当好。

问卷的内容效度得到专家和部分企业员工认可。问卷的结构效度通过比较变量间简单相关系数和偏相关系数的 KMO 值进行测量。其中，战略性新兴产业信息服务影响要素测评初始量表的 KMO 值是 0.844，Bartlett's Test 球形检验的卡方值为 746.294，显著性水平 p=0.000。信息服务效果的初始测评量表的 KMO 值为 0.621，Bartlett's Test 球形检验的卡方值为 112.114，显著性水平 p=0.000。结构效度的 KMO 值均符合 Kaiser 认可的数值范围，两个测评方向都可以进行探索性因子分析。

2. 探索性因素分析

本章采用 SPSS20.0 对 107 份样本数据进行探索性因素分析。采用主成分提取法，选择方差最大旋转方式，特征值大于 1（Kaiser 准则），并结合碎石检验（scree test），按照以下指标不断对题项进行筛选（吴明隆，2010a）：①每一题项在其所归属的主因素上的因素负荷量大于 0.4；②若一测量题项在两个共同因素上负荷量都大于 0.45，说明该题项区别效度不高，可考虑删除。

在针对战略性新兴产业信息服务影响要素的第一次探索性分析中，尽管所抽取出的 5 个共同因子的方差累积贡献率达 59.455%，但测评题项 XC4 在所有主因素的因子负荷量均小于 0.4，而 XE5 在 2 个共同因素上负荷量都大于 0.45，说明该题项区别效度不高，因此考虑将 XC4、XE5 两个题项删除后再进行第二次探索性分析。第二次探索性分析仍抽取出 5 个共同因子，旋转后，因子的相对位置不变，但是完整性有所增加，可解释的比重分别变为 17.49%、13.498%、13.051%、10.629% 和 8.258%，方差累积贡献率达 62.93%。两次探索性分析结果如表 8-2 所示。

表 8-2　战略性新兴产业影响因子的探索性分析结果

代码	第一次探索性分析					代码	第二次探索性分析				
	成分						成分				
	1	2	3	4	5		1	2	3	4	5
XC3	0.820	0.057	0.152	0.043	0.099	XC3	0.808	0.171	0.058	0.044	0.116
XC1	0.770	0.266	0.171	0.100	0.035	XC1	0.772	0.180	0.264	0.101	0.041
XC6	0.735	0.015	-0.083	0.191	0.132	XC6	0.743	-0.081	0.023	0.200	0.143
XC5	0.655	0.019	0.362	0.055	0.185	XC5	0.660	0.360	0.023	0.062	0.193
XC2	0.631	0.206	0.236	0.165	0.050	XC2	0.641	0.233	0.199	0.168	0.054
XC4	0.380	0.335	0.194	0.271	0.110	XE1	0.049	0.806	0.132	0.096	-0.063
XB3	0.162	0.804	0.127	0.048	-0.072	XE4	0.390	0.705	0.155	-0.047	0.034
XB2	0.056	0.803	0.180	-0.005	0.113	XE3	0.120	0.674	0.273	0.163	0.413
XB1	0.173	0.743	0.159	0.249	-0.037	XE2	0.269	0.586	0.129	0.152	0.172

续表

代码	第一次探索性分析					代码	第二次探索性分析				
	成分						成分				
	1	2	3	4	5		1	2	3	4	5
XE1	0.071	0.124	0.793	0.086	−0.085	XB3	0.154	0.140	0.815	0.064	−0.053
XE4	0.399	0.158	0.699	−0.049	0.023	XB2	0.064	0.173	0.802	0.002	0.113
XE3	0.144	0.269	0.666	0.158	0.392	XB1	0.149	0.183	0.753	0.264	−0.007
XE2	0.313	0.124	0.557	0.142	0.131	XA2	0.080	0.169	0.157	0.730	−0.139
XE5	−0.002	0.497	0.517	0.177	0.209	XA3	0.317	0.134	−0.041	0.709	0.086
XA2	0.093	0.161	0.160	0.720	−0.164	XA1	0.142	−0.107	0.378	0.697	0.223
XA3	0.291	−0.025	0.158	0.715	0.098	XD2	0.068	0.187	0.011	−0.026	0.787
XA1	0.155	0.372	−0.117	0.690	0.205	XD1	0.246	0.101	−0.073	0.188	0.502
XD2	0.067	0.010	0.203	−0.018	0.795	XD3	0.127	−0.218	0.237	−0.370	0.493
XD3	0.135	0.241	−0.220	−0.369	0.488						
XD1	0.284	−0.063	0.081	0.191	0.472						

注：提取方法：主成分；旋转法：具有 Kaiser 标准化的正交旋转法；旋转在 6 次迭代后收敛

针对信息服务效果的探索性分析只进行了一次，提取出一个共同因素，其总方差贡献率为57.636%。

将战略性新兴产业信息服务影响要素的探索性分析所提取出来的5个共同因素仍使用服务主体、服务客体、内容平台、服务策略、服务环境进行命名。将信息服务效果的探索性分析所提取出来的共同因素命名为信息服务有效性。汇总各共同因素及其所包含的测评题项，具体如表 8-3 所示。

表 8-3　正式量表的因子描述性统计分析结果

类型	因子	代码	可观测题项	题总相关系数	题项删除后的 α 值	信度	整体信度
战略性新兴产业信息服务影响要素	服务主体	XA1	信息服务机构拥有比较丰富的信息资源积累（印本资源或各种数据库）	0.624	0.876	0.651	0.883
		XA2	信息服务机构拥有为企业提供信息服务的成功经验，水平专业	0.534	0.879		
		XA3	信息服务机构在区域范围内整合资源，协同为战略性新兴产业提供服务	0.583	0.878		
	服务客体	XB1	相关企业主动愿意接受信息利用意识培训	0.544	0.879	0.605	
		XB2	相关企业主动请信息服务机构为自己培训或培养信息人才，从而提升企业的信息获取能力和信息分析能力	0.623	0.876		
		XB3	相关企业经常与信息服务机构沟通，主动表明自己的信息需求	0.501	0.880		

类型	因子	代码	可观测题项	题总相关系数	题项删除后的α值	信度	整体信度
战略性新兴产业信息服务影响要素	内容平台	XC1	为抢占战略性新兴产业发展制高点，信息资源建设偏向新颖	0.623	0.876	0.753	0.883
		XC2	为寻找战略性新兴产业发展空白点，信息资源建设偏向全面可靠	0.649	0.875		
		XC3	为减少企业信息加工分析的工作量，侧重于提供行业深度信息分析报告	0.581	0.878		
		XC4	为减轻企业信息检索负担，建立不同数据库的一站式信息资源检索平台	0.593	0.877		
		XC5	为方便供企业自助浏览查询信息，建立不同信息类型的专题性战略性信息资源服务网站	0.516	0.880		
	服务策略	XD1	免费信息服务在战略性新兴产业发展初期很重要，政府应给予适当扶持	0.559	0.879	0.604	
		XD2	主动信息服务（服务营销）很重要，有利于企业获知信息服务机构的信息服务能力	0.523	0.880		
		XD3	差异化信息服务很重要，有利于企业选择适合自己的信息服务机构	0.574	0.878		
	服务环境	XE1	政府制定战略性新兴产业信息服务的财政（资金）扶持政策	0.590	0.878	0.762	
		XE2	政府制定战略性新兴产业信息服务的人才发展政策	0.628	0.876		
		XE3	政府制定不同信息服务机构的资源合作利用政策	0.586	0.878		
		XE4	政府制定战略性新兴产业的信息服务活动规范政策	0.592	0.877		
服务效果	信息服务有效性	YA1	能解决相关产业或相关企业的研发方向	0.765	0.541	0.664	0.664
		YA2	能解决企业的生产工艺技术难题	0.707	0.603		
		YA3	能促进企业抢占行业领先地位或获得行业生存空间	0.654	0.627		
		YA4	能促进企业对销售市场的把握	0.696	0.614		

3. 信息服务有效性影响因子结构模型

根据表 8-2 的探索性结果，战略性新兴产业信息服务系统是由信息人及其所处的信息环境组成的生态系统，而信息资源可以放在信息环境之中解读。借鉴 Nardi 和 O'Day 的研究观点，此信息生态系统中存在着关键性物种，部分与整体之间相互联系，构成一个复杂的系统（Nardi and O'Day, 1999）。经过向专家咨询，表 8-1 中的服务主体属于关键性"物种"，它与服务客体进行交流与互动，识别服务客体（企业用户）的需求，相互影响内容平台的建设和服务策略的设计，并最终影响信息服务有效性。服务环境对服务主体、服务客体、内容平台、服务策略都产生影响，也受其反作用力。各生态因子对信息服务有效性的假设模型如图 8-1 所示。

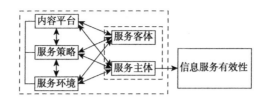

图 8-1　战略性新兴产业信息服务生态因子结构关系模型的理论假设

对图 8-1 假设模型的验证性分析数据来源于中国（南京）软件谷、苏州工业园区、淮安市楚州经济开发区等工业园区的入驻企业，并从天津、云南等地补充发放了部分问卷，样本的取样考虑了战略性新兴产业在不同地域及其发展水平的差异。问卷填写主要是企业管理层和研发部门的员工，70%以上具有本科学历，半数企业具有 100 人以上规模。共发放问卷 400 份，回收 325 份，剔除无效打分问卷 25 份，可以进一步用于数据分析的问卷共 300 份。

对数据有效性的分析主要通过计算两个指标的数值来判定。选取的指标有：判断测评题项与整体量表的同质量性的指标——题总相关系数、信度指标——Cronbach's α 系数。从表 8-3 可以看出，战略性新兴产业信息服务影响要素量表的 Cronbach's α 值为 0.883，各子因子的 Cronbach's α 值在 0.604 到 0.762 之间，信息服务效果（只包含信息服务有效性一个子因子）量表的 Cronbach's α 的值为 0.664，信度符合要求。表 8-3 中各测评题项的题总相关系数值均大于 0.4，题项删除后的 α 值均小于整体信度的 Cronbach's α 值。

对图 8-1 中假设模型的检验，主要是检查整体模型适配度。根据数据计算结果，模型可以辨识收敛，标准化路径系数绝对值均小于 1，没有违反模型辨认规则。模型整体适配度卡方值为 255.188（显著性 p=0.004），卡方自由度比（χ^2/df）值为 1.289，GFI[1]值为 0.929、CFI[2]值为 0.967（符合大于 0.9 的适配标准），RMSEA[3]值为 0.031（符合小于 0.05 的良好适配标准），PGFI[4]值为 0.727（符合大于 0.5 的适配标准（吴明隆，2010b））。从假设模型的路径估值和检验值来看，服务客体对服务主体、服务策略对服务主体的影响路径系数大于 0.05，影响不显著。假设模型与样本数据的契合度一般，假设模型还需要修正。

参照侯杰泰等（2004）所总结的增删路径、修正残差的协方差两种办法来对初始模型进行修正。经过十几次的反复修正，删除后的剩余所有路径均达到显著，模型整体适配度卡方值为 208.089（显著性 p=0.162>0.05），卡方自由度比（χ^2/df）值为 1.101，

---

① goodness-of-fit index，拟合优度指数。

② comparative fit index，比较拟合指数。

③ root mean square error of approximation，渐进残差均方和平方根。

④ parsimony goodness of fit index，简约拟合优度指数。

GFI 值为 0.941，RMSEA 值为 0.018，CFI 值为 0.989，PGFI 值为 0.703，全部指标均达到适配标准。修正后模型标准化估计值绝对值都小于 1，标准化误差不存在负值；临界比率值均大于 2，最大为 8.351，最小为 2.659；显著性概率 p 值都小于 0.05，达到显著水平。修正后模型的路径估计和检验值结果如表 8-4 所示。

表 8-4　修正模型的路径估计和检验值（10 条路径）

结构方程路径			标准估计值	估计值	标准化误差	临界比率值	p
服务主体	<---	内容平台	0.371	0.426	0.144	2.962	0.003
服务主体	<---	服务策略	0.416	0.401	0.132	3.047	0.002
服务主体	<---	服务环境	0.287	0.280	0.105	2.659	0.008
信息服务有效性	<---	服务主体	0.893	1.007	0.121	8.351	***
内容平台	<--->	服务客体	0.824	0.196	0.037	5.368	***
内容平台	<--->	服务策略	0.717	0.234	0.043	5.467	***
服务环境	<--->	服务策略	0.686	0.264	0.046	5.758	***
服务客体	<--->	服务策略	0.802	0.228	0.041	5.500	***
服务环境	<--->	服务客体	0.683	0.192	0.036	5.350	***
内容平台	<--->	服务环境	0.686	0.221	0.039	5.599	***

***表示 p 值小于 0.001

　　经过修正后的模型结构如图 8-2 所示，这是一个包含路径系数的结构模型，修正后模型的所有路径均具有统计显著性，模型已达到可接受的水平。

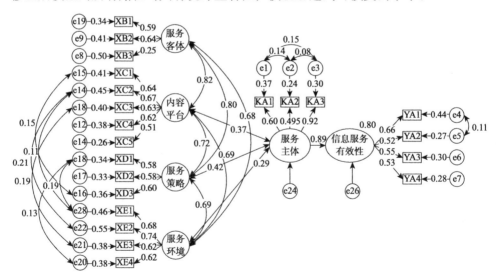

图 8-2　修正后的战略性新兴产业信息服务的因子结构图

Model Specification：卡方值=208.089（p=0.162）；CFI=0.989；GFI=0.941；RMSEA=0.018；PGFI=0.703；卡方自由度比值=1.101

　　根据图 8-2，战略性新兴产业信息服务生态系统中，各生态因子之间是一种链式依存关系。服务客体位于关系链的上游,与内容平台、服务策略、服务环境之间相互作用,从而形成信息服务的动力。内容平台、服务策略、服务环境居于关系链的中游,它们彼此相互影响,构成信息服务的重要支撑;服务主体居于关系链的下游,其服务经验、整合能力直接影响信息服务的效果。

根据图 8-2,在整体服务生态系统中,各个生态因子的地位与作用存在差异。服务客体与内容平台、服务策略、服务环境三个生态因子之间的影响系数均在 0.6 以上,影响比较显著。服务主体对信息服务有效性直接产生作用,其影响路径系数超过 0.8。这充分说明了信息人在信息服务生态系统中的重要地位,是整合服务生态系统的关键"物种"。内容资源系统、服务策略、信息管理环境通过服务主体对信息服务有效性产生间接影响。对于服务客体(如企业用户)来说,包含了大量信息资源的内容平台和服务策略是比较重要的,对于服务主体来说,目前选择较好的服务策略(如提供主动性、个性化服务)更有助于提高信息服务有效性。

通过实证,本节证实了战略性新兴产业信息服务体系的生态化系统特征,各因子之间呈现一种相互关联相互作用的结构关系模型。该体系的生态因子之间存在链式依存的关系,且不同生态因子具有不同的地位与作用。要想在面向战略性新兴产业的信息服务过程,增强信息服务的有效性,我们必须综合考虑不同因子的地位及相互关联作用,根据不同因子之间的影响方向、影响路径系数,才能建立合理的信息服务模式,系统构建有效的信息服务综合框架。

8.2　战略性新兴产业信息服务模式优化与重构

目前的战略性新兴产业信息服务存在的诸多问题,主要是信息服务模式的不完善与针对性不强所致。没有明确服务主体、服务客体以及服务环境三者之间的关系及其相关影响,尤其没有重视战略性新兴产业服务内容平台的建设以及服务策略的针对性这两个方面,如前述研究所揭示,这两者是对于信息服务有效性最为重要的影响因素,也是对服务主体与服务客体最有意义的改进和优化方面。因此,基于战略性新兴产业信息服务需求的发展趋势,势必要进行模式创新优化,构建有针对性的专业化信息服务模式。

8.2.1　战略性新兴产业信息服务模式调整的必要性

1. 服务主体协同进化的必要性

服务模式的创新优化是我国信息服务机构面向战略性新兴产业的信息服务转

型与改革的首要选择，是各服务主体机构重塑和协同进化的要求。服务主体面向战略性新兴产业的信息服务不是简单的信息服务业务拓展，而是在对产业特征充分了解的基础上，从服务机制、服务人才、服务技术等各方面进行综合性重组，实现各主体之间的协同合作，带动整个信息服务业的革新与发展。服务主体协同进化的战略性新兴产业信息服务模式能够指导图书情报机构与专业信息服务企业的合作共建，发挥各自的优势，提升信息服务的有效性。

2. 信息资源平衡配置的必要性

信息资源平衡配置是信息环境下社会发展的首要任务，是构建和谐社会的有效途径，同样也是战略性新兴产业信息服务模式优化的重要表现。要完善需求资源的集成化分布，也即信息资源系统的重构，以提升面向战略性新兴产业的信息服务有效性。建立在服务主体协同合作基础上的信息资源系统重构，采取信息资源开放式共享的机制，保证信息资源的价值体现，并最终实现国家整体的信息资源平衡配置。

3. 服务内容针对性、专业化的必要性

战略性新兴产业高技术、高风险的特点要求信息服务内容具有针对性，能够从专业角度指导产业的战略决策，满足产业在技术、市场等方面的特殊需求。目前，图书馆、情报所等信息服务机构受体制的限制，既有的信息服务模式较为传统，信息服务内容缺乏针对性，无法满足产业用户日益增长的信息需求。信息服务内容的针对性与专业化趋势，要求战略性新兴产业信息服务模式要进行创新优化。

4. 服务产品获取渠道完善的必要性

面向战略性新兴产业的服务主体拥有各自的信息服务方式和特点，在信息服务过程中，沟通机制的欠缺、信息服务产品获取渠道的不通畅，很容易造成信息服务产品获取的迟缓，服务产品价值不能得到及时的最大化体现。因而，从信息服务产品获取渠道完善的角度来说，战略性新兴产业信息服务模式优化十分必要。

众所周知，没有资源的服务是假服务，没有服务的信息是死信息，只有将二者有机结合起来，才能取得良好的信息服务效果。近年来随着高科技园区事业的不断创新和发展，已经产生了一类新型的面向高科技园区的信息资源服务保障模式——创新驿站。

创新驿站最早起源于欧盟，是欧盟鼓励中小企业进行跨国技术创新合作的中介网络信息平台。旨在促进欧盟跨国中小企业技术转移与技术创新合作。我国最早建立的创新驿站是青岛创新驿站和上海青浦创新驿站。区域性创新驿站发展最快的当属上海，如今上海"创新驿站"已经覆盖全市，形成了技术转移网络，而且积极向长江三角洲地区推广和渗透。广州开发区也建设了"广州开发区创新驿站"。南通创新驿站成立

于 2008 年 12 月，与上海市共同建设，是江苏省境内的首家创新驿站。目前，创新驿站建设及其服务非常活跃。创新驿站的目标主要是面向中小企业开展如下服务：①激励企业开展创新；②解决企业技术转移中遇到的难题；③帮助企业获得技术研发授权；④帮助企业寻找适合的合作伙伴；⑤帮助企业发现技术需求；⑥提供专利使用权转让协定的专门咨询服务；⑦培育企业宣传研究成果的文化氛围等。

换言之，所谓的创新驿站其实是一种信息集成保障机构，通过把孵化器、软件园、创新基金、技术市场、生产力中心、风险投资、特色产业基地等与大学科技园都联合起来，组成一个功能齐全的企业创新服务组织，集信息平台、交易机构、经纪人团体于一体的强势服务器，向企业开展技术供给、技术需求、投融资信息、技术转移伙伴计划、创新政策研究、国际合作等全方位服务。创新驿站主要包括信息交流网络平台、专利成果展示交易、专业技术转移中心、科技中介服务和技术经纪队伍等功能机构。为中小型企业在技术引进、技术转让、知识产权保护、融资、技术革新等方面提供信息服务，从而促进企业提升自主创新能力和应对危机的能力。这种以密切各类型高新企业与信息中心、图书馆乃至其他相关合作机构的联系与合作模式在高科技园和科创园有着令人乐观的应用前景。可以针对性地为企业提供全方位的信息中介服务，提升企业的自主创新能力，从而整体解决企业创业、创新中遇到的难题，帮助企业尽快成长。

概括地说，面向战略性新兴产业的信息服务必须以战略性新兴产业的自身发展为中心，要针对产业的不同成长阶段，选择和构建符合产业成长生命周期的服务模式和策略，唯此才能够真正满足其需求，形成有效的协同进化，提供有针对性的信息服务内容，进行合理的、符合需要的资源配置，遴选恰当的竞争路线和产品经营渠道。

8.2.2 战略性新兴产业成长生命周期信息服务模式

著名信息行为学者 Wilson（威尔逊）认为，在信息搜寻的过程中，信息查询者可能会与人工的信息系统（比如报纸或图书馆），或者与信息系统（比如网络）产生互动。他将信息搜索行为的类型分为被动注意（passive attention）、被动查找（passive search）、主动查找（active search）和跟踪查找（ongoing search）（Wilson，1997）。Wilson 理论为我们面向战略性新兴产业的信息服务模式提供了较好的指导。刘媛筠和李志民（2012）指出，现代信息服务模式主要由服务主体、服务客体、服务方法及服务内容四大要素组成。陈建龙（2003）认为，信息用户、信息服务者、信息服务内容和信息服务策略等四个要素是信息服务的主要组成部分，基于它们相互之间不同的关系，信息服务模式可以分为传递模式、使用模式和问题解决模式三种。本节在前文影响因子分析的基础上，参考以上学者的研究成果，结合战略性新兴产业的信息需求特点，提出了以用户需求为根本，根据不同阶段的产业信息需求特征构建不同的信息服务模式。

1. 产业初期的用户-吸引模式

战略性新兴产业发展初期，产业需要迅速找准发展方向和重点领域，进行战略部署，因而需要全面了解各种信息。但战略性新兴产业此时并不熟悉信息的来源和可能的信息产品种类，此时面向战略性新兴产业的信息服务产品生产商主动出击，根据战略性新兴产业的战略部署，发掘战略性新兴产业的潜在需求，依据潜在的信息需求进行文献加工或信息系统平台的设计与开发，形成信息服务产品，并通过部分免费试用等信息服务方式吸引产业使用产品，从而形成信息服务关系，达到进一步的信息服务可能，这种信息服务模式以用户吸引为服务重点，可简称为用户-吸引模式，这是一种以信息服务机构为中心的信息传递模式，描述的是一种主动式的，注重信息服务产品生产的信息服务过程，如图8-3所示。

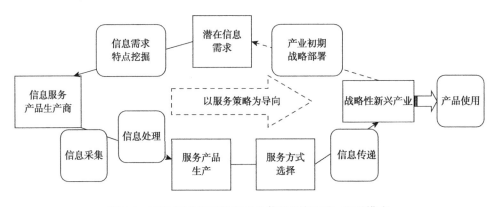

图 8-3　面向战略性新兴产业的信息服务用户-吸引模式

图 8-3 所示的模式图中，信息服务产品的生产占有重要地位，服务主体要细分服务内容，分析用户的潜在需求，而且要能满足信息服务用户的使用习惯。"服务者—服务内容—服务策略"是这种信息服务模式的主要关系链，在开发对应的信息产品同时，开展服务策略研究，可以增强并保持对用户的吸引力。

用户-吸引模式属于战略性新兴产业发展初期选择的信息服务模式，目的是使相关企业用户从被动注意向主动查找转变。以信息服务机构为中心的用户-吸引模式是根据推测的用户需求来进行信息服务产品的生产，而随着战略性新兴产业的成长，信息需求的不断变化，这种推测的方式会使信息服务产品不能完全满足用户的需求。因而，重视用户的真实需求的信息服务模式成为必然。

例如，东方灵盾公司是一家专业从事知识产权信息咨询服务的高科技公司，其服务领域涵盖了多个战略性新兴产业，包括电子信息、医药、生物技术、新材料等行业领域。公司以专利为核心，致力于对世界专利信息及科技文献进行收集和加工，形成了自己的信息服务流程，见图 8-4。

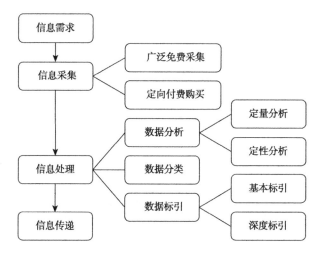

图 8-4　东方灵盾公司的信息服务流程图

为增强对战略性新兴产业相关用户的吸引力，与其他专利信息服务机构展开差异化竞争，公司还特别建设世界传统药物专利数据库，收录了 1985 年以来世界上以中药为核心的天然药物及其提取物方面的专利信息，收录了来自中国、美国、日本、韩国、印度、俄罗斯、欧洲专利局、世界知识产权组织等超过 20 个国家和组织的以中药为核心的天然药物及其提取物方面的专利信息，是世界上收录天然药物专利最全的数据库。东方灵盾公司以信息产品为中心的用户-吸引模式确实有效，吸引了中石油、中石化、三星电子、哈药集团等多个著名企业成为公司信息产品的用户，其信息服务的效益也由此得到显现。

2. 产业成长期的内容-合作模式

处于产业成长期的战略性新兴产业，产业的快速发展需要转型升级，因此，需要具体有针对性的信息。然而，受限于产业本身无法直接获取这些信息，而面向战略性新兴产业的信息服务生产商也没有现有的相关信息服务产品。因此，为了满足产业的信息需求，促进产业的发展，战略性新兴产业的相关企业会选择与信息服务生产商进行合作，并由后者主要负责，生产有针对性的信息服务产品，通过约定的信息服务方式提供给前者使用，满足其信息需求。可以说，这是一种源于信息需求、终于信息需求，需要信息服务生产商和产业双方紧密合作的信息服务过程，它是一种以内容合作作为主体的信息服务模式，可简称为内容-合作模式。

内容-合作模式描述的是一种共同式的，注重具体信息需求的信息服务过程，模式中的"内容"是指信息服务产品的具体内容，"合作"是指合作共建，如图 8-5 所示。

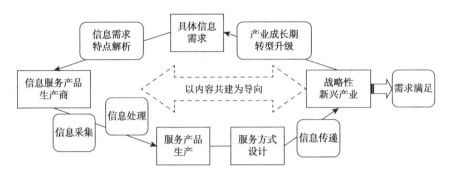

图 8-5　面向战略性新兴产业的信息服务内容–合作模式

图 8-5 中，内容–合作模式充分体现了产业信息需求的重要性，也体现了信息服务的本质——满足需求。在该阶段，企业用户是一种主动查找的状态，而信息服务机构就是要厘清企业的需求。信息服务机构的服务对象和服务策略是明确的，其工作的重心是提高信息服务产品的质量和针对性。

仍以前文所述及的东方灵盾公司为例，该公司在经历了初期的世界传统药物专利数据库的建设和推广之后，逐渐转向与特定地域的战略性新兴产业的相关企业合作进行信息服务产品的内容建议，其与广东省中山市古镇镇政府、中山市知识产权局合作共建世界照明灯具专利服务系统——世界照明灯具专利数据库就是一个内容–合作模式的成功典范。广东省中山市古镇镇有"中国灯饰之都"的美誉，目前重点发展的 LED 产业属于战略性新兴产业，涉及研发、设计、制造、销售等众多领域，其发展已经有了较好的基础，但很多企业在国外参展时常常遇到侵权纠纷。东方灵盾公司考虑到中山市古镇镇特有的信息需求，建设了世界照明灯具专利服务系统，采取了政府前期投入、专家设计建库、企业推广营运的一种全新运作模式，既保证了前期的基础投入和数据库质量及更新，又保证了数据库的推广和使用，准确地反映了世界上灯具照明领域中最新最先进的技术和情报。在专利检索方面，通过智能语义分析系统和机器翻译系统，相关企业不仅可以用中文检索各国灯饰灯具申请的专利，查询全世界范围灯饰外观及性能设计，还有图片加以对比，而且能用中文阅读。世界照明灯具专利数据库提供世界灯具照明领域中最先进的技术和信息，节省了企业研发经费和时间，从而在古镇镇发展战略性新兴产业——LED 产业时给予了很大的帮助。东方灵盾公司面向广东中山市 LED 产业内容–合作专利信息服务模式也被称为"古镇模式"，展示了该信息服务模式的有效性。

3. 产业成熟期的用户–问题解决模式

进入成熟期的战略性新兴产业，面临的风险会减少，上升的空间变小，此时，要做的是保证产业的稳定，在稳固中求发展，因而，产业不会有太大的策略变动，只需要将遇到的问题解决即可。针对战略性新兴产业的待解决问题，信息服务产品生产商设计适当的信息服务方式，并生产出用于解决问题的信息服务产品提供给产业，帮助其解决问题。用户–问题解决模式描述的是一种以用户为中心，注重待解决问题的信息服务过程，见图 8-6。

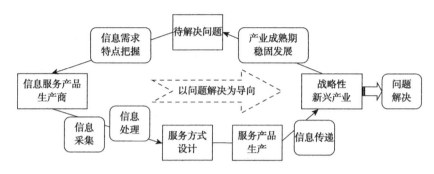

图 8-6　面向战略性新兴产业的信息服务用户–问题解决模式

图 8-6 所示的服务模式是一个以用户需要为中心，始于问题又终于问题的解决过程。内容–合作模式是以产业的具体信息需求为依据，而用户–问题解决模式则是以产业的待解决问题为依据，重视信息的跟踪。因而，用户–问题解决模式更加具体，需要的信息服务产品更为特定，无疑是战略性新兴产业成熟期较为有效的信息服务模式。

8.2.3　面向战略性新兴产业的图书馆信息服务优化策略

除了专门的科技信息服务公司，公益性的图书情报机构在实现面向战略性新兴产业的信息服务过程中担负着重要作用。以拥有丰富信息资源的高校图书馆为例，早在 20 世纪 80 年代，为商业社会提供信息服务的美国大学图书馆的数量就已经开始增长（Josephine，1989）。当前我国许多专门或综合性院校图书馆在企业服务领域迈出了坚定的步伐。依托高校图书馆的科技查新工作站为战略性新兴产业相关企业提供多样化、高层次的信息服务。

据教育部科技发展中心统计，2013 年 84 所教育部科技查新工作站为校外服务的查新报告达 25 391 件，其中，为企业和科研院所服务的查新报告为 19 179 件。可见企业已经成为高校图书馆科技查新服务的主要用户群体。高校科技查新部门工作人员具有国家级查新资质资格认证，有专业学科背景与信息技能。84 所教育部科技查新站共有专职查新员、兼职查新员、审核员近 2000 人（平均约 23 人/所），平均每个查新员完成查新报告 26.6 件（教育部科技发展中心，2014）。人员、资源、技术技能、社会口碑等有利因素是高校图书馆企业服务业务的天然优势。虽然高校图书馆并不是严格意义上的工商业信息中心，但它在科技信息系统和服务网络中具有重要的具体功能。众多高校设立了校属科技园、创业园、孵化器，建设有高校科技成果转化专门平台、科技园服务平台、专利技术服务平台等面向企业的服务门户网站。入驻园区的企业可以享受到更多的图书馆服务权限。高校馆参与公共科技服务平台建设等社会化服务实践为企业服务奠定了经验基础。

可见企业有向高校寻求项目合作的意愿并且校企合作也是高校 R&D 实现的主要形式之一。高校各学院、行政部门与企业的良好交流为图书馆开展产业、企业服务奠定了基础。一方面，高校图书馆以服务校内参与企业项目的教职员工的形式，间接地为企业提供服务。另一方面，高校图书馆依托专家馆员和馆内资源，以图书馆为单位直接参与企业项目服务。众多的现有和潜在校企合作项目为图书馆发掘和维系馆企合作提供了广阔的发展空间。图书馆与各专业院系和校内平行行政部门的交流能够加深馆企双方的了解，图书馆服务链的延伸也有赖于从相关战略性新兴产业院系师生处获得智力支持、人际网络拓展、设备、经费支持等。高校图书馆服务战略性新兴产业企业对于解决产学研合作中现存的资源共享与互补，信息传递与信息交流问题也有所裨益。

从服务的经费来源看，国家设立专项发展资金扶持战略性新兴产业，2012 年《战略性新兴产业发展专项资金管理暂行办法》明确资金支持范围主要包括"支持产学研协同创新""支持技术创新平台"等高校相关科研机构参与项目。图书馆可与校内相关院系或合作企业联合申请项目经费支持。国家相关制度也支持高校图书馆作为服务机构，《普通高等学校图书馆服务规程》指出，面向社会的信息服务，可根据材料、劳动消耗或服务实际效益收取适当费用，这也是目前我国高校图书馆企业服务最主要的经费来源。总之，高校图书馆服务经费可由 CALIS，或所属区域图书馆联盟等组织给予补助，或馆内科研项目基金提供，或依据一定标准向企业收费等多渠道筹措。

借助行业协会的力量，图书馆，特别是高校图书馆发挥产学研合作优势为深化服务层次提供了可能。图书馆战略性新兴产业服务产品的层次按战略价值由低至高可以分为：产业基本数据、竞争情报期刊分析研究报告和专题研究报告。图书馆应依据产业发展不同阶段的信息需求，不同职称、不同项目企业研发人员的需要选择性提供不同层次的产品和服务。

面向战略性新兴产业服务的图书馆信息服务实践案例不多，既有的案例做法各异。例如，江苏大学图书馆设立专门的信息咨询公司为中小企业提供专门类型的信息服务。中国矿业大学图书馆在企业信息服务过程中，把相关服务项目作为学校的横向技术服务项目来管理，并执行学校科研项目管理的有关规定。该运行方式在一定程度上克服了高校图书馆采用专职公司式管理形式在人员隶属和产权关系等方面的难题，同时克服了高校图书馆成立专门部门管理方式存在的责权不明问题及其他法律限制。

目前，我国图书馆的管理体系仍属于传统层级制的领导体系，并不利于提高对外信息服务效率，不适宜企业信息服务多变的需求，但这种体制短时间内无法得到迅速改变。在体制无法轻易改变的条件下，可以针对图书馆若干相关部门尝试实行扁平化的馆长领导下的信息服务制度，根据用户需求构建有针对性的横向工作小组，诸如战略性新兴产业经费核算小组、专家团队学科服务小组等，所有相关工作组在承担本馆为特定区域内用户服务工作的基础上，对所服务的企业负责，由工作组负责人承担总体工作的协调管理（丁媛，2010）。

图书馆与企业的合作关系可以采用"企业会员制度"，在合作之前将双方的权利义务以法律合同形式加以规范。图书馆依据不同的资源访问权限和供给服务数量、种类制定多种可供选择的服务方案。企业依不同方案获得不同权限借阅设施、参考咨询、多样的电子期刊、数据库的独占访问。对于没有时间或者无法亲自到馆查询的企业安排专业人员代理完成并尽量使企业用户不受时间和地点限制利用图书馆资源和服务。初次利用图书馆服务的企业可能对服务效果存在疑虑，图书馆在合作初期应尽量提供免费的试用服务，增进企业对图书馆服务的了解是深化服务的基础。图书馆可与企业信息中心共同工作以分析其现有馆藏与书目控制需求，制定馆藏发展政策，与企业成员实现纸本和包括数据库在内的电子资源的集团采购，节约运行成本。图 8-7 描绘了图书馆面向战略性新兴产业服务的初步框架。

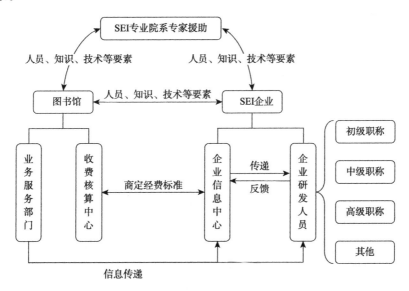

图 8-7　图书馆服务战略性新兴产业企业的简单框架

　　馆企合作的过程中，有条件允许的情况下，特别是高校图书馆，可适当引入战略性新兴产业专业院系专家外援，提高图书馆服务与战略性新兴产业企业实际需求的耦合程度。图书馆在原有包括查新中心、剪报中心、参考咨询中心等服务部门的基础上增设面向外部企业服务的收费核算中心。由收费核算中心制定收费标准并与战略性新兴产业企业信息中心建立联系，收取必要费用。收费标准的制定应兼顾公益性，基础性服务尽量免费提供。图书馆业务部门既可根据企业信息中心需求定制资源和服务，统一提供给企业信息中心，企业研发人员依托企业信息中心作为服务客体有效表达需求，并获取可能的资源和服务。前文已经讨论分析了影响服务有效性的战略性新兴产业信息服务影响因子，在服务客体（企业用户）的需求明确之后，服务主体协作、服务策略选择、服务内容资源系统建设、信息管理环境优化将对服务的有效性发挥重要作用，下面将围绕这四个方面从图书馆的努力与优化方向作进一步的阐述。

　　1. 服务主体协作

　　从图书馆的视角看，由馆员协调组建的服务团队就是提供战略性新兴产业信息服务的主体。企业用户通常认可图书馆馆员作为信息专家在企业信息服务中的支撑角色，特别认可图书馆馆员对于检索、收集、过滤和管理开源信息的能力。但企业用户对于图书馆馆员商业敏锐程度，专业知识和分析技能存在疑虑。图书馆馆员需要着重强化信息管理和信息技术能力，以提升其核心竞争力，通过与企业研发人员及其他外部专家的协同合作，完成特定产业领域的联合科研攻关。烦琐的信息采集活动，聚类、摘要等可依托竞争情报系统中的文本挖掘等技术实现，图书馆主要承担课题规划、情报质量控制、情报深度分析加工、产品提供、情报共享、技术研究和评估等职责。面向战略性新兴产业服务的馆员的工作内容已超越了传统参考咨询的工作内容，从单纯的文献信息采集和提供，到各语种文献的互译和调研预测报告的撰写，从学科馆员制度对馆员专业素质的要求到产业领域专家馆员制度对科研和工商情报的掌控，图书馆馆员的服务层次将从粗放式向精细化转变，服务深度从平面化向纵深化转变，服务耦合性由弱到强，也是图书馆服务在通信信息技术和移动互联网技术为主导的知识社会下的自身的竞争力升华。

　　由于战略性新兴产业所需信息针对性强，专业性程度高，例如对于专利、标准服务往往需要利用专指性、特指性的检索词汇，涉及跨语种多类型文献源，对于国内、国际产业动态前沿领域的把握更需要持续的追踪，因此需要有产业领域专家的指导。专家人选的渠道应尽可能拓宽，选择标准不仅考虑其理论水平更需关注其对产业实践的熟悉程度，还要能深谙企业发展中的需求、发展瓶颈和解决方案，开发适合市场需要的有经济价值的产品。企业信息负责人代表企业提出信息资源和服务诉求，可以参考南京邮电大学图书馆为物联网产业的服务经验，引入企业"学科助理"概念，从企业中选择若干信息用户进行培训，既了解企业信息需求又能配合馆企合作，增强企业在合作过程中的参与感和信任感。

作为服务主体的服务团队应该是协作式的团队，可能的成员由产业领域专家+新兴产业学科服务图书馆馆员+企业信息负责人等构成。由图书馆战略性新兴产业工作组负责人承担总体工作的协调管理。新兴产业学科服务图书馆馆员隶属于图书馆战略性新兴产业工作组，既有图书情报知识又有新兴产业专业知识，在服务过程中承担主要协调与联络职责，努力促进和发挥服务团队在战略性新兴产业信息服务中的作用。

2. 服务策略选择

根据前文调查结果，战略性新兴产业的相关企业与图书馆的接触十分有限，且有着比较固定的信息服务获取方式和渠道。面向战略性新兴产业的图书馆服务首先应考虑突破企业用户固有信息获取模式，创造途径让企业用户实际体验图书馆服务。各战略性新兴产业以共性的信息资源需求和信息服务为主，个性化需求为辅，相同产业内不同企业的需求也有共性和个性之分。图书馆，特别是高校图书馆和科研院所图书馆应结合自有的人才优势和学科优势，划定核心企业服务群体，在服务探索初期阶段提供较为基础性的共性信息服务，在服务各方面运作比较成熟稳定后针对性开展个性化信息服务。综合看来，图书馆战略性新兴产业信息服务实现功能需分三个层次逐级推进：服务宣传试用阶段—基础共性服务提供阶段—个性化服务定制阶段。

在信息服务试用阶段，图书馆向企业提供低价的或限定时间、次数、权限范围的免费服务，目的在于消除合作初期企业对图书馆服务能力的疑虑，增进双方了解，树立图书馆专业、权威的形象。例如，有的图书馆可以将定题服务首次免费的活动形式推广至企业服务领域。在基础共性服务提供阶段，图书馆主要以原有信息服务手段向企业提供研发类、管理类信息服务并与企业进一步磨合。在个性化服务定制阶段，图书馆与企业合作已经比较成熟，可以根据不同产业或企业的个性化需求提供针对性、深加工、支持战略决策层面的服务。总之，图书馆情报服务机构为战略性新兴产业提供信息服务是一个循序渐进的过程，高效的信息服务建立在双方彼此信任、了解的基础上，期待合作初期就能提供契合度高的信息服务并不现实。

图书馆服务团队走出图书馆和高校围墙，深入高校科技园区、企业孵化器、高新产业园区，开展企业信息服务需求调研。在具体实现方法上，前期通过在战略性新兴产业的科研立项、行业协会交流会、成果发布会等现场开展图书馆信息服务宣传，扩大图书馆服务影响力，增进企业对图书馆服务的了解。在进行协作服务的过程中，图书馆服务团队嵌入企业科研、生产、销售全过程，发掘企业的显隐性信息需求，发挥高校科研优势，对于研发环节重点关注，面向企业用户提供在工作环境中就能便捷地利用的 24h/7d 网络信息服务，运用先进科技手段满足用户即时信息需求。信息服务内容、服务频率、传递方式的制定依企业实际需求而定。

　　高校图书馆、公共图书馆、情报所等文献情报服务部门条块分割、各自为政造成资源重复建设现象严重。高校图书馆与其他机构是国家信息资源保障与服务体系的有机组成部分，各方精诚合作实现"1+1>2"的总效益。公共图书馆相比高校图书馆服务项目，情报价值更高，更重视工商信息资源建设，在企业领域的服务已先于高校图书馆步入常规化轨道，相关企业年会、产业图书馆分馆等组织筹办经验值得借鉴。发达国家图书馆企业服务项目合作也在稳中求进。日本国家议会图书馆与大英图书馆开展的企业服务合作项目包括：交换馆员，联合信息服务，网站资源互译、互查，把员工送至纽约公共图书馆的科学工商分馆、大英图书馆的商业和 IP 中心、伯明翰中心图书馆的商业研究分馆等提供商业支持服务的图书馆接受培训。国内数据库服务商在企业竞争情报服务系统研发领域占据优势。中国知网和万方"项目馆"式服务系统为很多图书馆建设企业资源和服务提供了可行的解决方案。不同层次、不同地域的图书情报机构应联合有意愿的信息咨询公司，努力汇集来自各方面的数据、分析文章、研究报告及简报等，实现优势互补，为面向战略性新兴产业的信息服务提供可靠的资源保障。

　　3. 服务内容资源系统建设

　　我国各级政府、行业主管部门、科技部门等单位都在进行战略性新兴产业信息资源建设，但建设力量分散、规模小、相互之间缺乏联系、信息更替慢、内容陈旧、信息资源共享程度低，降低了企业信息利用效率。面向战略性新兴产业的信息服务需要一个综合的企业信息资源服务平台，以便集成图书馆资源、企业自有资源和各类相关网络资源，通过多种服务技术和方式，提高企业信息获取效率。企业信息资源服务平台以拥有丰富信息资源的图书情报机构为建设主体，是提供特定产业领域资源和服务的垂直式平台，为企业提供"小而全"的信息资源，并提供专、高、精、尖的信息服务。平台的建设过程可与数据库商合作开发，在数据库商企业竞争情报服务系统的基础上加以改进，并可实现与企业 ERP 系统整合，实现侧重于满足研发资源需求的平台功能与制造、财务、销售、人力资源管理等 ERP 系统原有模块相互补与联通。平台建设涉及的关键点如下。

　　首先是信息资源内容和类型界定。①核心信息资源界定。根据战略性新兴产业分类，企业所属三级类目相关资源为核心资源，专业性、专指性强，应特别收集，相应的上位类资源可通过高校图书馆建设的产业共性资源实现共建共享。②工商信息收录范围及特色资源界定。工商企业信息资源涵盖并购、融资、市场发展形势、保险、银行、制造生产技术专利、行业竞争数据等，恰当地界定收录范围是很有必要的。此外，企业对专业特色数据库的需求迫切，诸如纳米技术信息库、战略性新兴产业数据库都是由图书馆联盟和信息服务企业推动建设，也频繁被利用。

　　服务内容资源收录还应确保类型的多样化与全面性。①按资源形式可以分为产业动态、邮件列表、供应商名录、金融信贷信息、搜索引擎等。②按语种类型，外文文献的需求量较高，其中英文仍是科研人员最需要的外文资源，依据长尾理论，企业平台也不可忽视对日文、德文等需求量较少的小语种文献的收集。外文资源也应尽量包含期刊、综述报告类、案例、消息动态、摘要简报、论著、会议文献等在内的多类型文献。③按照地域范围，由于各省战略性新兴产业建设规划和相关政策不同，同一地市或省级政府部门、研究机构、教育机构、企业、行业协会的资源相关性最强，是重点收录资源。国外不同国家在各产业领域所处优势地位不同，重点收录处于较高产业链位置国家的资源。④有必要对以开放获取资源为主的网络免费资源予以关注。各类开放获取期刊、机构库等文献资源，名家微博、微信、专家数据库等专家信息以及新兴的慕课（massive open online courses，MOOC）资源都是馆藏的有益补充，并且节约建设经费，符合企业投入-效益观念。MOOC 资源已有专门的新兴产业平台，众多高校已开设新兴产业专业 MOOC 课程，这些课程可作为企业员工更新知识体系的培训资源。

　　其次是信息资源采集途径与标准。战略性新兴产业资源的收集要以及时性和可靠性为指导原则。产业领域信息更新速度快，企业能够获取前瞻性发展预测信息，把握关键时间节点作出正确决策影响发展前景。主要信息搜索与采集途径包括：①采购权威数据库商数据库。由于网络出版相比传统出版途径可能存在一定时滞，所以需要及时追踪其他渠道获取补充信息。②利用服务系统自动采集功能，从互联网上抓取数据并加以标引、转换，通过高校馆员编辑、整理、加工等人工质量控制后以既定的资源格式、分类体系存储。③确定分类与标引标准。战略性新兴产业员工希望能建立分类清晰的网络平台。平台资源分类应不拘泥于高校图书馆的学科资源分类方法，以资源主题、来源渠道等为依据建立资源体系。网络信息资源的标引遵循既定的元数据标准并使企业人员参与信息收集，实现资源共建。

　　内容资源共享平台的建设应注意族性检索与特性检索相结合，依照战略性新兴产业的资源特点建立分类清晰、响应及时、操作便利的网络平台，并建立与信息提供方的服务沟通渠道。

4. 信息管理环境优化

面向战略性新兴产业的图书馆信息服务目前还不为大家所熟知，大多数图书馆网站往往没有明确企业信息服务项目列表，即使图书馆开展了这样的服务项目，其服务项目的介绍分散于图书馆网站三、四级页面，企业信息服务实践成功案例展示和服务效果预期也无从查询。加强宣传与推广是优化信息管理与信息服务环境的重要手段。图书馆网站有必要说明各项服务申请流程，向企业用户展示丰富的信息来源和有效的信息分析工具和信息分析能力，以案例形式向用户提供容易理解的、具体的服务成果预期。为企业用户搭建与馆员及时沟通与咨询的渠道。在服务收费方面，构建合理的价格水平和价格结构，使其适合于战略性新兴产业相关企业的支付能力和它们的成本/效益的观念。在馆企合作取得一定进展，拥有较为稳定的服务群体后，进一步扩大服务影响力，专门建立为企业界服务的网站，通过借鉴市场营销方法提高社会认知程度。

信息咨询公司、行业协会、各类型图书馆、情报所等机构是战略性新兴产业相关企业获取信息和服务的可能来源途径，单靠哪一家独立承担面向战略性新兴产业的信息服务都存在局限。从图书馆的视角看，图书馆应主动同外部相关机构、社区团体协同合作，可以联合企业商会、地区性的创新中心和科技管理部门，嫁接企业活动，与行业协会合作推广信息产品，参与行业协会主办的会议，增进与企业的相互了解，获取相关机构活动动态并借鉴服务经验扩大影响力。协作服务是提升服务能力的必然之道，但合作的动力却需要通过政策层面进行引导，这涉及机构之间的激励和对从业人员的激励。合作过程中应防止合作方时间投入、人员变动等主客观原因而导致不了了之。因此，在共建合作的过程中应保障长效合作机制，增强企业服务供给的连续性和及时性，这方面尚需要结合具体案例作具体分析。

8.3　"非营利性图情联盟"信息服务个案描述

目前在政府政策引导和支持下，国内在大学附近区域建立起了大量从事技术创新和企业孵化活动的高科技园。大学科技园大多已经发展成为区域经济发展和科技进步的源泉、国家创新体系的重要组成部分，同时也是创新创业人才集聚和培育的基地，产学研合作的示范基地和战略性新兴产业的培育基地，形成了政府引领、科技主导、企业创新、经济转型的格局，对地方科技、经济、文化、社会发展发挥着极其重要的作用。作为信息服务主体的图书馆，迫切需要参与到这一过程之中，推进产学研服务，建立面向战略性新兴行业的专题信息网站、公共科技服务平台、产业园区服务平台，采用现代网络通信技术设备提供服务，诸如通过移动终端协同提供信息服务，建立与信息提供方便捷及时的信息沟通渠道（袁曦临，2008）。

8.3.1　作为信息服务对象的江宁高新园

江宁高新园有着"南京硅谷"之称，其建设目标是加快培育一批具有国际竞争力的跨国企业和国际知名品牌，提高参与全球资源配置和产业整合的能力，形成由生命科学、高端制造和现代服务业构建的现代产业体系。特别是 2012 年 1 月，科技部、教育部与江苏省签订合作协议，将江宁高新园作为两部一省共建的三大新兴产业创新基地之一；2012 年 6 月，以建设新一代无线通信与网络创新基地和产业高地为使命的江宁"中国无线谷"开园，同年 12 月全国首个智能电网产业技术创新战略联盟和首个未来网络产业创新联盟相继在江宁成立。南京通信技术国家实验室、中国（南京）未来网络产业创新中心、中科院南京宽带无线移动通信研发中心三个核心创新平台已经开始运作，旨在抢占通信与网络产业技术制高点和价值链高端环节。到 2015 年，江宁高新园将集聚科技型企业 400 余家，实现产业规模 1 000 亿元，形成由生命科学、高端智造和现代服务业构建起的现代产业体系。初步形成了以汽车、装备制造、电子信息、新型建材、医药等为主的先进制造业企业集群。目前园区企业产品代工生产较多，关键技术主要依靠引进，缺乏一定数量拥有自主知识产权、具有国际国内竞争力的产品。因此，南京市政府也在思考如何发挥江宁大学城智力优势，进一步优化东南大学科技园等产学研平台，将企业、高校、园区有机结合，将各种优势资源组织起来，建立完善的产学研机制，通过探索新型企业孵化器模式，增强企业自主创新能力。

企业在技术创新过程中，迫切需要了解技术情报、市场信息甚至包括政府信息，且对于信息的需求具有广泛性，包括了科技、经济、政策法规、经贸、管理等多方面资讯。而江宁区的多数企业并没有单独设立信息部门，对企业的信息需求进行收集和分析。从这个角度来看，高校图书馆有责任发挥自己在信息资源和信息服务方面的优势，面向企业的现实信息需求，依托所在院校的科研实力和科研产出，为高校和企业之间的产学研结合提供信息保障与知识服务支持（袁曦临和阎丽庆，2009）。从江宁科学园区企业集群的特点来看，这些企业发展所需的信息支持和信息服务与江宁大学城的高校图书馆学科信息资源和科研储备是十分吻合的。

8.3.2　南京高校（江宁地区）图书馆联合体

江宁大学城中有东南大学、河海大学、中国药科大学、南京航空航天大学、南京医科大学、江苏海事职业技术学院、江苏经贸职业技术学院、金陵科技学院、金陵协和神学院、南京工程学院、南京交通职业技术学院、南京晓庄学院、中国传媒大学南京广播学院等院校。各大学图书馆的信息资源保障重点不一，形成了各具优势的重点学科信息资源保障体系。为了实现校与校之间的信息资源共享，南京高校（江宁地区）图书馆联合体应运而生。2009 年，南京高校（江宁地区）图书馆联合体的藏书总量就在 1246 万册以上，藏书涉及学科门类齐全。这些学科优势基本上不存在交叉，构成了非常有特色的学科互补馆藏体系。详见表 8-5。

表 8-5　南京高校（江宁地区）图书馆联合体的馆藏特色分布（2009 年）

学校名称	纸质文献馆藏总量	馆藏特色
东南大学	306 万册	电子信息、土木建筑、生物医学
河海大学	200 万册	水文水资源、水利水电科学
南京航空航天大学	217.5 万册	航空航天
中国药科大学	70 万册	药学
南京医科大学	62 万册	医学
金陵科技学院	55 万册	自然科学
南京工程学院	127.47 万册	工程技术
南京晓庄学院	115.94 万册	人文社科
江苏经贸职业技术学院	50.65 万册	经济管理、信息工程
南京交通职业技术学院	42 万册	交通运输

江苏省作为高校云集的文化大省，对于大学图书馆的人才培养以及信息资源建设的投入都比较重视，因而培植了一批有能力的信息服务中心。

以东南大学图书馆为例，东南大学的建筑、机械工程、能源与环境、信息科学与工程、生物医学的学科水平在全国高校中名列前茅，相应地，在这些领域东南大学图书馆的学科服务能力也十分突出。

同在江宁大学城的河海大学，以水利为其学科特色，其水利工程、土木工程两学科综合实力处于全国领先位置；南京航空航天大学，其飞行器设计、机械制造及其自动化、工程力学、航空宇航制造工程四个学科的优势十分突出；拥有药学、药物制剂、制药工程、食品质量与安全等重点学科的中国药科大学和拥有内科心血管、环境卫生、药理学等国家重点学科的南京医科大学形成学科优势互补的组合；江苏海事职业技术学院，是中国首批履行《1978年海员培训、发证和值班标准国际公约》（STCW①78/95）并为国际海事组织认可的航海院校，以培养海洋船舶驾驶、海洋船舶轮机管理、国际运输管理、港口管理等高等职业技术人才为己任。STCW 公约是唯一对海员素质提出要求的国际性公约，是国际海事组织（International Maritime Organization）最重要的公约之一。

2007 年 10 月，南京高校（江宁地区）图书馆联合体成立，该联合体由东南大学、南京航空航天大学、河海大学、南京医科大学、中国药科大学、金陵科技学院六所高校的图书馆发起成立，其宗旨是创造与享受区域合作的成果，整合资源，互惠互利，促进资源（文献信息、人才、技术和经验）的共建、共知和共享，为地区经济和文化发展作贡献。2009 年南京高校（江宁地区）图书馆联合体已成立四个子项目任务中心，即联合体门户网站建设中心、文献资源建设协调和原文传递中心、参考咨询与培训中心和馆际互借中心及"南京高校（江宁地区）数字图书馆"门户网站，实现了成员馆间的馆藏揭示。

南京高校（江宁地区）图书馆联合体的优势不仅体现在信息资源上，也体现在信息服务能力方面，具体来说就是学科服务所覆盖的学科领域比较广，学科馆员的水平以及相关的软硬件水平较高。由东南大学图书馆牵头组织的"南京高校（江宁地区）文献资源共享服务"三期建设项目，已经开始尝试将文献资源共享服务延伸至驻江宁的企事业单位（袁曦临等，2012）。

通过调研发现，对于江宁高新园的企业而言，它们普遍需要有针对性、前瞻性、智能性的信息资源保障与决策支持，其所需信息资源主要包括以下类型：①新产品研发所需的学科专业信息。这类信息的需求在南京的电子、通信、机械、塑料、医药生物工程、信息工程等企业显得尤为突出。②专利信息、标准信息和技术报告。高新技术企业是技术和知识密集的场所，技术进步是增强企业竞争力的主要途径，因此企业需要及时追踪和掌握有关专利、标准及有关本行业的科研发展、技术进步信息。③市场信息和政府政策信息。宏观信息对于高新企业的未来发展非常重要，包括宏观经济分析、国家政策走向、社会经济环境信息，特别是政策法规这类企业赖以生存发展的指南和经营活动的行业准则。同时，在市场经济条件下，企业对市场信息的需求也是迫切的。④行业和竞争对手信息。全球行业发展现状、国内行业走势、行业发展趋势及关联行业

---

① International Convention on Standards of Training, Certification and Watchkeeping for Seafarers。

走势等信息可以帮助一个企业在分析自身所处行业的发展阶段及如何在行业中处于领先地位提供充分的指导。及时了解竞争对手动向，分析竞争格局对于企业来说已成为应对竞争的关键信息。

虽然企业需要上述类型信息，企业员工个体也有需求，但对于江宁地区的多数企业来讲，其机构内部并没有单独设置信息或情报部门来对企业的技术信息需求进行收集和分析。而同处一地的南京高校（江宁地区）图书馆联合体目前的信息资源储备和信息服务能力可以辐射到这些对口的高新企业，服务并满足于这些企业的信息需求，形成对口的知识服务。以南京高校（江宁地区）图书馆联合体为代表的"非营利性图情联盟"完全可以发挥自己在信息资源和信息服务方面的优势，面向企业的现实信息需求，为产学研相结合的战略性信息企业特别是强知识吸收能力企业提供信息保障和知识服务。

高校图书馆在社会化信息服务的探索中主要存在两方面的问题：其一，如何平衡为学校服务和为社会服务的关系。高校图书馆的经费保障来自学校，因此为学校的教学科研服务是其本职，如何在做好本职的前提下探索为市场需求、产业创新发展服务的模式是需要认真研究的课题。其二，每一个高校图书馆的信息资源建设从总体上讲都是为其本校科研、教学发展服务的，无论是在信息资源保障的学科领域还是在资源内容建设、服务内涵等方面，都是围绕学校的学科特点，带有明确的教学科研特色，因此如果面向战略性新兴产业服务，可能存在力不从心的问题。面对上述两方面问题，"图书馆联盟"将会是一个有能力达成并实现图书馆社会化服务，且与高校学科信息资源保障之间形成平衡的一个中介性机构。

相比国内，国际上有影响的专业性、地区性乃至全球性的图书馆联盟如美国的联机计算机图书馆中心（Online Computer Library Center，OCLC）、环太平洋数字图书馆联盟（The Pacific Rim Digital Library Alliance）、德国柏林暨勃兰登堡州区内图书馆联网组织（Kooperativer Bibliotheksverbund Berlin-Brandenburg）等更重视投入产出效益，重视与服务对象的互动，重视对社会发展的贡献。其联盟管理机制更多体现了市场化，如德国地区性图书馆联盟信息资源共享模式、法国的图书馆联盟以贷款方式筹集共建共享经费的方式都是成功的经验。在对图书馆联盟运行机制的研究中，OCLC成为"组建公司制的联盟"的样板，该联盟为不以营利为目的、提供计算机图书馆服务的会员制研究组织，属于非营利性组织。OCLC的功能虽然定位在公众服务、业界服务、图书馆学研究等方面，但其运行则基本是按照"公司模式"进行的，资金来源于商业运作，主要通过为成员馆提供服务、学术研究、业务培训等收取的费用来保证自身的运转，并非没有盈利，只不过OCLC的运营不以获取利润为目的，而以追求图书馆界的共同发展为其宗旨和目标。

　　因此，需要转变现有图情联盟的角色定位，由政府主导转向由非营利性的公司主导，建立起"非营利性图情联盟"联通学术图书馆、情报所等信息资源保障机构，建立起一个企业信息需求、高校科研成果展示、学科信息资源相结合的信息服务平台；再次，通过盘活各高校图书馆的学术信息资源和学科馆员服务群体，形成服务合力，使信息资源保障和信息服务真正服务于科研和智力密集型产业的创新、创造性活动；最终，实现产学研合作，促进科研成果转化的进程。本书认为，可以依托南京高校（江宁地区）图书馆联合体，建立"非营利性图情联盟"。该联盟中的每一个成员都是联盟信息资源保障和信息服务网络中的一个节点，各个成员来自具有丰富学科资源和服务能力的高校图书馆及相关的情报机构，通过"非营利性图情联盟"的"中介管理"形成面向不同的产业或行业需求的项目服务组，并通过网络信息服务平台搭建虚拟服务空间，有针对性地为企业用户承担起情报咨询和知识推送的任务，如图 8-8 所示（袁曦临和刘利，2013）。在这一产学研合作的进程中，"非营利性图情联盟"的管理机构扮演了 Agent 的角色，承担高校图书馆及相关情报机构与高新企业之间的中介和衔接，一方面负责了解社会及企业用户的信息需求和任务接洽；另一方面负责"非营利性图情联盟"各工作成员的组织安排、任务分工，工作进度控制、财务结算及质量的监督。所有参与信息检索、参考咨询、信息用户培训等工作的项目组成员的工作性质类似于兼职，形成能够完成复杂多样、个性化、特色化任务的灵活机制。而其管理与协调，特别是面向市场的需求获取和服务反馈，均由"非营利性图情联盟"管理机构负责。从而，在保持相对稳定的组织结构的前提下，保证常规业务的有效开展。

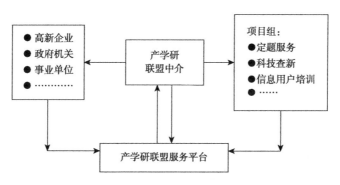

图 8-8　"非营利性图情联盟"的管理运行模式

8.3.3　"非营利性图情联盟"服务实现路径

　　"非营利性图情联盟"开展情报服务的路径主要体现在信息服务平台的架构

上。建立一个企业信息需求和科研成果展示、学科信息资源及情报服务交易相结合的网络信息服务平台，使之成为企业进行信息查找、获取和咨询的门户，并依托这一服务平台，开展加快科研成果转化的信息服务，如图 8-9 所示。

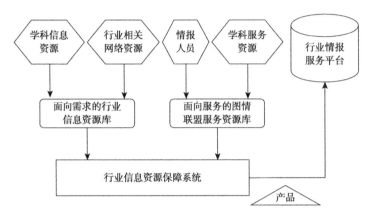

图 8-9　　"非营利性图情联盟"情报服务平台的架构

目前南京高校（江宁地区）图书馆联合体设计统一标识（logo），加强和江宁区政府、江宁高新技术开发区及江宁区科学园的联系，为驻区企事业单位服务。合作服务内容如下。

（1）文献资源建设：协调成员馆外文图书、外文期刊等资源建设，如有条件组织成员馆的电子资源采购。

（2）联合网站建设：揭示各成员馆书目信息、订购的数据库、订购的纸本刊等资源状况。

（3）图书借阅：在江苏省高校图书馆通用借书证的基础上，利用 lib-passport 系统和同一的规则下，实现"分借通还"。

（4）联合在线咨询：利用现成的虚拟咨询系统，实行联合虚拟咨询。

（5）原文传递：各成员馆配备人员、设备，在预先不考虑费用的情况下，实现非返回式文献传递服务（资源仅限定在本馆）。

（6）联合信息通报：每年出版四期，由成员馆分头完成。

（7）面向驻区企业服务：由相关馆组成服务团队，面向企业，进行借书证发放、文献咨询、情报分析、定专题服务、文献检索培训等服务。

（8）学术交流与合作：开展人员培训、技术指导、合作研究、学术交流与研讨等合作。

概括而言，南京高校（江宁地区）图书馆联合体知识服务的基本架构如图 8-10 所示。

项目管理中心	原文传递中心	咨询和培训中心	服务推广中心
负责联合体门户网站制作，及各专项工作的支持协调	以原文传递为重点参与各专项工作	将虚拟参考咨询系统在江宁地区推广使用；组织用户培训和图书馆馆员的继续教育	文献资源共享服务延伸至驻江宁企事业单位

图 8-10　南京高校（江宁地区）图书馆联合体知识服务架构

依托图情联盟信息服务平台，一方面，各高校图书馆可以面向企业的现实信息需求，及时发布与企业信息需求相关的学科信息、已有的专利技术和高校最新的科研成果信息；有针对性地为强知识吸收能力企业服务，为科研转化提供信息保障和知识服务支持。另一方面，企业通过虚拟的工作空间（信息服务平台），可以在不安装任何软、硬件的情况下共享图书馆联盟中各个高校的学科信息资源和科技成果信息以及不同专业学科馆员的情报服务。同时，通过采用用户建模技术，包括手工定制建模、示例用户建模和自动用户建模等，在"公司制图情联盟"服务平台自定义其需求主题或竞争对手，通过强大的个性化设定功能，使企业得以在第一时间获取有关竞争对手及相关行业的动态，并保存在该企业用户的机构知识库中，从而形成一个以该企业为主体的有关本行业信息、合作伙伴信息和竞争情报的客户机构数据库。

大学图书馆特色信息资源的建设为图书馆的学科服务提供了物质基础。从这个角度来看，大学图书馆完全可以发挥自己在信息资源和信息服务方面的优势，面向企业的现实信息需求，为江宁高校形成产、学、研相结合的发展模式提供信息保障和知识服务支持。

依托南京高校（江宁地区）图书馆联合体现有的学科服务基础，根据企业的信息需求，突破校园围墙的阻隔，对联合体内各大学图书馆的学科馆员进行组合，形成若干个学科服务组，包括电子信息学科组、生物医学学科组、土木建筑学科组、交通工程学科组等，这些学科组是由各大学图书馆学科馆员组成的松散的学术联盟，各组的学科馆员虽然人事编制隶属各图书馆，但其工作的对象并不仅仅限于各个学校的用户，而是面向自己所在学科的所有校内外用户。各个学科组内有负责人，负责馆际间的合作协调，以及学术和业务上的交流。简而言之，这一模式的实质其实是资源共享的理念从信息资源的层面扩展到知识服务的层面。

从信息服务的效果来看，联盟的核心成员馆东南大学图书馆在 2016~2020 年即对江苏省工程技术文献信息中心提出的百余项企业技术需求，通过检索专利等文献资源，寻找与企业需求匹配的专利文献近 1000 条（长三角领域内，以江苏省内高校院所的专家为主），以及可以提供解决方案的专家百位，帮助实现企业与高校院所内专家的有效对接，促进技术研发与科技成果转化。东南大学图书馆科技查新工作站（L04）利用科教优势资源，为学校和社会机构提供科技查新、信息咨询和评估服务，并服务驻江宁高科技企业。广泛开展了信息检索、定题服务、文献引用查询等服务，为技术开发、引进、转让、消化、吸收以及人才引进、评估提供客观的科学依据，也为规避侵权风险、产品开发、生产实施提供了信息保障，为企业科技创新和地方经济发展作出了积极贡献，在社会上获得了很好的声誉。"基于学科发展视野的决策信息支持服务"获得 2014 年华东地区科技情报成果二等奖。2011~2015 年东南大学科技查新工作站共完成科技查新校外服务 2049件，对江苏区域的大学科研和区域经济产生了良好的推动和支撑作用。2013 年东南大学科技查新工作站被评为教育部科技查新工作站先进集体。在专利分析与挖掘方面，2017 年参与江苏省高价值专利培育计划项目——"物联网核心器件高价值专利培育示范中心"，完成专利竞争态势与导航报告，该报告协助科研团队申请专利六项；在对社会公众知识普及上，与江宁区公共图书馆合作，面向社会公众开展知识产权保护等普及讲座；与东南大学科研院、东南大学技术转移中心有限公司，共同策划并举办"走进科创板"专场培训，打通成果转化路径，助推企业提升核心竞争力。

第9章 战略性新兴产业信息服务的可持续发展

　　战略性新兴产业信息服务实际上是一种依赖充分保障的信息资源与信息专家的知识和思想，依靠、运用科学的研究方法，针对新兴产业发展过程中所面对和遭遇的广泛问题，包括政府、市场、企业、技术及社会大众密切相关的问题，提供信息资源、决策意见和建议的咨询服务。

　　现有的信息资源保障和服务机构包括图书馆、信息中心、情报所等，在进行信息资源建设、组织与保障的同时，也始终承担着为社会和企业提供信息服务的职能，例如上海图书馆与上海科学技术情报研究所，承担着信息资源保障和信息咨询服务一体两面的职能。图书馆、情报所与各类型信息中心的可持续良性发展，在一定程度上反映了国家对战略性新兴产业信息资源建设和保障的水平以及其自身的运营成效。评价一个信息资源管理机构的建设和服务水平，终究还是要看其能否产出有针对性的、有质量的信息产品和信息服务。换言之，"资源"与"服务"才是信息资源保障机构如图书馆、信息中心、情报所等可持续发展的根本之道。而这两者都需要人员、经费和技术的支持与保障，需要有相应的制度从人员、经费、管理模式等多个方面，去保障这些信息资源管理机构，建立起围绕产业需求的专题信息资源，投入足够的信息咨询人员，并持续地为战略性新兴产业提供充分的有针对性的信息资源和信息服务。

9.1 面向产业领域的专题资源库建设

　　伴随战略性新兴产业对信息资源迫切的需求和对信息服务要求的提升，需要有相应的平台和工具对这些战略性新兴产业的数字化资料、数据、文档等素材资源进行整合并提供咨询信息服务。无疑专题数据库建设是当前战略性新兴产业信息资源开发与利用的创新手段和重要途径。专题数据库正是面向特定领域、特定主题、特定行业等特定对象的知识型数据集成，具有类型多样、专业性强、内容专深的特点。由于专题数据库更注重层次化、关联化的"标识性"知识体系，因此，建设具有更多特色、更高质量的专题数据库，可以支持深层次的数据探究和资源挖掘，从而凸显战略性产业不同领域的特色和价值导向。而面对不断发展变化、与时俱进的战略性产业信息资源的建设需求，关注专题数据库建设的质量及其规范化管理成为核心关键。

围绕产业发展需求和创新发展问题建立高度专题性的事实数据资源，不仅是信息服务和信息咨询的基础，也是咨询结果和研究结论可靠的保障。战略性新兴产业所希望实现的对战略发展方向的把握、对政策需求的准确预测，对社会和市场需求快速响应等，无一不是建立在充分的信息准备基础上的，只有在信息尽可能完全的基础上，克服信息不完全带来的信息不对称，才有可能作出相对正确的选择，并将决策过程中的风险性降到最低。因此，高质量高水平的信息服务离不开精确、全面和专题信息资源的支撑与保障，专题信息资源是战略性新兴产业信息服务过程中最活跃、最具生命力的要素和重要保证（袁曦临，2017）。

9.1.1　需求意识决定专题资源库建设质量

面向产业发展的专题信息资源的建设，不能仅仅满足于一般学术文献数据库的检索，而需要更为深入和精细的文献和数据的收集、整理和汇集，需要把所收集到的学术文献和事实数据放到具体的市场需求和产业发展的社会语境中去作分析和研究，才能够实现从"薄数据"（thin data）到"厚数据"（thick data）的关联。"薄数据"呈现的是事实，回答的是 Who，When，Where，What，而"厚数据"不仅呈现事实，还包括事实的前后联系和意义，简言之，"厚数据"能够更多揭示表面数据背后的内在原因及其发生机制，即 Why，How。实现"薄数据"向"厚数据"的转化，即意味着要将"薄数据"放到企业、经济、技术甚至国际竞争的战略性新兴产业的发展环境中去分析和研究。

只有建立起高质量的专业研究资源库，才能够在此基础上做出有质量和高水平的信息咨询和信息服务，并以此指导产业发展实践和政策制定。众所周知，从事学术资源建设的主体是学术图书馆和文献信息中心，其对信息资源的建设往往以某一领域的学术脉络为主，着重于对学术内容的组织与揭示，其对学术信息资源的建设通常是基于学科分类的，实现的是资源的整体保障，而不是面向具体的研究问题或研究专题；而如果要面向战略性新兴产业提供信息咨询服务，承担课题任务，仅仅利用现成的信息资源，而不考虑建设相关产业、市场和技术发展的专题资源数据库是不行的。高质量的信息服务不可避免会朝着专业化、精细化、市场化、网络数字化方向发展，在大数据环境下也必然会更加注重数据挖掘、知识发现、仿真实验、定量建模等实证分析。因此，就目前国内战略性新兴产业的发展而言，专题性的信息资源的建设与保障问题已经成为瓶颈，没有建立足够的专题信息资源作为储备，对于战略性新兴产业的信息服务和咨询只能是无源之水，要想完成有针对性的、前瞻的、具有决策现实意义的咨询服务是困难的。

需求导向是专题数据库建设的前提和基础，是关系到专题数据库资源意义建构的前导因素。只有以反映特色和满足具体知识性需求为导向的专题数据库，才能在新兴产业中发挥其实际支撑作用。而如何以战略性新兴产业发展的真实信息需求和发展问题为基础，"量身定做"出与其需要配套的"专题导向"的信息资源建设和知识组织模式成为信息服务可持续发展的核心要点。

9.1.2 规范化管理决定专题资源库的可持续性

在目前国家各项政策与项目的支持下，各类型行业专题数据库已经应运而生，容量也在逐渐扩大，但较多专题数据库往往为建库而建库，缺乏需求导向，各自为政、分散建设，存在结构散乱、内容混杂、格式不同等问题，标准不统一、规范性差已经成为当前专题数据库建设的"负面标签"。由于缺乏统一规划与管理，信息孤岛与碎片化现象广泛存在，在实践中价值转化也比较低效。专题数据库建设规范化管理不仅仅是一个单纯的技术性规范问题，而是涉及数据资源、用户、工具等多因素的多维研究主题。因此，如何构建既能适应当前战略性新兴产业发展现状，又能具有可持续发展特性的专题数据库是一个难题，也是主要挑战。另外，鲜有专题数据库关注数据资源的深度挖掘和语义关联问题，无法达到智慧数据资源建设的理念要求，使得专题数据库知识凝练度欠缺，数据无法深度赋能。因此，目前虽然已经积累了一些特色化、产业化的专题数据集，但真正能够投入使用，并产生社会和经济效益的专题数据库仍然非常少见。单纯的数据集仅仅是专题数据库建设的一部分，完整的专题数据库建设还应该包括平台建设及运维、管理机制等内容，其应用也应通过服务端的规范化予以实现。另外在现实中，各个领域、各个方向尽管都有出台相关的标准与规范，但至今仍缺少具有代表性的可借鉴推广的专题数据库建库规范化流程与方案，较少涉及宏观层面的规范化推广，多数专题数据库也很难做到开放共享，专题数据库缺乏适应性和可扩展性，多数特色专题数据资源利用效率低下。

标准化规范是专题数据库建设规范化管理的核心内容，也是专题数据库建设质量保障和智慧服务的重要前提。专题数据库建设标准化规范应该包括指导类和操作类，需要面向建库适用性规范、数据库系统架构规范、数据采集与组织、数据分析与挖掘、数据发布与共享等各个环节，从方法、格式、标准、技术、机制等多个角度构建战略性新兴产业领域专题数据库标准化体系，为构建与可持续理念相匹配的新型特色资源库奠定基础。此外，专题数据库建设是一个共建、共治、共享的系统性知识工程。在开放协同视角下，专题数据库建设涉及主体、资源、用户、机制、制度等各类要素，因此，战略性新兴产业专题数据库建设依赖于宏观上的统筹规划与体制管理保障。在统一的协同保障体制构架下，实现各级各类专题数据库的跨域流通与协同共享，以期为战略性新兴产业的联合与合作提供外在的信息资源保障，与此同时，也提高专题数据库建设的开放共享与协同开发能力。

9.1.3 科技报告和科技档案的归档管理

有鉴于此，本节重点关注了科技报告和科技档案的归档管理，科技报告是对科研项目及其成果的有效呈现，对于战略性新兴产业而言是重要的学术文献类型。在建设创新型国家的政策推动下，我国科研创新活动取得了重大突破，产生了大量科研成果。根据 2018 年《中国统计年鉴》，2017 年我国共发表科技论文 170 万篇，出版科技著作 54 204 种，登记科技成果数 59 792 项，国内外授权专利数共 1 836 434 件。我国的科研水平已经进入了世界前列，与此相对应，科研成果及科研活动过程文件的管理问题就显得尤为突出。我国科技报告管理体系一直没有建成，各级基层科研管理部门职责范畴不清晰，使得科技报告管理工作各自为政，造成科技报告分散存档甚至有部分科技报告流失，科研项目过程文件的归档工作较为混乱的局面。长期以来我国的科技资料的归档和管理工作侧重"保存"，存在"重藏轻用"的问题（沈宸和袁曦临，2020）。

目前我国科技报告工作存在多头管理的混乱现象，影响到科技报告的保存与利用。而科技报告管理体系独立于科技档案馆之外也使得科技档案连续性受损。一方面科技报告归档工作目前是科研事业管理中的短板，另一方面我国的科技档案管理规范滞后于时代要求。大部分科技档案管理规范都是在 20 世纪 80 年代和 90 年代制定的，已不符合当前的政策环境。重新修订原有科技档案管理的政策规范，完善科技档案资源的管理及开发机制迫在眉睫。

因此，有必要对科技报告进行统一管理，解决科技档案连续性受损问题。本节从概念属性和实践工作两个层面对科技报告和科技档案的职能定位进行对比，探讨将科技报告纳入科技档案管理体系这一构想的可行性，确立了科技报告归档管理的新定位。提出将科技报告纳入科技档案管理工作中的构想，并修正了科技报告归档范围，依据来源原则和文件连续体理论建立个人、部门、机构、国家层面的科技报告多级呈交制度。

2014 年重新修订的《科技报告编写规则》中对科技报告的概念有明确的定义："科技报告是进行科研活动的组织或个人描述其从事的研究、设计、工程、试验和鉴定等活动的进展或结果，或描述一个科学或技术问题的现状和发展的文献。"根据 1980 年发布的《科学技术档案工作条例》，科技档案是"在自然科学研究、生产技术、基本建设等活动中形成的应当归档保存的图纸、图表、文字材料、计算材料、照片、影片、录像、录音带等科技文件材料"。从定义中可知，科技档案是归档备查的反映科技生产活动的科技文件资料。显然作为科技生产活动不可缺少的一环，科技报告及其过程文件资料也属于科技档案的组成部分，和科技档案概念层面的职能范畴重合。

为了进一步对比两者的职能定位，本节首先从概念表述入手，从中抽取能区别科技报告与科技档案概念的特征，如表 9-1 所示。

表 9-1　科技报告与科技档案概念区别特征对比

特征类别	科技报告	科技档案
形成主体	科研项目承担者	基层科技档案管理部门及科技档案馆
形成方式	在科研项目进程中由项目承担者撰写	由档案管理部门及档案馆接收科技文件后归档
包含内容	科研活动的进展或结果，或科学技术问题现状与发展	在科技生产活动中形成的全部应当归档的原始文件
表现形式	文本形式	图片、文本、视频、音频等多种形式
功能特征	交流传播；规范管理	汇总保存；归档备查
职能定位	传播	保存

从表 9-1 中可以看出，尽管科技报告在理论概念层面上和科技档案存在交叉重合，但两者在具体的职能定位上有着不同的侧重。科技报告侧重于总结科研活动的进展与成果，反映科研活动中的技术内容和经验教训，以此进行科研成果的交流传播，并通过这一形式规范科研活动的各个环节。而科技档案侧重汇总保存科技生产活动中产生的科技文件资料，其职能体现在保存相关科技信息资源并留存记录以备今后查考。

科技报告在理论概念和实践工作层面上的职能定位都与科技档案存在交叉重合。这与国外的科技报告管理工作是有差别的。以美国科技报告制度为例，美国不存在科技档案的概念，而是在国家层面构建了一个覆盖科技档案形成、收集、整理、归档、保管和利用全过程的"科研项目组、科技管理部门及其信息中心、国际技术信息服务局"三位一体的科技报告管理模式。且在 2010 年美国国家档案与文件署（National Archives and Records Administration，NARA）与美国国家技术信息服务局（National Technical Information Service）签订协议，NARA 将备份保存其所有美国政府科技报告的数字记录副本。可见在美国，科技报告已经列入档案管理的工作范畴之中。科技档案的职能定位侧重于"保存"，科技报告的职能定位侧重于"传播"。美国的科技档案工作重视科技资料的成果性，并通过科技报告的形式进行交流与传播，这也是美国科技报告制度的成因。长期以来我国的科技档案管理工作侧重"保存"，存在"重藏轻用"的问题。

基于上述分析与思考，也伴随着近年来科技档案馆日益注重开发馆藏档案资源，科技报告纳入科技档案管理工作职责范畴之中日益成为共识，由此对于科技报告归档管理也就产生了重新定位的思考。

概括地说，科研档案的归档范围具体如下。

（1）研究准备阶段：调研报告、可行性研究报告、课题论证、文献综述，科学基金、科研课题经费申请报告及批件，任务书、协议书、科研合同、委托任务书、会议记录及重要来往文函，科研课题研究计划、课题计划调整或课题撤销文件，实验试验方案、设计方案、调查考察方案。

（2）研究试验阶段：试验任务书、试验大纲，实验、试验、测试的重要原始记录、整理记录及报告，观测、探测、观察记录，野外调查、考察记录和整理记录及综合分析报告，计算文件，计算机软件，检验文件，理论分析文件，设计文件、图样，工艺文件，课题阶段总结。

（3）总结鉴定验收阶段：课题工作总结（含最终完成、阶段完成或中断），研究报告，论文、专著，科研课题经费决算，科研课题成果验收、鉴定、评审文件。

（4）成果奖励申报阶段：科技成果申报表及附件，科技成果奖励申报与审批文件，获奖凭证，专利文件。

（5）推广应用阶段：推广应用方案，技术转让合同、协议书，成果推广应用中形成的技术文件及工作总结，国内外同行评价及用户反馈意见，成果宣传报道文件。

（6）与各阶段有关的文件：专业会议文件，标本、样品目录，照片、影片、幻灯片、录音带、录像带、机读文件等。

依据国家科技报告服务系统的科技报告类型分类，有以下 14 种：奖励报告、结题验收报告、结题验收摘要报告、进展报告、立项报告、年度报告、年度进展报告、验收报告、一般性科技报告、摘要报告、中期报告、中期评估报告、专题报告、最终报告。科技报告由于是描述科研活动过程或结果的文献，可归入科技档案范畴下的科研档案的归档范围之中。由此，将国家科技报告服务系统中 14

个科技报告类型按照科研档案归档范围的五个阶段分类，据此将科技报告纳入科技档案的归档范围之中，拓宽科技档案的概念，修正科技档案归档范围，从而确立科技报告归档管理的新定位。

具体如图 9-1 所示。

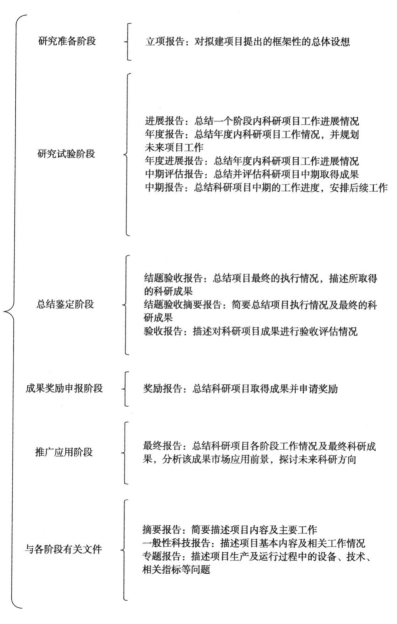

图 9-1　科技报告归档新定位

参考档案管理理论中的文件连续体理论，依托我国科技档案管理体制，建立个人、部门、机构、国家层面的涵盖科技报告形成、收集、整理、归档、保管和利用全过程科技报告多级呈交制度。文件连续体理论呈现了一种从文件形成到文件作为档案保存和利用的管理全过程中连贯一致的管理方式，揭示了文件形成、保存与长久利用一体化管理的理念。通过建立多元素多维度文件有机联系的档案集合，形成从个人、部门、机构、国家层面建立科技报告多级呈交制度。

1. 个人层面

科研项目承担者依据《科学技术报告编写规则》等标准文件规范，完成项目各工作阶段的科技报告撰写工作，并保留相关过程文件；在一定期限内提交科技报告及其过程文件。

2. 部门层面

科研单位在科技生产的过程中监督科研项目承担者，完成科技报告的撰写工作；在项目结项时将科技报告移交到单位内的基层科技档案管理部门之中；基层科技档案管理部门以项目为单位对科技报告进行初步鉴定、分类、编目、登记、统计等必要的加工整理工作，并面向单位提供利用；定期向所属的科技档案馆移交需要长期或永久保存的科技报告，并保留副本。

3. 机构层面

科技档案馆定期接收基层科技档案管理部门提交的科技报告；对接收的科技报告进行进一步的鉴定、整理、保管、检索、编研、统计、开发利用等工作。科技档案馆与科研单位共享科技档案资源，共同对科技报告和科技档案负责，并在其生命周期中承担不同的角色。

4. 国家政策层面

由科技部和国家档案局对科技报告管理体系进行统筹规划，中央和地方各级专业主管机构和各级档案行政管理部门对科技报告管理工作进行统一的领导、监督和检查；各级科技档案馆联合中国科学技术信息研究所将科技报告数字化文件上传至国家科技报告服务系统；中国科学技术信息研究所在承接了全国科技报告的数字化文件之后，定期对各专业科研情况进行总结，形成国家级的专业科技报告，呈交到国家档案馆归档管理，向社会公众开放。

为了保障科技报告多级呈交制度的执行，在规范层面上可参考美国科技报告制度，设立"上及国家级法规政策、部门级规章制度，下至基层单位管理制度"

的政策规范体系。在国家级法规政策层面上，规范科技报告管理制度，以法律形式确立科技报告管理体系；在部门级规章层面上，以国家法规为基础，各级专业主管机构和各级档案行政管理部门对科技报告管理工作的归档范围、密级及保管期限等问题进行规范；在基层单位管理制度层面，各级科技档案馆和科研单位根据实际工作制定本单位科技报告管理细则。

本节经过比较分析，确立了科技报告归档管理的新定位，提出将科技报告纳入科技档案管理工作中的构想，修正了科技报告归档范围，依据来源原则和文件连续体理论建立个人、部门、机构、国家层面的科技报告多级呈交制度。这为今后科技档案管理体制的改革与调整提供了思考方向。

9.2　面向市场的战略性新兴产业信息服务运营模式

商业模式（business model）一词最早出现在 20 世纪 50 年代，伴随着网络经济的崛起在 20 世纪 90 年代被广泛使用和传播，出现的频度极高。但是对于商业模式的理解却千差万别，关于它的定义仍然没有一个公认的版本。目前关于商业模式比较被认可的定义是："为了实现客户价值最大化，把能使企业运行的内外各要素整合起来，形成高效率的具有独特核心竞争力的运行系统，并通过提供产品和服务，达成持续盈利目标的组织设计的整体解决方案。"简单地说，商业模式就是指一个完整的产品、服务和信息流体系，它描述了公司的产品、服务、客户市场以及业务流程。硅谷最著名的风险投资顾问之一罗伯森·斯蒂文曾经形象地解释说："一块钱通过你的公司绕了一圈，变成一块一，商业模式是指这一毛钱在什么地方增加的。"因此，从本质讲，商业模式就是企业如何获得利润维持生存与增长的方法，也就是通常所说的企业赢利模式。

营销模式和商业模式运行是两个既有区别又有联系的概念，最根本的不同在于：商业模式关注的是企业的利润来源、生成过程及产出形式；营销关注的是"如何满足市场需求"，商业模式着眼于"如何盈利，如何获取利润"，营销活动则是一种传达的渠道和吸引用户的方式，营销的成功，虽然会促进销量的增长和市场份额的增长，以及用户关注度的提高，但不一定导致利润的增长，甚至可能因为营销成本的加大，而导致利润的减少。因此，在设计和实施商业模式的过程中，应该认识到产品/服务是基础，营销只是过程，盈利才是商业模式的根本，这也是营销模式和商业模式最为本质的区别。

面向战略性新兴产业领域的信息服务和信息咨询，如果不进入市场领域去接受考验是无法真正发挥其作用和价值的。应该认识到对于商业运作模式的思考是为了最大限度地传播信息资源以及信息服务，将服务和资源传递到用户手中，从而使图书馆等信息服务机构获得更好的评价和更好的声誉以及更大的生存和发展空间。如果把图书馆、情报所和科研院所信息中心的信息资源看作知识产品及其服务，把图书馆、情报所和信息中心服务的群体看作客户，那么在某种意义上可以认为，图书馆的运作与商业运作具有一定的相似处。那么，为什么不能将商业运作模式借鉴入图书馆、情报所和科研院所信息中心的信息服务运营中去呢？借鉴商业模式，图书馆、情报所和信息中心就有可能既在经济上实现"产业化"，又在知识共享上实现"事业化"，在促进知识的传递、服务和共享职能的同时，获取一定的经济利益来补足经费的短缺。

当然将商业模式引入到图书馆的运行体制中，并不代表图书馆、情报所和科研院所信息中心即将成为一个商业机构，而是更多地侧重于商业运作模式给图书馆、情报所和科研院所信息中心的基本功能以及推动区域性知识共享和创新所带来的影响。图书馆、情报所和科研院所信息中心终究还是属于事业单位，借鉴商业运作模式是为了改革体制和观念，是为了简化用户对信息的获取过程，消除用户获取信息和知识时所遇到的困难和障碍，激发用户的兴趣。因此，探讨以高校图书馆、科研院所信息中心为代表的我国信息资源保障机构如何在服务战略性新兴产业的过程中调整战略定位和运营模式，具有现实意义和理论价值。作为信息资源建设、保障和服务咨询机构，其运营机制既非传统意义上的学术研究机构，亦非通常意义上的信息服务公司。其服务宗旨是公益性和学术性的，但在机构运营方面则与咨询顾问公司存在交叉，具有企业管理和商业运营的特征，故可借鉴商业模式构成要素为智库的战略定位和运营模式提供参考。

9.2.1　主流商业运营模式

自 20 世纪以来，学者们从各自学术领域出发对商业模式要素进行了多角度阐释，提出了四构面模型、九要素模型、交易组合模型等一系列商业模式（孙萌，2019）。

（1）四构面模型。包括四大构面（核心战略、战略资源、客户界面、价值网络）、三大桥梁（资源配置、客户价值、企业边界）和四大支撑因素（效率、独特性、一致性、利润推动器），如图 9-2 所示。其中，四大构面为企业运营的重要考虑对象，三大桥梁是构面联结因素，检验构面间是否充分联结以发挥绩效，四大支撑因素则用于衡量商业模式是否具有利润潜力和竞争优势。

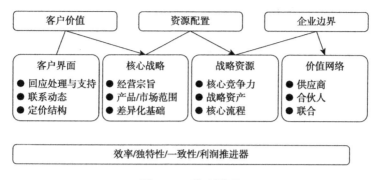

图 9-2　四构面模型

（2）九要素模型。Osterwalder 和 Pigneur（2004）提出商业模式是由多达九种基本要素构成。九要素模型完整地反映了企业的战略定位、运营过程和利润来源，具有较强的可操作性，得到学术界的广泛认可。

（3）交易组合模型。Amit（2012）将其描述为企业如何同顾客、合作伙伴和供应商"做生意"的经营活动体系，如图 9-3 所示。定义聚焦于：怎样做生意、用整体的视角审视做生意并强调商业模式参与者的价值创造。该模型优势在于清晰反映商业活动中企业与各利益相关者的关系，但欠缺对价值主张的系统思考，因此难以投入实践。

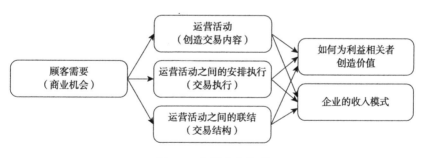

图 9-3　交易组合模型

9.2.2　九要素模式的内涵分析

九要素模式是由瑞士学者亚历山大·奥斯特瓦德博士和比利时学者伊夫·皮尼厄博士于 2004 年提出的。九要素模式被广泛应用于各行业。该模式由核心资源、关键业务、功能选择、渠道通路、重要合作、客户细分、客户关系、成本结构和收入来源等九个模块构成，核心功能的选择体现了价值主张。覆盖商业运营的四个方面，即客户、产品/服务、基础设施及财务，已在世界范围内得到广泛应用和验证，并在众多企业中得到推广。如图 9-4 所示，这九个模块是主导商业运营最主要的九个要素。它们相互作用，相辅相成，每一个模块变化都会带动其他模块的发展变化，对整体模块框架产生影响。

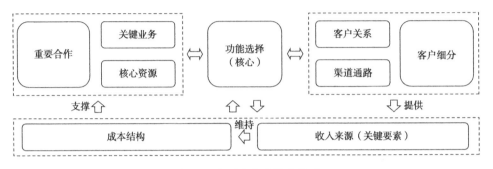

图 9-4　九要素商业模式关系

九要素模式理论中的九个模块基本涵盖高质量的信息服务业务开展所需的物质基础、成本、伙伴、收入等硬性因素以及价值、关系、需求等软性因素，能够全面考量和客观描述机构的运营状况以及未来的发展方向。其中最为重要的是以下方面。

（1）价值主张：决定机构提供何种价值的产品或服务，满足客户何种需求。

（2）关键业务：机构从事的最重要的商业活动。

（3）核心资源：机构运营所必需的资源，包含基础设施、人力资源、金融资产等。

（4）重要合作：通过寻找合作伙伴提高机构的市场竞争力。

（5）客户关系：机构与不同客户群体建立的不同关系，如合作共生关系、间接服务关系等。

（6）客户细分：将客户按需求、共性等角度划分不同类型，形成多元化客户细分群体和产品市场。

虽然九要素模式主要针对商业机构设计，但对公共事业单位、慈善机构以及非营利性机构亦同样适用。商业机构的营利性决定其价值主张是生产满足特定消费群体的产品或提供某种服务以达到获得经济效益的目标。而公共事业单位、非营利性机构虽不以营利为目的，但其通过开展服务活动，满足某个用户群体的需求产生社会效应，达成促进社会发展的目的，与商业机构存在一致性。与此同时，为保障正常运营，进而需要价值、业务、资源、伙伴、财务、用户群体以及渠道通路等要素的参与。因此，高校图书馆、情报所、科研院所信息中心虽为非营利机构，但其运营同样适用商业模式。

9.2.3　信息服务运营九维度模型

高校图书馆、情报所、科研院所信息中心的信息服务具有非营利性和公益性，并非依靠收入产生的现金流维持机构运作。但是高校图书馆需要有持续不断的资金供应才能生存和发展，因此，本节中将"收入来源"要素名称延展为"资金来源"。

（1）战略定位维度一：服务对象/功能选择矩阵的作用在于明确高校智库向谁提供思想产品并实现怎样的功能，即商业模式九要素中"客户细分"的核心内涵。故在本节中商业模式"客户细分"要素被延展为"服务对象"和"功能选择"两个自变量。

（2）战略定位维度二：研究领域/研究地域矩阵的作用在于解决服务对象的难题或满足服务对象的需求，即商业模式九要素中"功能选择（价值主张）"的核心内涵。本节对"核心功能选择"进行拆分，将其核心内涵延展为"研究领域"和"研究地域"两个自变量。

在商业模式中，"关键业务""客户关系""渠道通路"以及"重要合作"构成要素均需要重新定义要素内涵及要素表征。本节弃用"关键业务"和"客户关系"要素，对"重要合作"和"渠道通路"要素进行内涵转换。将"重要合作"要素转换为"战略合作"，其概念内涵在于通过寻找合适的战略合作伙伴，实现资源共享以达到互相学习、共同进步的目的，而非强强联合提高市场竞争力；将"渠道通路"要素转换为"关键活动"，其概念内涵在于借用企业价值链理论，将信息服务的关键活动分为研究成果和产品运营两部分，紧扣信息服务产品发挥效用的载体和渠道。

①渠道通路：包括产品的宣传、销售以及售后等与客户产生联系的渠道、途径。

②成本结构：业务运营与资源建设所需的资金结构。

③收入来源：用于分析从客户群体获得的经济利润。

基于对商业理论九要素模型的辩证继承，取商业模式九要素科学合理部分以契合高校图书馆、情报所、科研院所信息中心等信息资源建设和保障机构的自身属性。提出面向战略性新兴产业服务九维度关系模型，如图 9-5 所示。

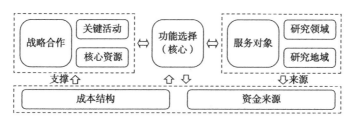

图 9-5　面向战略性新兴产业服务九维度关系模型

1. 研究领域

从社会问题发生的领域划分，可分为经济性社会问题、政治性社会问题、文化性社会问题、教育性社会问题、生态性社会问题、国际性社会问题等研究领域，本节根据研究领域的客观存在将研究领域归纳统一为如下七类：经济、政治、文化、科技、社会、生态和国际问题。

2. 资金来源

尽管高校图书馆、科研院所信息服务中心不以营利为目的，但机构自身发展需要持续不断的资金供应以维持运营。为此，结合高校图书馆和科研院所信息服务中心的服务对象及其未来发展方向，可以将此类非营利性的信息服务机构的资金来源概括为社会、基金会、政府部门、企业、国际组织等渠道。

3. 核心资源

核心资源是高校图书馆和科研院所信息服务中心开展关键活动的基础，除必需的人力资源外，还有保障信息服务和咨询质量的建设模式以及提升自身影响力的品牌策略两方面内容。建设模式由信息资源库、研究方法、大数据分析和交叉研究四部分构成。品牌资源由核心价值、核心信息、品牌个性和品牌标识构成，核心价值是高质量信息服务立身基础，是信息传播的支柱。核心信息即为传播的关键信息，具有权威可信度，品牌个性即为传播信息的总体语调和态度，而品牌标识是传播品牌信息和品牌个性的执行工具，包括色彩、字体、版面设计等。

4. 关键活动

关键活动是高校图书馆和科研院所信息服务中心输出信息服务和信息产品、与外界保持交流的重要途径，包括信息产品和产品运营两个方面内容。其中，信息产品包括提供图书、期刊、研究报告、专题数据库等信息资源，以及建立在资源之上的信息咨询服务。产品运营主要指图书馆和科研院所信息服务中心与外界沟通的渠道和方式，产品运营方式主要包括但不拘泥于学术会议、交流采访、学术讲座、媒体传播等方式。

5. 战略合作

任何图书馆和科研院所信息服务中心都不可能拥有所需的全部资源，需要通过合作实现资源共建共享，实现图书馆和科研院所信息服务中心优质资源整合，服务能力整体提升。高校图书馆和科研院所信息服务中心的战略合作伙伴包括学术研究机构、企业、非营利组织、政府部门、国际组织等类型。

6. 成本结构

商业模式中企业的成本结构有成本驱动和价值驱动两种类型，两种成本结构同样适用于高校图书馆和科研院所信息服务中心的成本结构组成方式。

由此，本节提出从资金来源、核心资源（包括人力资源架构、研究模式和品牌战略三要素）、关键活动（包括研究成果、产品运营两个要素）和战略合作四个维度开展高校图书馆与科研院所信息服务中心运营模式研究，如图 9-6 所示。

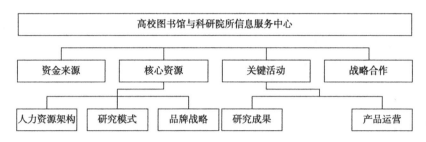

图 9-6　高校图书馆与科研院所信息服务运营模式研究框架

其他三要素如服务对象、研究地域、核心功能选择因与服务机构的定位以及其服务对象的具体化情境紧密相关，需要具体情况具体分析，故不作深入讨论。

9.3　非营利性信息服务机构可持续发展路径

目前我国的信息咨询和信息服务市场还十分不完善，既缺乏准确的市场定位，整个行业管理薄弱，市场主动性较差，也很少涉及企业战略、信息决策等较高等级的咨询业务，专业化、功能化和产业化程度欠缺。有别于营利性的信息服务机构，高校图书馆、情报所、科研院所信息服务中心作为事业单位从事面向战略性新兴产业的信息服务工作，要想真正面向用户的现实需求，就不可能不考虑市场化问题，如果没有利润的保障，信息服务机构的正常运行是不可持续的。我国高校在信息咨询服务中虽也涌现出了一些佼佼者，但大多数高校的咨询机构或因规模小而形不成研究实力，或是咨询业务范围过窄、咨询人才短缺，难以承担大型研究项目。面对市场的驱动，非营利组织逐步介入营利领域，商业运作的形式日趋多样。大多数国家在立法上越来越重视对非营利组织（non-profit organization，NPO）所得收入的管理和规范，倾向于给非营利组织更多的选择发展空间。

非营利组织区别于商业组织的基本特征——"非营利"应体现在以下三方面（张烨等，2015）：①不以营利为目的，即 NPO 不以获取利润为组织的根本宗旨；②不能进行利润分配，即 NPO 允许从事一定形式的经营活动赚取利润，只是盈余收入不能在成员间进行分红或利润分配;③不得将组织资产转为私人资产,即 NPO 的资产是一定意义上的"公益或互益资产",属于社会,不归组织经营者所有。由此看来,非营利组织完全可以开展一定形式的经营性活动及产生利润,只要该活动遵循"非营利"的原则,而不是受利润驱动,以营利为目的。事实上,联机计算机图书馆中心(OCLC)的经营就很好地体现了 NPO 的特点和要求。OCLC 始建于 1967 年 7 月 5 日,原名俄亥俄大学图书馆中心,1981 年改名为 OCLC。最初是由俄亥俄州 54 所大学图书馆组成的州内图书馆协作网,今天已经发展成为世界上最大的图书馆网络,其中编目服务是 OCLC 全部服务的核心。WorldCat 是 OCLC 联机联合编目数据库,原称 OCLC 联机联合目录,1996 年改名为现名。WorldCat 是世界范围图书馆和其他资料的 OCLC 联合编目库,同时是世界最大的联机数目数据库。目前可以搜索 112 个国家的图书馆。它是一个全球统一目录,是世界上有关书目信息最大和最丰富的数据库,2008 年 11 月 4 日 OCLC 公布 OCLC-WorldCat 使用及转让政策(OCLC Policy for Use and Transfer of WorldCat Records)。根据这一政策,如果是出于非商业的目的,OCLC 成员及非成员机构均可免费使用 WorldCat 数据库中的任何数据记录,而商业目的的使用,则需要获得 OCLC 的授权。

OCLC 的会员制度是其协作精神的具体表现。会员馆即那些承诺将其采购的所有西文书通过 OCLC 编目系统进行编目的图书馆。会员馆通过选举会员委员会(Members Council)的代表来行使监管 OCLC 的权力,会员委员会由 OCLC 会员图书馆选出的 60 位代表组成。60 位代表来自各类型的会员图书馆,代表着自己图书馆所在区域的会员馆的利益,任期 3 年。通过这一机制,OCLC 会员馆从宏观上对 OCLC 的各项决策,包括章程的制定、经营策略以及发展方向等进行监管。会员委员会选举产生 OCLC 理事会,OCLC 理事会是监管 OCLC 的最高权力机构,包括 15 位成员。理事会的大多数成员来自图书馆或与图书馆有关的行业,这就保证了会员图书馆在监管机制中能够起到主导作用。相应地,OCLC 也听取会员图书馆的意见和建议,以了解和把握图书馆的需求,从而开发更多的信息产品,提供更好的服务项目。

OCLC 获得成功的另一个因素是它的非营利性质。根据《美国联邦税务法》501 条款,非营利组织可获得联邦所得税的豁免和享受税务法规定的其他优惠待遇。此外,还可享受州和市的所得税、地产税、销售税、使用税和其他税务的豁免。OCLC 作为非营利组织,在市场开拓和发展上占尽优势。与此相对应,由于非营利机构收入的盈余一般不得超过总收入的 25%,因此,OCLC 也对图书馆信息市场的价格起到了积极的调节作用。OCLC 的服务内容包括两部分,一是软件销售,通过为实体图书馆和数字图书馆提供方便、高效、快捷、便于用户使用的工具软件,来达到实现产品价值的目的;二是提供联机数据库服务,主要包括合作编目、馆际互借、馆藏采集、参考咨询四个方面。OCLC 提供的各种服务，在用户中获得了极好的声誉，如 First Search 服务，在方便用户检索的同时，也满足了用户的潜在需求，广受好评。对于非营利机构而言，并不是说不能"盈利"，而是法律不允许将收入的剩余部分在私人之中分配，而必须将这部分收入投入再生产或捐助公益项目。OCLC 的经营和运作正体现了这一点。例如，OCLC 开发并不断改进 First Search 服务，使其成为世界上用户最多、使用量最大的信息查询服务；OCLC 研究制定了 DC 都柏林元数据标准，开发了"合作网络资源编目计划"（cooperative online resource catalog），对互联网资源进行编目；OCLC 与美国国会图书馆正协同研制开发"协作数字参考服务"（collaborative digital reference service），以提高图书馆参考咨询服务的效率。OCLC 在给会员馆的津贴及合作项目的赞助上，也作出了大量投入，包括赞助"合作网络资源编目计划""美国报纸计划"和"WorldCat 子集"等项目。此外还资助大学图书馆学专业的教学科研，赞助图书馆界的各类学术研讨会等。建立于 1999 年的 IFLA/OCLC 基金，由 IFLA、OCLC 和美国教会图书馆协会（American Theological Library Association）发起成立，旨在为发展中国家的图书馆和信息科学专业人员职业生涯发展和继续教育提供资助。OCLC 的所作所为不仅扩大了自己的影响，增强了竞争的能力，而且密切了与图书馆和用户的关系，在推动图书馆的业务发展和管理现代化上功不可没。OCLC 的模式和经验值得学习和模仿（袁曦临和刘利，2013）。

9.3.1　无形学院的运行特点

著名科学史学家普赖斯 1963 年在《小科学·大科学》一书中，提出学术共同体内存在两种群体，一种是通过正式的学科建制组织起来的院系，即有形学院。例如，朱丽·汤普森·克莱恩（Julie Thompson Klein）在《跨越边界：知识 学科 学科互涉》中所指出的（克莱恩，2005），大学院系是一种发展专门化知识的社会建制，专业教学、研究人员及管理人员等汇集在一起，从而确立学科的地缘版图。另一种是通过信息交流网络建立起来的非正式的、非组织化的学术群体，即无形学院（invisible college）。无形学院可以被认为是一种组织松散、无形式上约束，却具有强烈学术凝聚力的学术群体。其前身可追溯到 17 世纪的英国皇家学会，最初只是一种科学家定时定点的聚会形式，除了聚会，成员间还经常通过书信，交流彼此的研究进展。普赖斯所定义的"无形学院"，是一种没有严格管理机制和不构成体系的组织结构，普赖斯发现，与正式的学院建制相比无形学院有其鲜明特点，表现为：

（1）无形学院的成员通常有一致的关注问题或共同的研究兴趣，有探究和讨论的动力；能够有效跨越学科边界，促进成员间的交流和合作。

（2）无形学院的成员大多隶属不同研究领域与不同机构，对于无形学院的成员而言，信息有效流通的重要性大于组织结构和管理机制的明确性。

（3）无形学院的组织结构形式松散，成员人数不固定，发生在无形学院内的知识分享和知识交流，实际上扮演了推动研究发展的凝聚力和纽带角色。

与科层制的有形学院相比，无形学院的成员不以地理上的接近和所属的地位为基础，而更多由于它们对一组问题的特定研究路线有共同的信奉而聚在一起。黛安娜·克兰在其著作《无形学院》中指出（克兰，1988），正是这种交流把许多合作者群体联系在一起，研究者之间形成的交流网络才是无形学院的本质。无形学院中学者的"跨界"交流，实质上正是知识和思想的融合，它使每个人的知识成为公共学术资源。黛安娜·克兰进一步指出，在无形学院中知识增长既是社会过程也是认识过程，社会互动加速思想的传播和扩散，从而使得该研究领域的知识积累增长成为可能，同时，研究者之间的联系有助于其自身知识的累积性增长。随着互联网的发展，不同地域不同领域的学者凭借社交媒体，不仅完成知识分享，也进行广泛的信息交流、情感分享、文化传播，甚至身份认同建构。

无形学院的特点在一定程度上提供了非营利性的信息服务机构与组织进行市场化服务和运营的思路。无形学院提供了打通校园内容信息交流、传播以及知识分享与创造的组织结构和模式。事实上这一模式在智库的建设和发展中既起到重要的作用，也产生了良好的影响，被认为是一种有参考意义的途径。

9.3.2 无形学院的建设逻辑

无形学院在地理上可以是分散的研究者集簇，研究者们出于对某些问题或项目的共同关注和研究兴趣构建交流网络。因此，现代图书馆与科研院所信息服务的组织结构应该是一种"网络平行组织"，而不应是一个个孤立的知识"孤岛"或"谷仓"。如何整合资源，将无形学院的知识交流互动与身份认同建构等理念，落实到高校智库的具体建设中，创新智库研究人员的合作模式，形成有利于协同创新和解决国家重大需求的长效机制，是高校图书馆与科研院所信息服务建设和发展的重要任务。具体来说，就是如何实现校园内外、院系内外研究人员的信息流通、知识交互以及协同合作，并解决此过程中涉及的资源配置、任务分配、利益分享和效率评估等复杂问题。

在知识管理领域，野中郁次郎（Nonaka）等学者也提出了"场"（ba）概念，认为场是知识创造、共享、活动所共有的环境，既可以是物质的，如办公室、实验室；也可以是虚拟的，如学术社区、数据平台等；甚至是精神层面的，如学术信仰和政治共识等；抑或是上述这几种的组合。总之，场提供了一种共享空间来促进个人或集体知识的交流；野中郁次郎对场进行了分类命名：始发场、对话场、系统化场和练习场。始发场即个人共享经验、感情、情绪与心智模式的地方；对话场是集体内部的面对面交互；系统化场是集体凝聚的显性知识的呈现；而练习场是个体之间的虚拟性交互。

依据"知识场"理论，高校图书馆与科研院所信息服务中心不仅是知识生产、知识传播的重要场所，也是知识转化和知识服务的基地。以高校图书馆与科研院所信息服务的研究人员、院系、研究内容、交流平台为核心，可以形成知识源发场（包含个人和集体）、知识实验场与知识互动网络场；这三层知识场构成一个完整的有机整体，贯穿其中的是知识流，共同为战略性新兴产业提供服务，如图 9-7 所示。

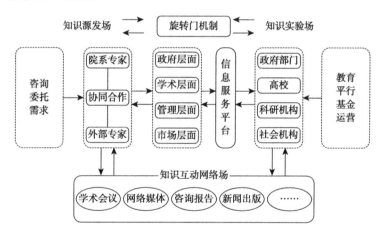

图 9-7　高校信息服务平台多主体组织管理模型

图书馆与科研院所信息服务平台的职能是使研究成果既有学术价值和理论价值，又有政策价值和实践价值。著名的芝加哥大学综合社会调查项目（General Social Survey，GSS），就组织结构而言，GSS 的理事会和大会成员广泛分布于各个大学和研究机构。GSS 的理事会分管财政预算、决策、行政等方面。GSS 的网站除了提供原始调查数据外，还提供与数据集相关的出版物，诸如引用 GSS 数据集的书目、年报、书籍、历年调查问卷等。

高校图书馆与科研院所信息服务的可持续发展，如果缺乏确定的资本支持是难以为继的，特别是涉及多机构、跨部门、跨领域的智库无形学院，采用既有的学院管理、研究中心或高校图书馆与院系信息服务中心管理模式都存在不同程度的障碍，无法解决专职和非专职的聘用问题以及相关的成果推广与营销等问题。

针对这一问题，在上述多主体组织结构模型架构中，提出采用教育基金会的运营模式，也许是较为恰当的选择，而且已有成功的案例可循。耶鲁捐赠基金是全球最成功的学校捐赠基金，以 20.2%的投资回报率领跑全球高校基金，被称为"耶鲁模式"。在我国，教育基金会起步较晚，我国法律将教育基金会定位为纯公益性质，因此照搬欧美大学的投资管理模式显然不符合国情，但在一定层面采取"平行基金"的运营思路具有现实可行性。

平行基金由两部分构成，其一为公益性基金，另一为商业性基金，公益性基金与商业性基金平行运行。商业性基金的盈利来自投资收益，采用国际通行的私募股权基金（private equity fund）管理模式，管理公司分享基金收益的20%。管理公司由公益性基金主导设立，其获得的 20%的业绩报酬捐赠给公益性基金，补充公益性基金的资金来源。公益性和商业性基金在法律上各自独立，平行存在。不难看出，高校图书馆与科研院所信息服务中心参照教育基金会的平行基金模式是具有可行性的，一旦图书馆与科研院所信息服务委托研究项目确定，即可向公益性和商业性基金同时推荐项目，申请所需投资的款额。投资之后，管理公司直接参与所投项目的运作及管理，帮助其成长。采用平行基金运行模式，能够解决高校图书馆与科研院所信息服务中心的生存和可持续发展问题。该模型有助于解决高校图书馆与科研院所信息服务中心的跨领域合作、跨学科研究和可持续发展问题。

9.3.3 罗马俱乐部的成功经验及启示

本节选取著名智库罗马俱乐部的信息咨询作为研究案例，拟基于个案经验及可复制性，探讨在中观层面、宏观层面上的新兴产业信息资源建设和信息咨询服务的基础和前提条件（戴琦和袁曦临，2019）。1968 年意大利经济学家奥雷利奥·佩切伊（Aurelio Peccei）邀请来自 10 个国家，污染、资源、农业、人口、管理、资本甚至政治等不同领域的学者，共同讨论如何面对"人类的困境"，随即成立了自称为无形学院的罗马俱乐部。

1970 年罗马俱乐部以麻省理工学院杰伊·福雷斯特（Jay W. Forrester）教授开发的 World3 模型为基础，开始考察一些可能限制人类增长的相关因素，1972 年发表《增长的极限》。20 世纪 90 年代初又增补近 20 年的数据，再次利用 World3 模型进行分析并出版了《超越极限》，研究支持并加强了 20 年前的结论（梅多斯等，2001）；2002 年出版《增长的极限：30 年后的更新》，尝试用模型和场景去分析和量化人类生活的自然限度。2008 年澳大利亚的格雷厄姆·特纳（Graham Turner）比较了报告中的预测和现实数据，发现 1970~2000 年的历史数据吻合了模型在"标准运行"场景下的同期预测；结果预警地球正在接近人类行星所能承受的界限，全球系统有中途崩溃的危险。根据罗马俱乐部 1972 至 2017 年的 43 篇研究报告简介，抽取研究关键词，见表 9-2。罗马俱乐部关注的总体方向主要是将当今世界问题分为五大方面——全球化、国家发展、社会转型、和平与安全、环境与资源，全都是有关全球治理的现实问题，体现出了极强的问题意识和前瞻性眼光。

表 9-2　罗马俱乐部历年研究报告关键词表（1972~2017 年）

出版年份	报告名称	关键词
2017	Come On	人口增长、可持续发展
2017	The Seneca Effect	经济危机、粮食危机、人口增长、资源枯竭、气候变化
2016	Reinventing Prosperity	失业、不平等、环境破坏
2015	To Choose Our Future	贫穷、饥饿、可持续发展
2015	On the Edge	热带雨林、森林保护
2015	Change the story，Change the Future	不平等、环境破坏、地球生命
2014	Extracted	矿产资源消耗、矿业污染、气候变化
2012	2052-A Global Forecast for the Next Forty Years	经济发展、能源供应、气候变化、食品、人口、收入、政治分歧
2012	Bankrupting Nature	资源消耗、经济增长、人口增长、可持续发展
2010	Factor Five	资源消耗、经济增长、气候变化
2010	The Blue Economy	生态系统、经济增长、可持续发展
2006	Global Population Blow-up and After	人口增长
2005	The Future of People with Disability in the World	残疾人、人的尊严和生活质量
2005	Limits to Privatization	私有化、国家权力、公民社会
2003	The Double Helix of Learning and Work	教育、就业
2002	The Art of Interconnected Thinking	失业、环境变化、经济危机、武装冲突、思维方式
2001	The Capacity to Govern	政府治理、民主
2000	Menschlichkeit Gewinnt	现代管理技术、社会政治关系
1998	La Red	网络、媒体、教育、医药、经济、人类文明
1998	The Oceanic Circle	海洋治理、生物保护
1998	The Limits to Social Cohesion	规范性冲突、社会凝聚力
1998	Factor Four	资源生产力、经济增长、可持续发展
1996	The Employment Dilemma and the Future of Work	就业、社会保障

续表

出版年份	报告名称	关键词
1995	Taking Nature into Account	经济政策、自然资源退化、环境恶化
1995	The Scandal and the Shame	贫穷、贫富差距、饥饿、人类福祉
1991	The First Global Revolution	世界需要、发达国家与发展中国家、气候变暖
1989	Africa Beyond Famine	粮食危机
1989	Beyond the Limits to Growth	世界问题、有机增长、可持续发展、环境退化、资源枯竭
1988	The Barefoot Revolution	经济发展战略
1986	The Future of the Oceans	海洋未来
1984	Le Tiers Monde Peut Se Nourrir	饥饿
1982	Microelectronics and Society	微电子、社会信息处理
1980	Dialogue on Wealth and Welfare	国际经济秩序、工业化国家、发展中国家
1980	Towards More Effective Societies	现代经济思想、世界财富与福利
1980	Tiers-Monde：Trois Quarts Du Monde	第三世界、贫穷、饥饿、战争、能源危机
1979	No Limits to Learning	能源、军备竞赛、文化认同、教育、人的潜力
1979	Energy：the Countdown	能源短缺、石油、经济危机、政治问题
1978	Beyond the Age of Waste	资源枯竭、能源需求、食品、气候
1977	Goals for Mankind	经济增长、经济问题
1976	Reshaping the International Order	国际秩序、经济增长、分配、福利
1975	Mankind at the Turning Point	世界问题
1972	The Limits to Growth	人口增长、资源枯竭、工农业生产、污染、经济增长

　　罗马俱乐部自 1968 年成立距今已有 50 多年, 其中以 1972 年发布的第一篇经典报告《增长的极限》最负盛名, 也最具代表性。《增长的极限》一发行就吸引了全世界的关注, 在多数人眼中,《增长的极限》就是罗马俱乐部的缩影。《增长的极限》通过设置国际环保议题, 运用系统动力学建模的方法, 模拟了未来世界发展的 12 种可能, 在大多数场景中, 模拟结果都显示, 如果人类不对自己的贪婪欲望和增长速度加以约束, 最终的崩溃是不可避免的, 而只有降低增长速度, 人类社会才有可能实现长期的可持续的发展。

　　从图 9-8 中可以看出, 1972 年至 2018 年施引文献主要集中在三个时期: 1972~1985 年、1993~2008 年、2009~2017 年。第一个时期 1972 年《增长的极限》刚刚问世, 1973 年爆发的石油危机恰好验证了书中的预言。二三两个时期相连贯, 这两个时期文献量之和约占总文献量的 80%, 尤其是第三时期, 文献量成倍增长, 2017 年突破了以往每年的文献量, 达 176 篇, 仅 2018 年两个月就发文 33 篇。这表明, 在经历了人口的几何增长、经济危机、资源短缺和环境恶化的窘境后, 人

们的环境保护意识逐渐增强，又重新拾起这本曾经的经典读物，以新的态度应对
生态环境恶化带来的挑战。

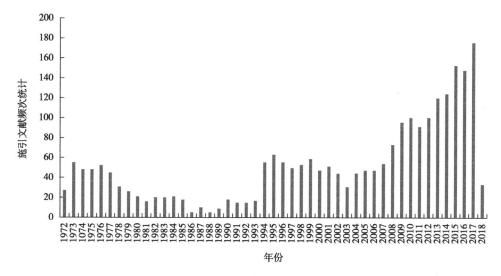

图 9-8　1972~2018 年 WOK 数据库《增长的极限》施引文献频次统计

　　就《增长的极限》研究报告而言，如果将其放在全球重大决策以及国际背
景之下审视，更能看出其咨询成果对于国际局势和国际决策的深刻影响。本节
仅以环境领域的国际发展态势为例来揭示《增长的极限》的影响力产生和作用
的过程。

　　图 9-9 中标注了自 1972 年到 2018 年规模较大的全球环境会议，从联合国组
织的讨论当代环境问题的第一次国际会议到 2016 年《巴黎协定》的签署。从国际
会议的召开频率来看，1972 年瑞典斯德哥尔摩举行了深具影响的联合国人类环境
会议，1992 年召开了具有同等规模的联合国环境与发展会议。进入 21 世纪以来，
国际会议的召开频次显著提高，气候变化大会成为主流。对照一下《增长的极限》
的被引用情况，可以发现这两者在重要的节点上有着高度的重合。《增长的极限》
的出版与第一届联合国人类环境会议召开都是 1972 年，该书自 20 世纪 70 年代面
世以来，经历了 70 年代的被引增长后，在 80 年代进入停滞期，至 90 年代开始恢
复增长，21 世纪达到被引数量的高峰。仔细对照发现，图 9-9 中每一次国际会议
召开的当年或召开后的一两年都伴随着施引文献数量的增长，这一现象在 1992
年联合国环境与发展会议、2009 年哥本哈根世界气候大会、2015 年巴黎气候变化
大会这三次会议前后最为明显。因此，可以认为全球环境会议的变化趋势与《增
长的极限》的施引文献的波动趋势高度吻合，在全球背景下文献量的增长区间与
国际环境会议频次的增长区间是一致的，文献量的增长节点与国际环境会议的召

开时间也几乎是对应的。虽然不能武断地认为《增长的极限》影响了国际决策，但至少能够在一定层面证明这两者具有相互影响。

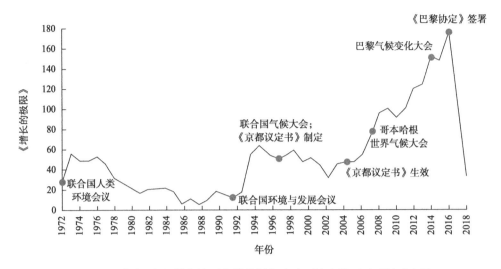

图 9-9　《增长的极限》施引文献数量与全球环境会议召开时间对应图

回到中国的社会语境中，进入 21 世纪以来科学发展观、可持续发展、循环经济、生态文明等中国本土概念被陆续提出，中国不仅日益关注国内的生态文明建设和环境及污染整治，也开始参与解决全球环境治理问题，因此，《增长的极限》受到日益增多的关注和重视，这一点从图 9-10 中不难看出。《增长的极限》无疑为国内环境及经济可持续发展的决策及生态文明各项倡导倡议、方案路径提供了重要的理论支撑。

图 9-10　CNKI《增长的极限》施引文献关键词共现图

由此可见，《增长的极限》在半个世纪中产生了持续的影响力，这种影响不仅体现在学术研究领域，也反映在国际与各国的政府决策中。回顾《增长的极限》备受关注的原因，除了其研究内容本身经得起时间考验之外，其话题性或者说议题设置的前沿性、世界性、持久性和预见性无疑是最重要的原因。

作为开山之作，《增长的极限》不仅明确了罗马俱乐部的角色和功能定位，而且提高了罗马俱乐部的国际话语权和世界影响力。《增长的极限》完美体现了罗马俱乐部的战略定位和议题设置风格：关乎人类、世界性的社会议题、等待解决的长期问题。罗马俱乐部其后的报告同样秉承这样的议题设置原则，以人口、资源、环境、粮食、教育、贫困等国际性问题为主题，涉及人类即将面临的困境。因此，尽管罗马俱乐部没有太多的政府和国际支持，但其议题设置赋予了它先天优势，塑造了它一以贯之的自身定位和全球视野。《增长的极限》1972 年发布，出版当年即被译成 34 种语言，在全世界行销 500 万册。此后，罗马俱乐部不断更新系列报告，诸如：《超越极限》《增长的极限：30 年后的更新》《2052：未来40 年全球预测新报告》等。罗马俱乐部以特定领域的问题为导向，最终实现专题研究的点、线、面的全方位拓展。

综上，符合中国国情的，面向战略性新兴产业的信息服务机构，其战略定位及运营模式应着力在以下几方面。

1. 适应新时代：服务中国发展，关注全球格局

从服务对象上来看，保证政府部门的战略决策需求的同时，应进一步深化和拓展社会大众、企业行业及研究机构对于决策的需求。从功能选择上来看，要在为党和政府提供决策支持的同时，进一步强化舆论引导作用，以推动国家治理体系和治理能力现代化建设。在研究地域上，既要立足于本国具体国情和实际，又要着眼于全球战略。

2. 承担新使命：对接国家战略，打造特色网络

结合高校优势和特色，统筹规划高校各类科研机构、人才团队和项目设置，凝练服务与建设的主攻方向，力求在关键领域、关键环节以及亟待解决的问题上取得重大突破。尤其要注重把服务决策和服务社会大众结合起来，在决策机构和政策受众之间搭建桥梁，成为决策方案优化、决策质量提升、政策举措落地的重要推动力量。

3. 探索新机制：倡导合作共建，开展协同创新

按照总体设计、点面结合、突出重点、分类实施的原则，创新体制机制，整合优质资源，带动高校社会服务能力的整体提升。战略性新兴产业的发展方向和主题均涉及多领域的协同合作，因此需要通过合作共建、协同创新来不断整合各

方优势力量，以此保证研究成果和服务内容的科学性、全面性和客观性。为此，信息服务机构的建设运营应进一步加强与政府、媒体、企业和学界的对话沟通，形成一套"开放、流动、联合、共赢"的科研协同创新模式和组织创新体系，构建符合中国国情和适应战略性新兴产业发展的创新体制机制。要以机构建设为重点，培育建设一批具有集成优势的新型信息服务机构。要以项目为抓手，改革科研项目管理，提高应用研究项目质量。要以成果转化平台为基础，拓展转化渠道，搭建高端发布平台。同时，要注重通过媒体、报纸、期刊等媒介，通过媒体引导舆论，充分发挥信息服务机构的社会价值。

第10章　战略性新兴产业信息资源质量全评价研究

近年，我国相继建设了一定规模的科技网站，形成了各具特点与优势的信息资源群，为产业发展提供了较好的信息保障。但由于资源建设单位各自为政，缺乏协调，重复建设在所难免。这些网站信息或新闻大多相互转载，网站信息质量难以判断，面临着用户利用率低、信息服务满意度有待提高等问题。因此，网站评价显得尤为重要。本章专门研究科技主题网站学术资源，构建其评价模型，评价结果可为科技研究提供更具针对性的信息服务。在构建评价模型的基础上，实证研究以医药生物技术网站作为评价实例。医药生物技术产业属于国家战略性新兴产业，分析我国生物医药网站提供的关键信息内容，使其充分满足产业信息需求，实现资源对产业的充分保障，利用效率达到最高是生物医药信息资源建设的宗旨。

本章主要内容包括：从内容与效用角度建立基于用户的结构方程评价模型和从形式角度构建的评价模型。实证部分以医药生物技术网站为例，对精选出的七家医药生物技术网站的信息质量进行实证评价：筛选所学专业或从事领域为医学、药学和生物技术的样本对七家网站进行内容与效用评价。按照形式评价指标体系，获得七家网站文献计量学指标数据，完成形式评价。将两项评价结果加权综合，得到最终七家网站的全评价结果。并利用权威网站评价排名验证评价结果，分析了七家网站排名的缘由，为科技网站信息质量建设提出对策建议。

10.1　科技网站信息质量全评价模型构建

对于科技网站的评价，国内外的研究主要是从以下几个方面考虑的。

（1）网站可信度（credibility）评价是指以评价网站信用为目的的研究，属于对网站内容的评价。Watanabe 等（2008）认为对于信息素养低的用户，只依靠传统网站设计或信息安全技术评估网站信用是不够的，报告认为利用网站提供的第三方信息对其评价更为全面可靠。

（2）易访问性（accessibility）评价目的是评估网站界面的友好程度，即方便用户访问的程度，是一种对网站形式方面的评价。

（3）网站效用（effectiveness）评价反映网站被有效利用的情况。Conway 和 Dorner（2004）在评价新西兰政党网站效用时发现，大部分党派能够充分使用互联网发布信息，大党派比小党派或非国会党更能有效利用其网站。

（4）网站可用性（availability）评价。可用性是指一个产品为特殊用户使用，在特殊的用户群中达到有效性、效率和满意度等特殊目标的程度（Choros and Muskala，2009）。网站可用性评价一般用来反映用户对网站信息内容、界面、技术等方面的满意程度，是一种综合评价。国际上网站可用性评价研究比较多。在诸多评价目的中，网站可用性评价所占比例最大。

在评价方法层面，网站的形式评价方法主要有：层次分析法、文献计量学方法等。网站内容评价方法则主要有专家评议方法和用户调查法。

本章将学术全评价体系框架首次运用于科技网站的评价研究，结合顾客满意理论构建全评价模型。采用结构方程方法，通过模型拟合指标验证了构建的"基于结构方程的科技网站信息质量评价理论全模型"的科学性（范佳佳和叶继元，2016a）。

基于用户满意的评价模型主要有以下四种。

（1）SERVQUAL 评价模型（service quality model）。Parasuraman 等（1988）提出的 SERVQUAL 模型在电子商务类网站中得到广泛应用。该模型从用户的主观意识出发，采用差异比较方法评估网站服务质量。SERVQUAL 量表包含有形性、响应性、可靠性、移情性、保证性五个维度，22 项评测指标。之后，国际上有学者陆续对此模型进行修正，有的将其应用到信息资源类网站中。

（2）7Cs 理论模型（Rayport and Jaworski，2002）。电子商务网站或营业性网站较常使用 7Cs 理论模型。包含情境（context）、社群（community）、内容（content）、商务（commerce）、客制化（customization）、沟通（communication）、链接（connection）七大元素。当网站满足上述七元素，即达到顾客的要求，可以说该网站是以用户为中心建设的，用户对此网站满意。

（3）顾客满意度模型。在从用户角度评价网站的研究中，顾客满意理论占主流位置。自创立以来深受学者青睐。McKinney 等（2002）对购物网站进行评价。其在顾客满意理论基础上构建购物网站用户满意度评价模型。通过合成"用户预期-用户不满意"这一结构范式，提出包括用户智商在内的九大影响用户满意度的关键因素。测量模型表明，利用该模型评价购物网站用户满意度具有较高的有效性和可靠性。Hong 和 Kim（2004）通过参考顾客满意度模型，在用户满意和用户忠诚两个变量基础上提出六项评价标准，即内部可靠性、外部安全性、内容有用性、导航实用性、系统界面美化性和通信接口完善性。通过大规模调查研究表明，六项标准对用户产生不同影响，此模型适用于不同类型网站用户满意度评价。

（4）全评价体质框架。该学术评价体系已应用于学术期刊等的评价，得到学界较多引用和评论。此次将该体系推广到生物医药网站信息资源评价中，其评价结果具有较强的说服力、清晰度和新颖性。

10.1.1　理论模型构建思路

总体而言评价模型基本分为两类：其一，利用层次分析法获取评价指标权重，结合灰色关联度分析方法构建评价体系。这种方法可以清楚地呈现评价体系的层次和评价指标的相对重要性，但缺乏对评价指标可能出现相关或重复的有效控制；其二，通过因素分析，找出评价对象的主要影响因素。此种方法解决了第一种方法无法处理的因指标相关而产生的简单累加的错误，不足在于指标权重无法直接获得。

本章在评价方法的选择上借鉴以上两类模型，既要保证模型科学性、可信性和稳定性，又要体现模型的层次性，同时解决评价指标的权重问题。学术研究全评价体系框架是笔者于 2010 年正式提出（叶继元，2010a），是国家社会科学基金重大项目"建立和完善哲学社会科学评价体系研究"的一大研究成果。全评价体质框架是在较详细考察了国内外近年来的评价实践基础上概括出来的，既参考了自然科学评价的成果，更注重人文社会科学的特点及其评价的特点；既考虑了学术评价的普适性，又突出了不同学科、不同领域、不同成果等的多样性、特殊性；既有相对稳定的分析框架，又留有动态的发展空间。该分析框架能较合理地分析国内外学术评价的历史，较清晰地解释目前学术评价的现状、问题和应采取的对策。近年来笔者及其团队已将该全评价体质框架用于期刊质量评价（叶继元，2013）、学者评价、网站评价、大学评价、学科评价、学科馆藏（晁明娣，2014）等。全评价体质框架的应用和推广，能够发挥学术评价的导引和激励功能，达到引导中国学术研究方向，鼓励形成和强化不同学派、特色和风格，以评促优，推动学术研究健康发展的目的。

在全评价体系框架中，内容评价由同行专家通过对评价客体直接观察、阅读、讨论来进行，效用评价既依赖于学术共同体的评价，又有独立性，不以任何人的意志为转移。这两种评价方法均依靠评价主体的主观感受和判断，区别是内容评价反映评价主体对评价客体当前的感受和认知，效用评价则更注重长时间、更多实践和事实的评价，多是一种事后评价。社会科学领域，结构方程模型的数据基础一般来源于被访者对量表变量的打分，打分过程即是被访者（用户）体验的反馈过程，与全评价体系框架中内容与效用评价的评价主体相同，逻辑与测量角度相符。从这一方面讲，本章对科技网站信息内容质量与效用质量进行评价，可以利用结构方程模型建立评价模型。

结构方程模型整合因素分析、路径分析，并考虑了误差因素的影响，采用模型拟合指标验证模型的解释力，保证构建模型的科学性、可信性和稳定性；结构方程模型引入了潜变量与观测变量的概念，潜变量指无法直接测量的变量，与一般的评分加权评价体系中第二层（评价标准）含义类似。观测变量则指能够直接测量的变量，相当于评价体系中第三层（评价指标）。结构方程模型的这一特殊结构满足了本章预构建具有层次性评价模型的要求；更重要的是，结构方程模型可以呈现变量间的关系，包括潜变量与观测变量间的因子关系和潜变量间的因果关系或相关关系，并且具有同时处理多组变量间关系的能力，利用这一特点，本章不仅可以研究评价指标选择的合理性，信息内容质量与信息效用质量共同反映网站用户满意度的能力，更可以探索信息内容质量与信息效用质量之间的关系，具有一定的开拓意义；模型的因子载荷和路径系数可以帮助解决各层评价指标权重问题。综上所述，如果本章假设模型通过验证，可在理论上证明全评价体系框架应用于科技主题网站评价的合理性。

10.1.2　评价备选指标讨论

1. 主题相关性标准

主题相关性即网站的主题覆盖度，用于表达网站涉及主题的深度和广度。

主题相关性的概念来源于网络资源分布定律，而网络资源分布定律深受文献计量学三大定律的影响，即布拉德福定律、洛特卡定律、齐普夫定律。袁毅（2005）提出用相关网页量和主题特征度两个定量指标测度网站的主题相关性。相关网页量是网站主题相关网页的数量；主题特征度是指网站拥有主题特征词的总和。相关网页量方法源自核心期刊评选的载文量方法，本章首先利用相关网页量方法初步确定了主题备选网站。这是一种粗略估计的方法，会受主题搜索技术、主题忠实表达程度的影响。所以，本章选择袁毅提出的主题特征度作为主题相关性的评价指标。首先，选择主题特征词。主题特征词是"能体现某学科、专业或主题内容特征并能区别于其他学科、专业或主题内容的关键词"。本章改进了提取主题特征词的方法：从权威数据库以主题、题名、关键词、文摘为检索入口，检索主题相关文献，合并主题文本，统计高频词，制作词频共现矩阵，统计高共现词；检索相关会议信息，提取主题特征词；检索近年综述报告获取主题特征词；相关主题网站提取主题特征词。后将提取的主题特征词进行去重、筛选过滤。利用最终获取的主题特征词对实证网站进行主题抓取。

鉴于网站建设规模、网站功能属性、成立时间的差异性，计量各网站总体主题特征度不能做到科学地对比和排名。而且，部分主题特征词在同一网页会重复出现，造成重复计算问题。所以，本章用网站含有主题特征词的网页数与网站总网页数的比值表示主题特征度。主题特征度指标相比相关网页量指标的主题覆盖度更高，所以，本章仅选择主题特征度一个指标测度主题相关性。

2. 权威性标准

通过统计学术文献引用网站信息的数量评价网站的实用性，实质是考察网站主题覆盖度的深度问题。但由于受备检学术数据库、引用动机、检索策略设计等方面的制约，在实际操作上有一定的局限性。因此，本章将期刊评价领域的文献计量学定律引入到学术网站权威性评价指标的选择中来。核心期刊的评选方法之一即是统计期刊被引量，被引次数多的刊物一般是某个领域的核心刊物，在此领域内具有一定的权威性。由此推理，学术网站信息被引用（转载）次数多，也代表此网站在某个学术领域的权威地位。由于网站是由网页构成的，可转化为评价网页的被引用（转载）次数。

网站上每条信息或新闻有的以一个网页存储，有的则分成几个网页，但信息或新闻标题只有一个。在每条信息或新闻页面一般都标有来源，这个来源分为两种：一种是来自待评价网站的原创；另一种是引用（转载）其他网站。而一个标题的新闻只有一个原创来源。所以，本章的思路是：以抓取数据的标题为单位，计量该标题新闻被全网引用（转载）的总次数（不包括原创来源的自引），次数越多说明该条新闻权威性越强。在评价时按引用次数计分，如新闻被引用 1 次记为 1，引用 2 次记为 2。特别说明的是，在相同被引次数情况下，待评价网站原创新闻得到的计分要更高，因为此类新闻来自本网站，不是依赖转载权威性高的网站的新闻而赚取的权威性，属于原创，属于网站自身的权威性。对于抓取数据量大的网站可以考虑采用总体分层抽样，各栏目简单随机抽样的方法，利用抽样样本评价总体。将抽样数据的计分总和与抽取样本数量的比值作为网站权威性评价的指标，命名为权威度。

权威度指标是依据核心期刊评选方法中引文量指标设置的，来源于历史验证的经验性指标，具有一定的可靠性和全面测量性，并且这一指标在实际操作上可以依靠检索式和抓取方式获得，较为简单、易操作。所以，本章可以只利用权威度一个指标测评网站的权威性。

3. 准确性标准

网站的准确性表示网站信息可靠和没有错误的程度。以往一般采用内容分析方法观测网站准确性，从字、句、概念、试验方法、联系信息、数据、图表、日期等诸多关键点评判。内容分析方法具有精确评价的优点，但实施起来较为复杂，可操作性不强。另一种方法则是借用语义网技术，利用元数据制作 XML 结构化网络文档，使机器能自动代替人工识别关键点信息，进行比较后作出评价。但这种方法明显将问题复杂化了。

袁毅（2005）认为网站信息本身的权威性可从信息的准确性判断，网站权威性与准确性有一定的联系，两者之间往往是相关的。所以，从某种意义上说，网站的准确性可以用权威性来测量。本章选择的测量方法与权威性基本相同。不同在于，相同被引次数的原创信息不再区分，不单独打分。对不注明信息来源的新闻/网页记 0 分，因为本身没有标注来源的就表示准确性很差。本章将这一平均准确性的指标命名为准确度。

4. 时效性标准

莫祖英（2013）在评价数据库信息资源质量时用信息的新颖性、时滞性、时间跨度来测量信息时效性。张新兴和杨志刚（2010）将信息新颖性理解为：信息更新快，能够及时提供最新信息。李美颜（2010）认为新闻事件发生的时间与发布的时间差距越小，时效性越强，新闻价值也就越大，学术网站信息资源的时效性同样如此。卢代军等（2007）认为信息的时效性可理解为信息价值和信息使用方式在机会窗口内共同作用所产生的效用，可以用时间-信息效用曲线来表示。王尊新（2005）将信息资源时效性解释为：信息资源的维护和更新的速度快，周期短。袁毅（2005）认为时效性是信息发布时间的早晚程度。张咏（2002）理解的信息时效性就是信息的新颖性，即信息更新频率。DeLone 和 McLean（1992）用两个维度观测信息时效性：及时性，指信息是最新的；不断更新，指信息资源不断更新。

时间决定信息的效用，信息的效用有一定的期限。信息价值的大小与发布信息的时间密切相关。信息一经形成，发布速度越快，时间越早，其价值越大。综合以上学者对信息时效性含义的理解，笔者认为，信息时效性并不是简单指信息发布时间远近和更新速度，而是网站信息发布时间与事件发生时间的时间差，差值越小，信息的时效性越强。

信息时效性强的网站被用户浏览和利用的次数显然比时效性弱的网站多得多，文献老化规律即说明了这点。用定量方法测量信息时效性的研究中，王玉斌（2013）根据信息老化研究计算方法和对信息被点击或者关注的次数构建老化模型，通过网站信息在各时刻影响力的变化测量网站的时效性。通过算法的编制，实现了对信息时效性的观测。但在实际应用上，获取特定时间段内的点击数量、关注次数和评论数量等历史数据有一定难度。同时，此研究将信息时效性与信息价值之间建立直接相关关系，不考虑其他影响信息质量的因素，不适宜移植到本章研究使用。崔鑫鑫（2006）研究了应急卫生防疫保障信息时效性的影响因素，包括信息传输者、信息传输渠道、信息接收者和外部环境。这一研究深入挖掘了测量信息时效性的各个维度，但方法过于复杂，对于本章的研究可借鉴性不强。

笔者认为，应牢牢把握信息时效性的内涵，用网站信息发布时间与信息事件发生时间的时间差值测量时效性。将差值按大小分成不同等级区间进行打分，打分总和作为网站时效性观测值。鉴于信息事件发生时间隐藏在网页字里行间，没有固定位置，机器干预有一定难度，需要人工逐条打开网页仔细阅读，进行内容分析。此方法操作较为复杂、烦琐，对于抓取数据量大的网站，可以考虑采用抽样评价，即对时间前排的抓取数据采用各栏目分层抽样，栏目内简单随机抽样抽取样本。分析样本时间差值，将样本时间差总和与含有时间差值的样本网页数的比值作为网站信息时效性初步评价结果。

在具体操作上需注意：网站新闻标题链接旁的时间一般为网站更新时间或信息发布时间，有的发布时间显示在打开链接后的页面题头或结尾。通常以"时间、发布时间、日期或发表时间"等字样标注，或无文字提示，只列出时间。信息事件发生时间一般存在于页面文字内容之中；对于一些特殊情况，如网页引用专业文献，应以原文发表时间作为信息事件发生时间。预报性消息，时间差用负数表示。如无法找到信息事件发生时间，如学者发表的小品文，则不计入评价范围，样本的空缺用后面网页补充。

特别说明的是：测量网站信息时效性也要考虑网站的更新频率。如果一个网站长期不更新，也不能说明该网站具有较强时效性。更新频率除了依赖于网站日常维护，还与网站性质有关。比如研究机构网站报道内部新闻较多，如没有最新事件发生则不会更新。所以，更新频率不是评价网站信息时效性的决定因素。在本报告实证阶段，筛选出的网站与主题高度相关，用户对其高度熟悉，网站更新频率有一定保障。因此，本章以网站各栏目最后一次更新时间的均值为评价标准。如果此值没有超过一定时限，则认为该网站信息时效性在更新频率上通过。若不通过，则将其时效性减半。本章将 1/[（样本时间差总和/含有时间差值的样本网页数）（更新频率不通过的乘以 2）]定义为观测科技网站信息质量时效性的指标，命名为新颖度。

新颖度是紧紧把握信息时效性含义设置的科技网站信息时效性评价指标，已具有全面测量时效性的功能，所以，本章可只利用这一指标衡量时效性。

5. 科技前沿性标准

科技前沿性指网站能反映科技前沿信息的程度，即网站包含科技前沿信息的数量。与主题相关性类似，文献计量学三大定律同样指导科技前沿性下位指标的选择，同样可以将载文量方法引用到科技前沿性指标的获取中。

参照主题特征词，本章提出"热词"的概念，指网站中包含反映科技前沿性信息的主题词。首先，选择热词。从权威数据库以主题、题名、关键词、文摘为检索入口，检索主题相关文献，合并主题文本，按年代排序统计高频词；检索最新会议信息，提取会议关键词；检索近年综述文献与科技报告，获取最新关键词；相关主题网站提取新词。后将提取的热词去重、筛选过滤。参照本章主题特征度的计量方法，提出"热度"这一概念测度科技前沿性下位指标，即网站含有热词的网页数与网站总网页数的比值。利用热度的概念在实际获取上能较易做到抓取全面、准确，而且易于操作。所以，笔者认为，热度基本能比较全面地计量网站科技前沿性的程度。

6. 其他标准

启发性标准反映网站对用户的正面作用，很难从客观的角度进行量化；交流性标准可以通过网站提供的交流平台的数量、用户发帖和回帖的频次度量；广泛性表示网站涉及主题的广度，可利用主题覆盖度指标测量。此外，参考以往文献，其他较常见的网站信息质量形式评价标准还有实用性标准、原创性标准、客观性标准等。参考袁毅对实用性的理解，实用性标准下可设置引文指标；通过信息来源判断原创信息数量可观测网站原创性；客观性标准要通过较复杂的内容分析手段，如对比教科书或权威网站，咨询专业人员等。对于以提供链接为主的网站，则要评价其出链质量。网站中包含较多自创软件的，要分析其软件性能的稀有性。

10.1.3 科技网站信息质量评价模型构建

本节引用美国顾客满意指数（American customer satisfaction index，ACSI）模型部分变量的关系，作为基于结构方程的科技网站信息质量评价模型的理论基础。并在其基础上加以延伸，达到网站评价的目的。

在 ACSI 模型中，感知质量与顾客总体满意两个变量直接相关，即感知质量直接影响顾客总体满意。参考这一理论，本节将 ACSI 模型中的感知质量演化为两个变量，即信息内容质量和信息效用质量，假设这两个变量与用户满意均有直接因果关系。另外，ACSI 模型引入"顾客期望—感知质量—感知价值"这一心理学因素，将其应用于顾客总体满意度研究中。本节在构建理论模型时认识到心理因素对用户满意的决定作用。但考虑到要将模型用于评价，心理因素变量的实际测量比较困难，或成为评价模型的干扰。同时，本节模型中信息内容质量与信息效用质量均表示感知质量，如果引入顾客期望和感知价值两个概念，就应将这两个变量分别拆分为信息内容期望、信息效用期望，信息内容感知价值和信息效用感知价值，模型变得更加复杂混乱。所以，顾客期望和感知价值在本节理论模型中并不适用。从另一角度来看，用户在填答量表时会自然产生将"期望"和"感知"作出比较的心理活动，这种比较产生的落差即为"差异"，在 ACSI 模型中称为感知价值，"差异"便直接体现在量表的打分结果上，即"差异"大的满意度低，"差异"小的满意度高。所以，顾客期望和感知价值两个变量已经蕴含在本节理论模型当中。如果理论模型经验证拟合，则可认为在本节的评价模型中可以不直接体现顾客期望和感知价值两个变量。其次，从一般常识上讲，网站信息内容质量决定用户访问网站后的实际收获，从而影响用户自身科研水平提高程度，即信息效用质量。所以，本节预假设信息内容质量直接影响信息效用质量，潜变量信息内容质量与潜变量信息效用质量是因果关系。最后，ACSI 模型中顾客总体满意是用户抱怨和用户忠诚的前因变量。用户抱怨、用户忠诚、顾客总体满意这三个变量之间存在直接的因果关系，三者形成封闭的逻辑结构。如将用户抱怨和用户忠诚两个变量去掉，不会影响模型的稳定性。由此构建理论结构模型。

　　在观测变量选择上，通过阅读有关文献，结合全评价理论和科技网站特点，初步确定理论模型三个潜变量的观测变量。信息内容质量的观测变量包括：主题相关性、权威性、时效性、准确性、科技前沿性、启发性、交流性、广泛性；信息效用质量的观测变量包括：科技创新效用、知识或技能效用、学习工作效用；用户满意的观测变量包括：信息内容满意度、信息效用满意度、网站总体满意度。其中，链接、原创性、信息效用满意度、科技创新效用、知识或技能效用等几个指标是根据科技网站特点和全评价理论得出的原创指标。以上所有初步确定的观测变量（评价指标）还需通过探索性访谈加以佐证和修改。

　　将 12 位科技网站的资深用户作为半结构化探索性访谈对象，请其对科技网站信息质量用户满意度影响因素进行分析。邀请被访者根据亲身感受选择判断影响其对网站满意的因素，加以简短说明，并写出访谈中没有涉及的其他影响因素。

　　结合以上理论研究、文献调研和探索性访谈，对观测变量进行调整，构建基于结构方程的科技网站信息质量评价理论全模型（图 10-1）。如果通过实证研究证明该模型拟合，则说明选择的观测变量科学、合理。

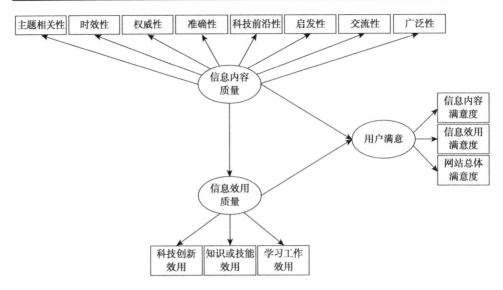

图 10-1　基于结构方程的科技网站信息质量评价理论全模型

根据模型提出以下三个假设。

HT1a：科技网站信息内容质量对用户满意有正向影响，即网站信息内容质量越高，用户对其越满意。

HT2a：科技网站信息内容质量对信息效用质量有正向影响，即网站信息内容质量越高，信息效用质量就越高。

HT3a：科技网站信息效用质量对用户满意有正向影响，即网站信息效用质量越高，用户对其越满意。

10.2　医药生物技术网站质量评价实证研究

10.2.1　选取主题相关测评网站

我国医药生物技术学术网站众多，无法穷尽，需要确定几家具有代表性的网站作为评价对象。本节首先采用文献计量法对评价对象进行初选，即确定备选网站。

相关网页量是网站中与主题相关的网页数量。依据布拉德福定律推理，某个网站的相关网页量越多，则说明该网站的主题覆盖性越强。如果网络中绝大多数相关网页来源于该网站，可将该网站视为某主题的核心网站。本节按照这一思路对评价对象初选，确定备选网站。

本节的实证对象是医药生物技术主题相关网站。笔者通过主题词检索和探索性访谈确定评价对象如表 10-1 所示。

表 10-1　评价对象——七个医药生物技术主题相关网站

网站名称	网址
<1>中国医药生物技术协会网站	http://www.cmba.org.cn
<2>生物谷	http://www.bioon.com
<3>丁香园网站	http://www.dxy.cn
<4>中国生物技术信息网	http://www.biotech.org.cn
<5>医药技术经济网	http://www.pharmtec.org.cn
<6>中国医学科学院医学生物学研究所网站	http://www.imbcams.ac.cn
<7>中国医学科学院医药生物技术研究所网站	http://www.imb.com.cn

10.2.2　数据处理过程

在预调查中发现，启发性、交流性、广泛性三个测度项在因子 1 的负载均小于 0.500，故根据 Sheth 等（1991）提出的测度项筛选准则将这三个测度项删除。此时，科技网站信息质量用户满意度测度项如表 10-2 所示。

表 10-2　科技网站信息质量用户满意度调查测度项

潜变量名	测度项及编号	测度项描述
信息内容质量（外生潜变量）：指用户在使用科技网站过程中对网站信息内容质量的实际感受和认知		
<1>	主题相关性（XXNRZL1）	该网站绝大部分信息与我需要的主题很相关
<2>	权威性（XXNRZL2）	该网站提供的信息大部分是权威和令人信服的
<3>	时效性（XXNRZL3）	该网站的信息更新及时，并提供最新信息，能满足我的用途
<4>	准确性（XXNRZL4）	该网站提供的信息是准确，无错误的
<5>	科技前沿性（XXNRZL5）	该网站报道大量相关主题科技前沿信息
信息效用质量（内生潜变量）：指用户在使用科技网站后对网站信息效能的实际感受和认知		
<1>	科技创新效用（XXXYZL1）	该网站帮助我提升了科技创新能力
<2>	知识或技能效用（XXXYZL2）	该网站增长了我的知识，提升了试验技术水平
<3>	学习工作效用（XXXYZL3）	该网站有助于我的学习或研究工作
用户满意（内生潜变量）：指用户对科技网站信息质量满意程度		
<1>	信息内容满意度（YHMY1）	我对该网站提供的信息内容质量很满意
<2>	信息效用满意度（YHMY2）	我对该网站给予我的帮助很满意
<3>	网站总体满意度（YHMY3）	我对该网站信息内容质量和对我的帮助都很满意

问卷调整后进行正式调查。正式调查历时 35 天。经过问卷清洗，共回收有效

问卷 204 份，其中从事或专业为医药生物技术领域的有效样本为 136 份，占总有效样本的 66.667%。

1. 信度分析

删除测度项 XXXYZL3 后变量"信息效用质量"的 Cronbach's α 系数值从 0.796 升为 0.831。在后续分析中将测度项 XXXYZL3 删除。删除其他测度项均不会造成所在变量 Cronbach's α 系数值上升的情况，且各变量的 Cronbach's α 系数值均达到 0.7 以上，说明正式样本的信度通过检验，可继续下一步统计分析。并且检验结果显示正式样本数据均符合正态分布。

2. 效度分析

1）探索性因子分析

通过对 10 个测度项的检验，得出 KMO 值为 0.858，近似卡方值为 675.682，自由度（df）为 45，显著性（Sig.）为 0.000<0.001，表示数据适于进行因子分析。科技网站信息质量用户满意度正式调查探索性因子分析结果如表 10-3 所示。因子分析中旋转在五次迭代后收敛，共得到三个特征值大于 1 的因子。累计解释总体方差量为 78.985%，表示因子分析结果比较可靠。

表 10-3　科技网站信息质量用户满意度正式调查探索性因子分析

测度项	因子		
	因子 1	因子 2	因子 3
XXNRZL1	**0.831**	0.277	0.126
XXNRZL2	**0.773**	0.205	0.301
XXNRZL3	**0.759**	0.331	0.171
XXNRZL4	**0.765**	0.137	0.198
XXNRZL5	**0.735**	0.311	0.060
XXXYZL1	0.198	0.133	**0.919**
XXXYZL2	0.218	0.187	**0.908**
YHMY1	0.365	**0.848**	0.020
YHMY2	0.197	**0.827**	0.354
YHMY3	0.337	**0.862**	0.148
累计解释总体方差量			78.985%

2）验证性因子分析

验证性因子分析包括因子拟合指标检验、内部一致性检验和建构效度等方面，本节利用 AMOS 20.0 对数据进行验证性因子分析。

（1）因子拟合指标检验：从因子拟合指标检验结果（图 10-2）来看，各观测变量与其所在的潜变量之间均有较强的正向相关关系，显著性水平全部通过检验。三个潜变量之间相关关系通过显著性检验。测量模型的拟合指标值如表 10-4 所示，各拟合指标值均达到适配标准，测量模型通过因子拟合指标检验。

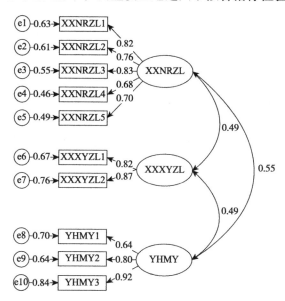

图 10-2　基于结构方程的科技网站信息质量评价测量模型检验结果

表 10-4　基于结构方程的科技网站信息质量评价测量模型拟合指标

统计检验量	适配的标准或临界值	检验结果数据	模型适配判断
卡方	—	66.256	—
自由度	—	32.000	—
卡方自由度比	<3	2.070	是
渐进残差均方和平方根	<0.080	0.073	是
规范拟合指数	>0.900	0.943	是
相对拟合指数	>0.900	0.919	是
修正拟合指数	>0.900	0.969	是
非正态拟合指数	>0.900	0.957	是
比较拟合指数	>0.900	0.969	是

（2）内部一致性检验：结果显示三个潜变量的组合信度均大于 0.800，且在 $p<0.001$ 的水平下显著，平均方差萃取量均大于 0.500，即全部通过检验。

（3）构建效度：基于结构方程的科技网站信息质量评价模型潜变量构建效度如表 10-5 所示，模型具有良好的构建效度。

表 10-5　基于结构方程的科技网站信息质量评价模型潜变量构建效度分析结果

	XXNRZL	XXXYZL	YHMY
XXNRZL	**0.578**		
XXXYZL	0.239	**0.715**	
YHMY	0.419	0.189	**0.726**

由此可以总结：基于结构方程的科技网站信息质量评价模型通过信度检验、正态分布检验和效度检验，具有良好的内部一致性和效度，且适配度较高。

10.2.3　评价模型构建及其修正

根据模型假设，利用 AMOS 20.0 构建基于结构方程的科技网站信息质量评价全模型（图 10-3、图 10-4）。

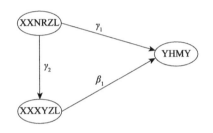

图 10-3　基于结构方程的科技网站信息质量评价结构模型

结构模型中 γ_1、γ_2 和 β_1 表示潜变量之间的路径系数

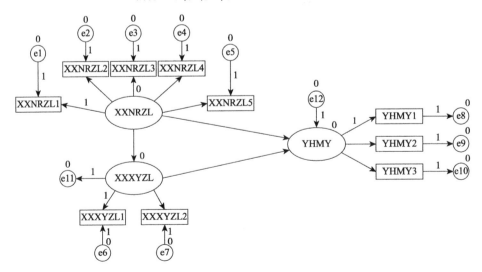

图 10-4　基于结构方程的科技网站信息质量评价全模型

为提高模型的拟合度和精确性,通过模型修正将模型优化。修正情况如表 10-6 所示,并形成最终模型（图 10-5）。

表 10-6　基于结构方程的科技网站信息质量评价模型修正

修正类型	路径类型	修正路径	修正理由
增加	相关关系	e2↔e4	MI=6.624；Par Change=0.076

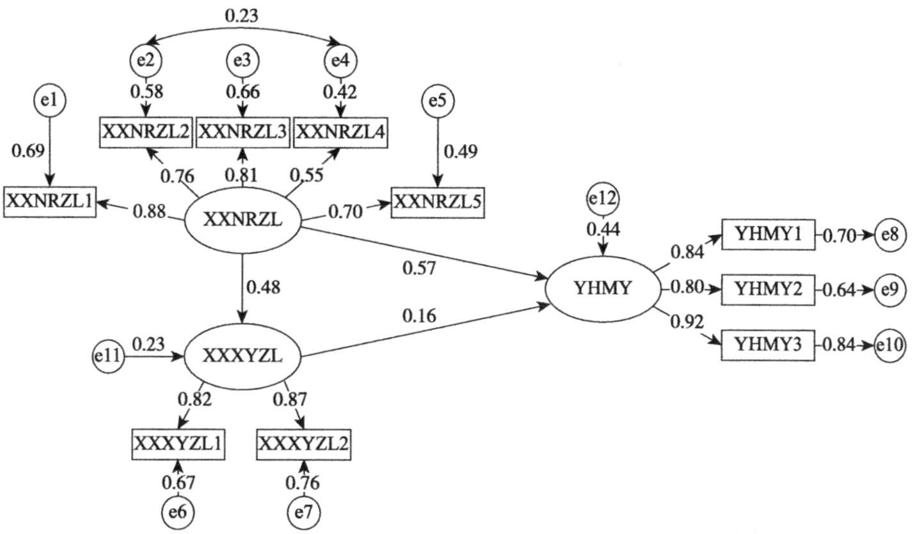

图 10-5　修正后基于结构方程的科技网站信息质量评价全模型

修正后模型与原理论模型相比,各拟合指标值均得到优化,说明修正后模型 M2 优于原模型,能更准确地反映变量之间的关系。模型 M2 各潜变量之间路径系数,如表 10-7 所示。

表 10-7　基于结构方程的科技网站信息质量评价全模型路径系数

路径系数	自变量→因变量	标准化回归系数	标准误	t 值	p 值
γ_1	XXNRZL→YHMY	0.574	0.062	6.780	***
γ_2	XXNRZL→XXXYZL	0.482	0.068	5.550	***
β_1	XXXYZL→YHMY	0.158	0.073	2.023	0.043

***表示 p 值小于 0.001

各路径 p 值均小于 0.05,说明修正模型具有显著性,接受原假设。

基于结构方程的科技网站信息质量评价最终模型见图 10-6。

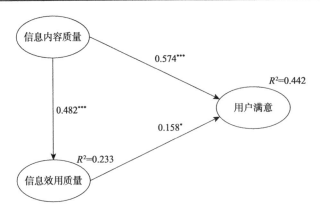

图 10-6　基于结构方程的科技网站信息质量评价最终模型

***表示 $p<0.001$；*表示 $p<0.05$

一般而言，对于因果关系模型来说，解释的总变异量达到 30%即可认为模型达到较好的解释性（仲秋雁等，2011）。模型中因变量"用户满意"被前因变量"信息内容质量"和"信息效用质量"共同解释量为 44.2%，说明模型对科技网站信息质量用户满意度具有较好的解释力。根据图 10-6，本节所提假设均通过验证。

10.2.4　计算指标权重

本节运用层次分析法确定科技网站信息质量形式评价指标权重。层次分析法是由美国著名数学家、运筹学家萨蒂（T. L. Saaty）在 20 世纪 70 年代提出的一种整理和综合人们主观判断的客观方法，可以实现问题从定性到定量的转化，把复杂问题系统化、层次化（王莲芬和许树柏，1990）。它将复杂问题分解为多个组成因素，并将这些因素按支配关系进一步分解，按目标层、准则层、指标层排列起来，形成一个多目标、多层次的模型，形成有序的递阶层次结构。通过两两比较的方式确定层次中诸因素的相对重要性，然后综合评估主体的判断确定诸因素相对重要性的总顺序。层次分析法的基本思想是将组成复杂问题的多个元素权重的整体判断转变为对这些元素进行"两两比较"，然后再转为对这些元素的整体权重进行排序判断，最后确立各元素的权重（彭国甫等，2004）。

本节利用层次分析法计算指标权重的思路如下：第一，构造判断矩阵。采用萨蒂教授提出的 1-9 标度法对不同评价指标进行两两比较，构造判断矩阵。笔者利用专家打分的方法对各判断矩阵中的指标进行两两比较。第二，求解判断矩阵 A 的特征根，找出最大特征根 λ_{max} 及其对应的特征向量 W，即得到同一层各指标相对于上一层指标的相对重要性的权重排序。第三，用萨蒂的平均随机一致性指标对判断矩阵进行一致性检验。根据各个平均一致性指标，求出判断矩阵的一致性指数 CI=（$\lambda_{max}-n$）/（$n-1$）、随机一致性比率 CR=CI/RI，RI 为平均随机一致性指标，是由大量随机试验得出的平均数据。若 CR < 0.10，则认为矩阵具有满意的一致性；否则必须重新调整矩阵，直至矩阵具有满意的一致性（范佳佳和高洁，2012）。

根据上述理论，本节实证部分通过访问医药生物技术相关专家，请专家对各指标打分，应用 Expert Choice 软件处理专家打分结果，计算得出科技网站信息质量形式评价指标权重。本节认为，在基于结构方程的评价体系中因子载荷表示第 i 个评价指标在第 j 个评价标准上的相对重要程度。同样，潜变量之间的路径系数反映该路径上自变量对因变量影响力的大小。在评价体系中表示第 i 个评价标准对评价目的的相对重要程度。参考武海东（2011）评价指标权重的计算方法，即根据观测变量的因子载荷和潜变量之间的路径系数计算权重。各观测变量的因子载荷依次是：0.833、0.760、0.813、0.646、0.703、0.817、0.873、0.838、0.797、0.917。

将各公因子的所有观测变量因子载荷相加得到各公因子载荷总和，一个公因子内的某个因子载荷除以这个总和即为某观测变量的权重，即某个评价指标的权重。同理计算得出潜变量即评价标准权重。潜变量"用户满意"作为评价目的，属于评价体系的第一层，其观测变量不作评价指标，即其因子载荷不参与权重计算。科技网站信息质量内容与效用评价模型和指标权重如图 10-7 所示。

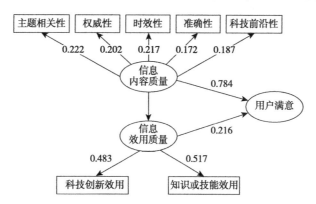

图 10-7　科技网站信息质量内容与效用评价模型和指标权重

10.2.5　科技网站评价实证结果

计算思路是对每个网站各评价指标均值进行加权，作为评价指标数值。均值加权后在公因子内累加求和，累加求和的值作为评价标准数值。再在评价体系第二层加权累加求和，所得数值即为某网站信息内容质量和信息效用质量满意度的评价结果。由于用户对每个评价指标的打分结果都在一个度量单位上，即所有分值记为1、2、3、4、5，所以不存在数据归一化的问题。根据灰色关联度法计算得出各网站最终评价结果，见表10-8。评价结果可以验证基于结构方程的科技网站信息质量评价模型中信息内容质量是用户满意的主要影响因素，用户满意度主要由信息内容质量决定。信息效用质量是次要影响因素，决定程度较小。同时，信息内容质量在一定程度上影响信息效用质量的满意度，但并不对其造成绝对影响。

表 10-8　各网站最终评价结果

评价体系中的层次	评价标准/评价目的	权重	各网站评价标准加权及最终评价结果						
			<1>	<2>	<3>	<4>	<5>	<6>	<7>
第二层	XXNRZL	0.784	3.892	4.037	4.028	3.855	3.754	3.296	3.830
	XXXYZL	0.216	3.847	3.966	4.005	4.041	3.919	3.501	3.703
第一层	YHMY		3.882	4.022	4.023	3.895	3.790	3.340	3.803

　　本节通过与网站 Alexa 排名对比，验证利用全评价与顾客满意理论构建科技网站信息质量评价模型的科学性。Alexa 排名是目前被广泛使用的用以评价网站访问量的指标。排名根据在三个月内用户链接数（users reach）和页面浏览数（page views）的累积几何平均值计算而得。但 Alexa 的不足在于需要网站用户主动安装 Alexa 插件才可统计。所以，对于流量很低的站点，Alexa 排名非常不精确。虽不准确，但在一定程度上也可以反映网站的流量和受欢迎程度。

　　从用户满意角度构建的模型和排名网站受欢迎程度有一定联系，所以，可尝试利用 Alexa 排名对比模型所得七个网站的排名情况，验证模型的科学性。对于缺乏 Alexa 排名数据的网站，用百度权重和关键词数作对比，粗略估计排名情况。七个网站的当日 Alexa 排名（2016 年 4 月 18 日）、百度权重和关键词数如表 10-9 所示。

表 10-9　七个网站当日 Alexa 排名情况及百度权重和关键词数值

数值 网站名	Alexa 排名	百度权重	关键词数
<1>中国医药生物技术协会网站	688 591	1	3
<2>生物谷	16 870	5	3 627
<3>丁香园网站	2 280	7	5 413
<4>中国生物技术信息网	6 795 693	3	118
<5>医药技术经济网	—	1	13
<6>中国医学科学院医学生物学研究所网站	14 144 159	1	9
<7>中国医学科学院医药生物技术研究所网站	—	1	5

从表 10-10 看出，网站排名位置大致相似（对比两个排名顺序，1~4 位和 5~7 位的排位相对位置相近）。可认为本节构建的评价模型基本通过验证，利用全评价方法评价科技网站信息质量科学合理。但另一方面，具体观察每个网站在两种排名中的位置，可以看出只有 3 个网站完全一致，其余 4 个各有不同。由于缺乏充足的时间、经费与专家参与等条件作为精细评价的保障，评价主体在评价活动中的内容与效用评价并没有很好地体现。而将全评价与顾客满意理论相结合，评价网站信息内容与效用质量就弥补了这一不足，从而得出较为精确的评价结果。在与 Alexa 排名大致相同的前提下，可以认为上述七个网站在本节的排名更为准确。

表 10-10　Alexa 排名和信息内容与效用质量排名结果的对比

信息内容与效用质量排名	按信息内容与效用质量排名的网站名称	Alexa 排名	按 Alexa 排名的网站名称
1	<3>丁香园网站	1	<3>丁香园网站
2	<2>生物谷	2	<2>生物谷
3	<4>中国生物技术信息网	3	<1>中国医药生物技术协会网站
4	<1>中国医药生物技术协会网站	4	<4>中国生物技术信息网
5	<7>中国医学科学院医药生物技术研究所网站	5	<6>中国医学科学院医学生物学研究所网站
6	<5>医药技术经济网	6	<5>医药技术经济网
7	<6>中国医学科学院医学生物学研究所网站	7	<7>中国医学科学院医药生物技术研究所网站

10.3　科技网站信息质量建设对策与建议

10.3.1　科技网站信息质量评价总结

（1）将全评价应用于科技网站的评价研究，在内容与效用评价体系中借鉴顾客满意理论。由此搭建的科技网站信息内容与效用质量评价模型，丰富了网站评价研究的理论基础。

（2）从用户角度的评价模型中引入全评价思想，进行内容与效用评价，最终的结构方程模型拟合指标良好，证明全评价体系框架在科技网站信息质量评价中应用的科学性，拓展了全评价的应用范围。同时，用模型论证了全评价的科学性。

（3）构建既具特色又对科技网站评价具有普适性功能的信息质量评价模型。简化了评价指标层次，降低了指标获取难度，同时又保障了评价体系的科学性。

此模型包含专门针对科技网站的如科技前沿性、科技创新效用、知识或技能效用、学习工作效用等评价指标，具有主题网站评价的特色。模型的理论假设、调查对象、评价客体、指标设置均面向科技网站提出。所以，该模型适用于所有科技网站的评价，具有普适性。

10.3.2　科技网站信息质量建设对策

本章通过构建科技网站信息质量全评价模型，并对七家医药生物技术主题学术网站进行实证评价，总结得出提高科技网站信息质量的对策与建议。

1. 提高网站信息的时效性，倡导网站原创性建设

科技网站信息时效性指标在用户评价角度和专业评价角度的权重都很高，可见这一指标对网站信息质量具有重要影响。科技网站建设者应注重提高网站信息的时效性。及时报道学术资讯、传播学术文献，提早预报学术活动。在科技发展日新月异的今天，抢占先机是学术网站争取用户的必由之路。网站原创性信息的发布时间与事件发生时间的时间差比转载信息短，所以，可以通过增加网站原创性信息的方法提高时效性。从这个角度讲，网站的原创性与信息的时效性对网站信息质量的提高作用相同。我们应倡导网站原创性建设，不仅体现网站独立的学术地位，独特的信息视角，更能增强信息报道的及时性，吸引用户访问。

2. 加大主题相关学术信息报道力度，加强专业网站学术性

从用户角度评价模型中，主题相关性指标的权重在五个影响信息内容质量的指标中最高，可见，用户对科技网站信息的主题相关程度最为重视。虽然其在专业角度评价的权重相对较低，但总体来看，主题相关性是影响科技网站信息质量的重要因素。主题相关学术信息的多寡决定了网站信息质量的高低和用户的访问意愿，依靠点击率发展的网站建设者应加大此类信息的报道力度，适当减少非学术版面，相对集中广告位置，为学术栏目留有更多空间。科技网站区别于其他网站的一项重要特征是包含大量科技前沿性信息。虽然这一指标在用户和专业角度评价模型的权重都不是很高，但热词作为一种特殊的主题特征词，对科技网站信息质量的提高具有重要影响。同时，大量科技前沿信息的汇集也反映了网站在学术领域的领先地位。所以，网站建设者需关注科技前沿信息，增加报道力度。

3. 注重原创信息的准确性，转载信息的权威性

权威性指标权重在用户和专业角度评价中均处于较高位置，准确性权重与之

相比稍低，但仍然是衡量科技网站信息质量的主要因素。网站建设者需注意提高网站信息的准确性与权威性。权威性与准确性之间有一定的相关性，权威发布的信息一般是准确的，准确性高的信息基本来源于权威机构。因此，把握好其中一项，另一指标会在一定程度上相应提高。不同在于，在具体操作上，若转载其他网站的学术信息，要注意被转载网站此条信息的权威性；网站原创学术信息则要确保在文字表达、数据、时间等方面的准确性。双管齐下，科技网站信息的权威性和准确性在一定程度上将有所提高。

4. 根据用户角度评价指标，定期对网站进行用户满意度调查，掌握网站信息质量现状

网站信息是动态变化的，每个网站在长期的建设过程中信息质量不会一成不变。网站建设者应关注网站信息的变化和用户对信息质量的满意程度，通过问卷或访谈形式调查用户满意度。其中，调查的指标包括：主题相关性、权威性、时效性、准确性、科技前沿性、科技创新效用、知识或技能效用。根据调查结果，掌握用户对网站各层面信息质量和整体质量的意见，有的放矢对网站信息及时调整，不断满足用户信息需求，提高信息质量。

做到以上四点可有效降低科技网站之间盲目模仿，最大限度减少网站重复建设，并逐渐形成各具特色、优胜劣汰的科技网站体系态势。进而提高生物医药专业网站的信息质量，避免低水平重复建设现象，实现生物医药产业高利用率信息资源建设目标，提高资源建设的质量和信息服务的水平，以优质的信息资源建设保障我国生物医药产业的快速、健康发展。

第11章　研究结论与价值

在经济全球化趋势日益增强、信息技术迅猛发展和能源资源危机日益加深的大背景下，战略性新兴产业成为世界各国关注和推动的重点。我国提出的战略性新兴产业发展目标对我国在中长期内能否完成经济结构调整和发展方式转变的重要任务，具有举足轻重的作用。而战略性新兴产业的发展离不开信息资源的支撑与保障。无论是企业的技术创新，公共研究机构的知识创新，还是政府机构的制度创新，其创新过程的本质都是信息知识的生产、转移与扩散，都离不开大量信息资源、信息网络与信息服务的支撑。

本书运用信息资源建设理论、资源配置理论、文献、计量学理论、网络计量学理论、案例研究与比较分析等定性研究方法，以及问卷调查法、模型假设检验法、统计分析法等定量研究方法，在详细调研国内外相关研究的基础上，对我国战略性新兴产业信息资源的存量、增量和用户需求、服务模式的现状，对相关进展和存在的主要问题进行了分析，对典型战略性企业和信息服务企业、事业性信息机构，诸如中国科学技术信息研究所、CALIS等进行了详细考察；并根据战略性新兴产业的特点、信息资源的特点、用户需求的特点，在一般产业信息资源保障体系的基础上，将传统的以学科组织信息资源扩展到以主题（问题）组织信息资源，以适应产业的信息需求；相应地，也将计划配置信息资源扩展到以市场为主配置信息资源，构建了我国战略性新兴产业信息资源分级分工保障体系。引入信息生态理论，从信息人、信息资源、信息环境等方面进行系统分析，架构了战略性新兴产业的信息服务系统要素的结构关系模型。进而围绕新兴产业的信息共享目标，提出新兴产业信息生态链的管理方式，涵盖信息共享管理、信息产权管理和信息环境管理，提出适应于我国战略性新兴产业发展的信息服务创新模式，以及能够保障可持续的信息服务保障制度和运营模式。

对战略性新兴产业的信息资源保障体系与信息服务模式进行研究，不仅是战略性新兴产业发展的必然要求，也是我国信息服务行业迎接知识经济社会挑战，快速成长的契机，更是图书情报学科服务社会经济发展，密切与产业部门的联系，适度拓展学科发展空间的良机，尤其利于数据挖掘、信息咨询、知识管理等相关研究领域和研究方向的发展。

11.1 主要研究内容总结

11.1.1 战略性新兴产业的信息需求分析

本书对我国战略性新兴产业信息资源的存量、增量和用户需求、服务模式现状进行了深入调研，就存在的主要问题进行了多维分析，对典型战略性企业和信息服务企业、事业性信息机构进行了详细考察。通过实地调研，发现战略性新兴产业的信息需求是多样化的。

在宏观层面，需要及时了解国家政策信息、市场信息；中观层面需要具有问题针对性的行业信息、学科专业信息、专利信息、标准信息和技术报告以及竞争对手信息等；在微观层面需要相关的技术动态、产品推介、企业信息、新闻资讯等。战略性新兴产业的信息需求除了要求新颖性和专业性之外，最重要的是前瞻性，要求能够为决策提供有效支持。而与之相对应，我国目前提供信息知识服务的图书馆、情报研究所以及各类信息咨询与信息服务平台，大多集中在大中城市，区域分割严重，分布不均匀，且专业化水平低，协同程度低，服务功能单一，信息资源共享程度低。

因此，有必要加强对战略性新兴产业的信息资源保障与服务模式的研究，将市场竞争机制引入面向战略性新兴产业的信息服务中，使得不同类型的信息服务机构之间能够协作、共建，通过市场博弈，达成公平竞争和合作发展，为新兴产业的发展提供个性化的、全面、权威、经过深度挖掘的知识服务。

11.1.2 战略性新兴产业的信息资源的存量与增量调研

我国现有的与战略性新兴产业有关的信息资源数量不足，建设主体、建设内容和区域等也存在分布不平衡现象。我国目前三大系统分散多头的管理体制，造成了战略性新兴产业文献信息资源建设布局上，缺乏全局观念，缺乏统一规划与组织协调，各地的信息资源保障水平参差不齐。各省区市未能依据战略性新兴产业的特点进行整体规划，造成战略性新兴产业信息资源的建设过度趋同，层次结构不科学、空间布局不合理，进而造成总体布局规划和分工协作能力差，资源配置失衡。

一方面大量文献信息资源处于闲置状态，降低了文献信息资源的总体保障能力和服务水平，一定程度上制约了战略性新兴产业的快速发展。另一方面，作为战略性新兴产业信息资源的产生与利用的主体，企业也未能认识到自己是战略性新兴产业信息资源的生产者之一，没有意识到各个企业自身工作和创新的需要所生产出的大量信息资源，也可以加以有效管理和共享利用。

造成上述局面的原因主要有：①跨区域、跨组织之间信息沟通和资源整合机制不健全，缺乏信息资源协调管理机构，难以推动区域间分工合作和优势互补；②缺乏相关的规章制度和标准规范，约束战略性新兴产业中信息服务机构和信息用户的行为、权利和义务，没有明确与此有关的奖惩制度；③战略性新兴产业信息资源服务模式僵化，没有顺应时代的发展，及时调整相应的信息服务模式；④我国信息资源产权结构单一，信息资源市场开放不足，未引入竞争机制，在一定程度上制约了信息社会化服务的发展，造成我国信息资源开发利用市场化和产业化程度低、信息资源产业规模较小、缺乏国际竞争力。

11.1.3　战略性新兴产业的信息资源保障体系建设研究

根据战略性新兴产业的特点、信息资源的特点、用户需求的特点，本书在一般产业信息资源保障体系的基础上，提出创建面向知识创新的信息资源现代管理体制，实现对大量信息资源的占有和实现快速高效的知识信息的转移和扩散，以适应产业的信息需求；将公共信息资源的建设拓展到商业信息资源的建设；相应地，将计划配置信息资源扩展到以市场为主配置信息资源，构建了我国战略性新兴产业信息资源分级分工保障体系。

在对信息资源的组织管理方面，将传统的以学科分类方式进行信息资源组织转向为以需求主题（问题）方式组织信息资源，通过创新信息服务的方式、方法和手段，突破传统三大系统各自为政的壁垒，实现将现有的信息资源的增量和存量重新配置和整合，有针对性地重点保障强知识吸收能力企业，促进整个集群吸收外部知识的能力，增进集群获取外部知识的有效性。具体做法如下。

1. 建立统一开放的企业信息资源系统的架构模型

采用协作共建模式，形成中央政府相关部门主导、地方政府积极响应、社会力量作为补充，以国家企业信息门户和地方企业信息门户纵横相连的数据门户联盟。在内容建设上坚持"四个统一"的原则：统一管理、统一规划、统一标准、统一规范。建立追踪全球技术前沿和进展的信息发布系统。组织专家对信息资源进行梳理、标引等深度整理加工，建设权威全面、专业实用、方便用户并操作快捷的新兴产业专题信息数据库，切实发挥信息资源在自主创新和战略性新兴产业发展中的作用。

2. 改变战略性新兴产业信息资源组织的模式

以企业的真实信息需求为基础，由"学科拼图式"的分类体系为主，转向为企业"量身定做"的主题导向式为主的知识组织模式；主题导向式的信息组织方式能够改变图情机构以学科分类为主体的旧有模式，从而更有效地服务于企业对创新的需求，同时也促进图情机构信息资源的流动，提高其社会利用度。

本书在一般产业信息资源保障体系的基础上提出，将公共信息资源的建设拓展到商业信息资源的建设；将计划配置信息资源扩展到以市场为主配置信息资源；将传统的文献服务扩展到知识信息、情报信息服务、增值服务（现代服务业）。将从技术角度研究保障体系扩展到从技术、经济、人文、管理等全方位的研究。尤其突出应用特色，服务于我国战略性新兴产业发展的需要。

3. 创建我国数据开放的路径

借助网络技术、数据库技术等新技术，实现数据开放是信息资源保障体系的重要组成部分。借鉴欧美发达国家政府数据开放的经验教训，从管理体系建设、多方参与的合作机制、创新商业模式、完善相关政策制度、发展数据管理关键技术等方面提炼出战略性新兴产业数据开放的一般路径。

11.1.4 我国战略性新兴产业信息服务模式研究

面向战略性新兴产业发展，将信息生态理论引入新兴产业的信息服务系统，从信息人、信息资源、信息环境等方面进行系统分析，构建信息服务系统中的生态因子之间及其与信息服务绩效之间的结构关系模型。围绕战略性新兴产业的信息共享目标，提出战略性新兴产业信息生态链的管理方式，提出了适应于战略性新兴产业发展的以服务为导向、以内容共建为导向，以及以问题解决为导向的三种信息服务模式，由此，可以在一定程度上改变学术生产与转化的模式。

目前在政府政策引导和支持下，国内建立起了大量从事技术创新和企业孵化活动的高科技园。大学科技园不仅是国家创新体系的重要组成部分，也是创新创业人才集聚和培育的基地，产学研合作的示范基地和战略性新兴产业的培育基地，形成了政府引领、科技主导、企业创新、经济转型的格局，对地方科技、经济、文化、社会发展发挥着极其重要的作用。作为信息服务主体的图书馆、情报所与科研院所信息中心需要尽快参与到这一过程之中，有目的、有针对性地推进产学研服务，建立面向战略性新兴行业的专题信息网站、公共科技服务平台、产业园区服务平台，采用现代网络通信技术设备提供服务，为战略性新兴产业的长远发展提供方便快捷的服务和及时的信息沟通渠道。

11.2　主要研究结论的价值所在

11.2.1　理论价值

本书对战略性新兴产业的信息资源保障体系与信息服务模式所进行的研究，是我国战略性新兴产业发展的必然要求，也是图书情报学科服务社会经济发展，密切与产业部门的联系，拓展学科发展空间的需要，将市场竞争机制引入面向战略性新兴产业的信息服务中，通过市场博弈，可以使不同类型的信息服务机构之间协作、共建，达成公平竞争和合作发展，为新兴产业的发展提供个性化的、经过深度挖掘的知识服务。本书改变了以往局限于图书馆系统内部的资源共享的惯性思维模式，根据国家创新体系对文献信息资源的需求，统筹规划，精心布局，有效地整合全社会的信息资源，提出了产、学、研共同发展、互利共赢的网络信息服务新模式。在一定程度上拓展与丰富了信息资源建设与信息服务理论，尤其利于数据挖掘、信息咨询、知识管理等相关研究领域和研究方向的发展。

11.2.2　应用价值

在经济全球化趋势日益复杂、技术创新竞争和能源资源危机日益加深的大背景下，我国提出的战略性新兴产业发展目标对我国在中长期内能否完成经济结构调整和发展方式转变的重要任务，具有举足轻重的作用。本书根据国家创新体系对文献信息资源的需求，以及战略性新兴产业的特点、用户需求的特点，提出了产、学、研共同发展、互利共赢的战略性新兴产业的信息资源保障体系和网络信息资源服务新模式，在国家宏观层面上提出创建面向知识创新的信息资源现代管理体制，通过信息政策法规的保障，促进信息资源的合理配置与高效利用；在新兴产业集群的中观层面，将计划配置信息资源扩展到以市场为主配置信息资源，构建了我国战略性新兴产业信息资源分级分工保障体系。实现快速高效的知识信息的转移和扩散，以适应产业的信息需求；在图书馆、情报所以及各类型信息咨询服务机构的微观层面，架构起具有市场竞争力的信息服务体系，提出以服务为导向、以内容共建为导向，以及以问题解决为导向的三种信息服务模式，由此形成合力，为科研创新和产业发展提供全程的信息资源保障体系，加快战略性新兴产业集群的知识转化和扩散进程，提升企业自主创新能力和产业发展水平。

参 考 文 献

阿特金森 R D，伊泽尔 S J. 2014. 创新经济学：全球优势竞争[M]. 王瑞军，等译. 北京：科学技术文献出版社.

白如江，冷伏海. 2014. "大数据"时代科学数据整合研究[J]. 情报理论与实践，（1）：94-99.

波特 M E. 2002. 国家竞争优势[M]. 李明轩，邱如美译. 北京：华夏出版社.

卜焕林. 2016. 面向地方战略性新兴产业的竞争情报服务平台研究——以扬州市 LED 产业为例[J]. 甘肃科技纵横，（12）：8-10.

曹颖杰. 2013. 论我国战略性新兴产业法律保障机制的构建[J]. 人民论坛，（14）：100-101.

晁明娣. 2014. 高校图书馆学科馆藏"全评价"体系构建研究[J]. 现代情报，34（5）：35-40，46.

车尧，李雪梦，璐羽. 2015. 社会网络视角下战略性新兴产业的专利情报研究[J]. 情报科学，（7）：138-144.

陈琛. 2011. 基于组合神经网络的农业信息网站评价方法研究[D]. 合肥：安徽农业大学.

陈峰. 2012. 图书馆开展企业竞争情报服务的关键成功因素[J]. 图书情报工作，（2）：87-90.

陈建龙. 2003. 信息服务模式研究[J]. 北京大学学报（哲学社会科学版），40（3）：124-132.

陈丽纳，熊静. 2008. 图书馆联盟运作模式的发展趋势：公司制联盟和策略联盟[J]. 情报资料工作，（1）：82-85，91.

陈柳钦. 2011. 我国战略性新兴产业自主创新问题研究[J]. 决策咨询，（2）：42-49.

陈喜乐，曾海燕，任婧杰. 2011. 我国战略性新兴产业理论研究综述[J]. 未来与发展，（11）：12-15.

陈新欣. 2005. 加快完善我国信息内容产业和市场监管体系. 科学新闻，（12）：26.

陈秀珍. 2013. 战略性新兴产业的发展条件[M]. 北京：中国经济出版社.

陈雅，郑建明. 2002. 网站评价指标体系研究[J]. 中国图书馆学报，28（5）：57-60.

陈瑜，谢富纪，于晓宇. 2015. 基于知识图谱的战略性新兴产业创新研究演进分析[J]. 上海管理科学，（4）：1-7.

陈雨杏. 2011. 我国区域机构知识库联盟的构建模式选择与实施策略[J]. 图书馆学研究，（4）：59-63，75.

陈志. 2012. 战略性新兴产业发展中的商业模式创新研究[J]. 经济体制改革，（1）：112-116.

崔鑫鑫. 2006. 军队应急卫生防疫保障信息时效性研究[D]. 重庆：第三军医大学.

达文波特 T，帕蒂尔 D J. 2012. 数据科学家：21 世纪"最性感"的职业[EB/OL]. http://www.hbr

china.org/2012-10-08/431.html[2012-10-08].

戴博. 2016. 高端装备制造企业智能物流管理模式研究[J]. 制造业自动化, 38（7）: 133-136, 140.

戴琦, 袁曦临. 2019. 议题设置推动智库国际化发展的实证研究[J]. 情报资料工作, 40（3）: 19-26.

道格森 M, 罗斯韦尔 R. 2000. 创新聚集——产业创新手册[M]. 陈劲, 等译. 北京: 清华大学出版社.

邓龙安. 2012. 战略性新兴产业科技创新体系建设路径选择研究[J]. 科学管理研究, 30（2）: 37-41.

邓胜利, 周婷. 2012. 面向战略性新兴产业的信息服务与保障研究[J]. 情报理论与实践, （7）: 6-8, 13.

邓仲华, 汪宣晟, 李志芳, 等. 2012. 信息资源云服务的质量评价指标研究[J]. 图书与情报, （4）: 12-15.

邓骤龙. 1990. 灰色系统理论教程[M]. 武汉: 华中理工大学出版社.

迪莉娅. 2016. "反公地悲剧"视角下的政府数据开放研究[J]. 情报理论与实践, （7）: 56-60, 8.

丁玲华. 2010. 自主创新战略下高新技术企业的信息需求研究[J]. 科技管理研究, （1）: 115-117.

丁媛. 2010. 我国研究型大学图书馆多样化服务模式研究[D]. 大连: 大连理工大学.

东北财经大学产业组织与企业组织研究中心课题组. 2011. 中国战略性新兴产业发展战略研究[J]. 经济研究参考, （7）: 47-60.

段宇锋. 2004. 网络链接分析与网站评价研究[D]. 武汉: 武汉大学.

范佳佳, 高洁. 2012. 外语类院校核心竞争力评价模型构建——以高校 T 为例[J]. 重庆大学学报（社会科学版）, （6）: 91-95.

范佳佳, 叶继元. 2016a. 基于结构方程的科技网站信息质量评价模型构建及应用[J]. 图书馆杂志, （9）: 66-75.

范佳佳, 叶继元. 2016b. 科技网站信息质量形式评价实证研究[J]. 图书馆论坛, （8）: 39-47.

范佳佳, 叶继元. 2016c. 科技网站信息质量形式评价理论模型研究[J]. 图书馆论坛, （10）: 41-48.

范静. 2007. 基于共链分析的学术网站评价与聚类的实证研究[D]. 长春: 吉林大学.

冯赫. 2010. 关于战略性新兴产业发展的若干思考[J]. 经济研究参考, （43）: 62-68.

付大军. 2015. 面向两化融合的北京市战略性新兴产业发展模式与政策选择研究[D]. 北京: 北京理工大学.

付晓华, 姚建平. 2007. 网站评价模型与评价方法研究[J]. 信息网络安全, （9）: 47-48.

傅培瑜. 2010. 我国战略性新兴产业发展的研究: 基于政府的视角[D]. 大连: 东北财经大学.

高凡, 王惠翔. 2004. 我国图书馆学情报学基金论文产出力调查研究与定量分析[J]. 图书情报工作, （10）: 12-16.

高丰. 2015. 开放数据: 概念、现状与机遇[J]. 大数据, （2）: 9-18.

高丰. 2016. 共治共创视角下的开放数据发展: 趋势、挑战和反思[J]. 大数据, （2）: 38-45.

高丽, 周津慧, 刘雅静. 2013. 3O 会聚网站数据特性分析[J]. 现代图书情报技术, 29（z1）: 1-12.

谷秀洁, 李华伟. 2012. 从 Panton 原则看科学数据的法律属性与开放利用机制[J]. 图书情报知识, （4）: 88-94, 102.

郭春侠，叶继元. 2015. 中小高新技术企业利用社交网络的理论依据和实践效用[J]. 图书馆论
　　坛，（1）：16-21.
过仕明. 2006. PageRank 技术分析及网页重要性的综合评价模型[J]. 图书馆论坛，（1）：
　　80-81，79.
韩霞，朱克实. 2014. 我国战略性新兴产业发展的政策取向分析[J]. 经济问题，（3）：1-5.
赫希曼 A O. 1991. 经济发展战略[M]. 潘照东，曹征海译. 北京：经济科学出版社.
贺正楚，吴艳. 2011. 战略性新兴产业的评价与选择[J]. 科学学研究，（5）：678-683，721.
贺正楚，吴艳. 2013a. 战略性新兴产业信息资源服务体系与网络服务平台研究[J]. 中国科技论
　　坛，（4）：21-27.
贺正楚，吴艳. 2013b. 战略性新兴产业信息资源服务研究[J]. 软科学，（4）：32-37，44.
贺正楚，张训，周震虹. 2010. 战略性新兴产业的选择与评价及实证分析[J]. 科学学与科学技术
　　管理，31（12）：62-67.
洪京一. 2014. 从 G8 开放数据宪章看国外开放政府数据的新进展[J]. 世界电信，（1）：55-60.
洪勇，张红虹. 2015. 新兴产业培育政策传导机制的系统分析——兼评中国战略性新兴产业培育
　　政策[J]. 中国软科学，（6）：8-19.
侯杰泰，温忠麟，成子娟. 2004. 结构方程模型及其应用[M]. 北京：教育科学出版社：61-70.
胡昌平，张敏. 2007. 欧盟支持行业创新的信息服务平台实践及其启示[J]. 图书馆论坛，（6）：
　　187-191.
黄海霞，张治河. 2015. 基于 DEA 模型的我国战略性新兴产业科技资源配置效率研究[J]. 中国
　　软科学，（1）：150-159.
黄如花，王春迎. 2016. 英美政府数据开放平台数据管理功能的调查与分析[J]. 图书情报工作，
　　（19）：24-30.
霍国庆. 2012. 战略性新兴产业的研究现状与理论问题分析[J]. 山西大学学报（哲学社会科学
　　版），（3）：229-239.
霍国庆，李捷，王少永. 2017. 我国战略性新兴产业战略效应的实证研究[J]. 中国软科学，
　　（1）：127-138.
霍国庆，李天琪，张晓东. 2012. 战略性新兴产业信息资源保障体系建设[J]. 重庆社会科学，
　　（6）：79-85.
霍国庆，孙皓. 2016. 战略性新兴产业与大国崛起[J]. 智库理论与实践，（1）：90-93.
霍国庆，王少永，孙皓. 2015. 我国战略性新兴产业共性信息资源需求的实证研究[J]. 信息资源
　　管理学报，（1）：4-11.
贾建锋，运丽梅，单翔，等. 2011. 发展战略性新兴产业的经验与对策建议[C]. 延吉：第八届沈
　　阳科学学术年会.
姜大鹏，顾新. 2010. 我国战略性新兴产业的现状分析[J]. 科技进步与对策，27（17）：65-70.
姜洪殿，董康银，孙仁金，等. 2016. 中国新能源消费预测及对策研究[J]. 可再生能源，34（8）：
　　1196-1202.
姜江. 2017. 新时期新使命：战略性新兴产业要创新、壮大、引领[EB/OL]. http://www.sohu.com/a/
　　126231584_423490 [2017-02-14].
姜义平. 2012. 战略性新兴产业创新平台构建研究[J]. 技术与创新管理，33（6）：613-615，631.

蒋鸿标. 2013. 藏书建设中的文献保障率与满足率研究[J]. 国家图书馆学刊, 22 (1):
　　18-25, 46.

蒋录全. 2003. 信息生态与社会可持续发展[M]. 北京: 北京图书馆出版社.

蒋永新. 2001. 学术网站评价方法述评[J]. 图书馆杂志, 20 (5): 12-13, 16.

教育部. 2010. 教育部关于公布同意设置的高等学校战略性新兴产业相关本科新专业名单
　　的通知[EB/OL]. http://www.moe.edu.cn/publicfiles/business/htmlfiles/moe/s4668/201007/
　　xxgk_93011.html[2015-05-05].

教育部科技发展中心. 2014. 关于通报 2013 年度教育部科技查新工作站年检情况的函[EB/OL].
　　http://www.chaxin.edu.cn/templates/index.xhtml[2015-05-05].

金华斌. 2016. 基于 "中国制造 2025" 的我国高端装备制造业转型升级路径展望[J]. 现代商业,
　　(4): 41-42.

金泽龙. 2003. 信息资源共建共享的现状和发展动态[J]. 图书馆, (4): 58-60.

靖继鹏. 2009. 信息生态理论研究发展前瞻[J]. 图书情报工作, 53 (4): 5-7.

康健. 2017. 资源获取视角下战略性新兴产业创新能力提升[J]. 科研管理, (S1): 39-45.

克莱恩 J T. 2005. 跨越边界: 知识 学科 学科互涉[M]. 姜智芹译. 南京: 南京大学出版社.

克兰 D. 1988. 无形学院[M]. 刘珺珺, 顾昕, 王德禄译. 北京: 华夏出版社.

克鲁格曼 P R. 2000. 战略性贸易政策与新国际经济学[M]. 海闻, 等译. 北京: 中国人民大学出版
　　社, 北京大学出版社.

孔兰兰, 高波. 2010. 法国图书馆的信息资源共享模式[J]. 图书情报工作, (21): 58-61.

李彬. 2014. 我国战略性新兴产业信息资源服务体系服务能力分析研究[D]. 北京: 北京交通
　　大学.

李东华. 2012. 技术创新与战略性新兴产业发展[J]. 中共浙江省委党校学报, (4): 93-98.

李家清, 刘军. 2010. 区域信息资源共享障碍研究[J]. 图书馆学研究, (2): 37-40.

李君君. 2008. 面向电子商务网站的用户接受模型及其应用研究[D]. 南京: 南京大学.

李坤, 石春生, 郑作龙, 等. 2017. 高端装备制造企业与供应商相互依赖关系形成机理[J]. 中国
　　科技论坛, (8): 79-86.

李力. 2014. 新兴产业技术标准联盟协同创新机制研究[D]. 哈尔滨: 哈尔滨理工大学.

李美娣. 1998. 信息生态系统的剖析[J]. 情报杂志, (4): 3-5.

李美颜. 2010. 慢半拍的信息——《信息时报》时效性分析[J]. 才智, (20): 294-295.

李丕仕, 王静, 徐淑娟, 等. 2013. 高校图书馆为企业服务评价指标体系研究[J]. 情报杂志,
　　32 (12): 183-187.

李双燕. 2014. 关于构建 "陕西省战略性新兴产业信息网络服务平台" 的研究及建议[J]. 经济研
　　究导刊, (10): 43-44.

李晓东. 2015. 经济新常态下战略性新兴产业市场培育机制探索[J]. 改革与战略, (2): 133-137.

李晓鹏. 2013. 高校图书馆网站可用性评价研究[D]. 南京: 南京大学.

李欣, 黄鲁成. 2016. 基于文献计量和专利分析的战略性新兴产业研发竞争态势研究——以
　　OLED 产业为例[J]. 科技管理研究, (8): 120-126, 132.

李延海, 刘学和. 1987. 科技报告联合服务网络布局初探——关于建立科技报告联合服务中心的
　　设想[J]. 图书馆界, (4): 163-165.

李玉艳. 2011. 地方高校图书馆学科服务创新模式研究——以南京邮电大学图书馆物联网产业发展研究基地为例[J]. 图书馆学研究, (16): 63-65.

李喆. 2017-09-06. 监管引领银行业支持江苏十大战略性新兴产业[N]. 现代快报, 封15.

连丽艳, 郑悦, 李杨. 2013. 面向战略性新兴产业的科技查新服务[J]. 科技创新导报, (3): 40, 42.

梁禄金, 吕先竞, 乔强. 2009. 面向用户的信息服务体系结构研究[J]. 现代情报, (2): 153-157, 160.

林菁菁. 2015. 战略性新兴产业信息服务模式研究——以高校图书馆为例[D]. 南京: 南京大学.

凌丹, 许可. 2013. 中国战略性新兴产业与科技资源协调配置发展[J]. 学习与实践, (6): 40-47.

凌峰, 戚湧, 朱婷婷. 2016. 战略性新兴产业创新要素供给体系与协同机制[J]. 科技进步与对策, (22): 56-63.

刘芳. 2013. 科学图书馆面向战略性新兴产业信息服务研究[J]. 科技资讯, (21): 252-253.

刘晖, 刘轶芳, 乔晗, 等. 2015. 我国战略性新兴产业技术创新效率研究[J]. 系统工程理论与实践, (9): 2296-2303.

刘金玲. 2008. 基于信息不对称的信息资源共享障碍成因分析[J]. 现代情报, (9): 45-47.

刘珺. 2015. 战略性新兴产业的信息资源服务创新研究[J]. 科学管理研究, (6): 52-55.

刘敏榕. 2008. 高校图书馆为企业服务的实践与探索——以福州大学图书馆为例[J]. 图书情报工作, 52 (10): 89-92.

刘名远. 2013. 我国战略性新兴产业结构趋同成因与对策研究[J]. 现代财经 (天津财经大学学报), (1): 21-29.

刘炜, 胡小菁, 钱国富, 等. 2012. RDA与关联数据[J]. 中国图书馆学报, (1): 34-42.

刘文霞, 王永贵. 2015. 战略性新兴产业企业技术创新能力与技术赶超路径找寻[J]. 中国科技论坛, 11: 61-65.

刘咏梅, 吴宏伟. 2016. 基于政府决策信息需求的新型智库运行机制研究[J]. 智库理论与实践, 1 (5): 36-41.

刘宇飞, 周源, 廖岭. 2016. 大数据分析方法在战略性新兴产业技术预见中的应用[J]. 中国工程科学, (4): 121-128.

刘媛筠, 李志民. 2012. 现代信息服务模式研究与应用[J]. 图书馆界, (1): 38-40.

娄策群. 2006. 信息生态位理论探讨[J]. 图书情报知识, (5): 23-27.

娄策群, 徐黎思. 2011. 信息服务生态链功效的影响因素及提升策略[J]. 图书情报工作, (4): 19-23.

娄策群, 赵桂芹. 2006. 信息生态平衡及其在构建和谐社会中的作用[J]. 情报科学, 24 (11): 1606-1610.

娄策群, 周承聪. 2007a. 信息生态链: 概念、本质和类型[J]. 图书情报工作, (9): 29-32.

娄策群, 周承聪. 2007b. 信息生态链中的信息流转[J]. 情报理论与实践, 31 (6): 725-727.

卢代军, 夏学知, 张子鹤, 等. 2007. 目标信息的时效性分析[J]. 火力与指挥控制, (1): 38-41.

卢金荣, 郭东强. 2007. 信息生态理论研究进展[J]. 情报杂志, (3): 82-84.

陆宝益. 2002. 网络信息资源的评价[J]. 情报学报, 21 (1): 71-76.

陆立军, 于斌斌. 2012. 传统产业与战略性新兴产业的融合演化及政府行为: 理论与实证[J]. 中国软科学，（5）：28-39.

罗春荣，曹树金. 2001. 因特网的信息资源评价[J]. 中国图书馆学报，（3）：45-47，52.

罗斯托 W. 1988. 从起飞进入持续增长的经济学[M]. 贺力军，等译. 成都：四川人民出版社.

吕岩威，孙慧. 2013. 中国战略性新兴产业集聚度演变与空间布局构想[J]. 地域研究与开发，
　　（4）：15-21.

马海群，蒲攀. 2016. 大数据视阈下我国数据人才培养的思考[J]. 数字图书馆论坛，（1）：2-9.

马捷，冷晓彦，张向先. 2010. 知识转化驱动信息生态系统进化的作用模式研究[J]. 情报
　　理论与实践，（4）：14-17.

马凯. 2015. 马凯：开发好、利用好、管理好数据资源需要国际社会共担责任[EB/OL].http://sxk.
　　whkx.org.cn/news_show.aspx?id=120 [2016-07-27].

毛刚，贾志雷，侯人华. 2013. 情报学视角下的科技报告研究[J]. 情报杂志，32（12）：
　　62-66，109.

梅多斯 D H，梅多斯 D L，兰德斯 J. 2001. 超越极限：正视全球性崩溃，展望可持续的未来[M].
　　赵旭，周欣华，张仁俐译. 上海：上海译文出版社.

孟广均. 2008. 信息资源管理导论 [M]. 3 版. 北京：科学出版社：32.

米都斯 D L. 1997. 增长的极限——罗马俱乐部关于人类困境的报告[M]. 李宝恒译. 长春：吉
　　林人民出版社.

莫祖英. 2013. 数据库用户对信息资源质量的认知及要求分析——以文理背景研究生为对象[J].
　　情报理论与实践，（4）：72-77.

南开大学图书馆学系. 1986. 理论图书馆学教程[M]. 天津：南开大学出版社：22.

南亮进. 1992. 日本的经济发展[M]. 毕志恒，关权译. 北京：经济管理出版社.

倪金松，贺兆辉. 2006. 企业竞争情报系统中的跨界合作[J]. 现代图书情报技术，（9）：18-23.

牛立超，祝尔娟. 2011. 战略性新兴产业发展与主导产业变迁的关系[J]. 发展研究，（6）：77-81.

欧雅捷，林迎星. 2010. 战略性新兴产业创新系统构建的基础探讨[J]. 技术经济，29（12）：7-11.

潘玉辰. 2016. 基于大数据下战略性新兴产业个性化信息资源服务模式研究[J]. 开发研究，（3）：
　　20-25.

彭国甫，李树丞，盛明科. 2004. 应用层次分析法确定政府绩效评估指标权重研究[J]. 中国软科
　　学，（6）：136-139.

彭靖里，胡凝珠，杨 Jeanne. 2014. 技术竞争情报在战略性新兴产业技术预见中的应用——以
　　2030 年云南生物医药产业技术预见为例[J]. 情报科学，（11）：19-23，29.

谯薇. 2010. 我国新兴产业发展中存在的问题及对策思考[J]. 经济体制改革，（4）：167-169.

秦丽，许旭. 2006. 基于 Web 链接的学术核心网站评选方法研究[J]. 现代情报，26（10）：176-178.

覃亮，王喜成. 2007. 农业网站评价研究[J]. 安徽农业科学，35（6）：1876-1882.

晴青，赵荣. 2016. 北京市政府数据开放现状研究[J]. 情报杂志，（4）：177-182.

人民邮电报. 2015. 2015 开放数据中心峰会召开[J]. 信息技术与信息化，（10）：2.

阮以旻. 2011. 医学学术文献资源服务网站评价指标研究[D]. 北京：中国科学技术信息研究所.

芮明杰. 2010. 中国产业发展的战略选择[M]. 上海：格致出版社，上海人民出版社：325.

萨蕾，梁蕙玮，尹铭莉. 2012. 国内外大型图书馆联盟建设比较研究：以中国国家图书馆与 OCLC
　　为例[J]. 图书馆学研究，（12）：78-84.

赛迪顾问. 2016. 中国大数据市场回顾与展望[J]. 软件和集成电路，（2）：88-90，92.

申红艳，侯元元，付宏，等. 2016. 政府主导的区域战略性新兴产业风险评估方法研究——基于产业竞争情报视角[J]. 情报杂志，（6）：109-114.

沈宸，袁曦临. 2020. 科技报告归档管理定位研究[J]. 档案与建设，（6）：15-19.

沈继武，萧希明. 1991. 文献资源建设[M]. 武汉：武汉大学出版社：46.

沈亚平，许博雅. 2014. "大数据"时代政府数据开放制度建设路径研究[J]. 四川大学学报（哲学社会科学版），（5）：111-118.

宋佳庆. 2012. 我国省级检察机关网站评价问题研究[D]. 合肥：安徽大学.

宋玉. 2010. 教育服务网站用户满意度研究——以安徽大学研究生院（筹）网站为例[D]. 合肥：安徽大学.

苏海明. 2009. HathiTrust 数字仓库项目概述[J]. 数字图书馆论坛，（7）：60-65.

睢颖，谢欢，叶继元. 2017. 中国战略性新兴产业图书资源存量调查与增量规划[J]. 图书与情报，（1）：45-51.

孙萌. 2019. TTCSP 高校智库建设模式研究[D]. 南京：东南大学.

孙蕊，吴金希. 2015. 我国战略性新兴产业政策文本量化研究[J]. 科学学与科学技术管理，（2）：3-9.

孙振. 2014. 战略性新兴产业信息服务模式研究——以信息生态理论为视角[D]. 南京：南京农业大学.

孙振，郑德俊. 2014. 面向战略性新兴产业的信息服务模式选择[J]. 情报科学，（4）：68-71，100.

田新玲，黄芝晓. 2014. "公共数据开放"与"个人隐私保护"的悖论[J]. 新闻大学，（6）：55-61.

田旭锋，王利晓. 2008. 中小企业社会资本问题研究[J]. 西安外事学院学报，（4）：23-26.

图书馆·情报与文献学名词审定委员会. 2019. 图书馆·情报与文献学名词（2019）.北京：科学出版社.

万钢. 2010. 把握全球产业调整机遇培育和发展战略性新兴产业[J]. 求是，（1）：28-30.

万军. 2010. 战略性新兴产业发展中的政府定位——日本的经验教训及启示[J]. 科技成果纵横，（1）：13-16.

汪涛，谢宁宁. 2013. 基于内容分析法的科技创新政策协同研究[J]. 技术经济，（9）：22-28.

汪涛，赵国栋，王婧. 2016. 战略性新兴产业创新政策研究：以 NEVI 为例[J]. 科研管理，（6）：1-9.

汪小林，罗英伟，丛升日，等. 2001. 空间元数据研究及应用[J]. 计算机研究与发展，（3）：321-327.

王波，吴汉华，姚晓霞，等. 2012. 2012 年高校图书馆发展报告[EB/OL]. http://blog.sina.com.cn/s/blog_542d9f710101geq0.html[2012-11-20].

王博宇. 2012. 中国发展战略性新兴产业的战略选择[J]. 江西社会科学，（9）：65-69.

王昌林，姜江. 2017. "创新、壮大、引领"：新时期赋予战略性新兴产业新使命[J]. 中国战略新兴产业，（1）：21-23.

王成杰. 2015. 吉林省战略性新兴产业标准化信息资源服务平台建设研究[J]. 中国管理信息化，（9）：219-221.

王翠君. 2011. 台湾地区机构知识库联盟发展研究[J]. 情报探索, （3）: 57-59.

王代礼, 杨芹, 王泽琪. 2011. 高校图书馆与企业合作建设特藏资源的有益探索——以中国民航大学图书馆波音和空客资料室为例[J]. 图书馆杂志, （9）: 52-54.

王东艳, 侯延香. 2003. 信息生态失衡的根源及其对策分析[J]. 情报科学, （6）: 572-575, 583.

王宏起, 田莉, 武建龙. 2014. 战略性新兴产业突破性技术创新路径研究[J]. 工业技术经济, （2）: 87-94.

王惠清. 2015. 江苏省高端装备制造业竞争力评价——基于显示性指标的分析[J]. 现代物业（中旬刊）, 14 （2）: 14-17.

王惠清, 马丽君, 张燕. 2015. 江苏省高端装备制造业发展战略研究[J]. 当代经济, （32）: 31-33.

王吉. 2017. 基于战略性新兴产业企业的反竞争情报模型探讨[J]. 科技创业月刊, （7）: 18-21.

王健. 2008. 中国政府规制理论与政策[M]. 北京: 经济科学出版社: 131-137.

王凯. 2015. 科学数据开放共享领域的政策研究[D]. 北京: 中国科学技术信息研究所.

王莲芬, 许树柏. 1990. 层次分析法引论[M]. 北京: 中国人民大学出版社: 1-25.

王善林. 2009. 高校图书馆为企业服务的实践与探索——以华中科技大学图书馆为例[J]. 图书情报工作, （S2）: 108-111.

王斯妤. 2016. 中国政府数据开放: 现状问题与策略选择[D]. 长春: 吉林大学.

王新新. 2011. 战略性新兴产业发展规律及发展对策分析研究[J]. 科学管理研究, 29 （4）: 1-5.

王旭东. 2001. 中国实施可持续发展战略的产业选择[D]. 广州: 暨南大学.

王雅戈, 叶继元, 林云水, 等. 2013a. 高校图书馆信息咨询高端服务的实践与思考——常熟国家大学科技园信息平台构建与服务[J]. 图书馆论坛, 33 （2）: 68-72.

王雅戈, 叶继元, 林云水, 等. 2013b. 高校图书馆高端信息咨询服务的实践与思考——之二: 为地方领导提供决策信息服务的探讨[J]. 图书馆理论与实践, （5）: 4-7.

王勇. 2011. 促进珠三角区域经济一体化的财政政策研究[D]. 北京: 中国财政科学研究院.

王玉斌. 2013. 基于信息内容时效性改进推荐算法的策略研究与实现[D]. 北京: 北京邮电大学.

王知津, 郑红军. 2006. 网站评价中的样本选取及链接测度[J]. 图书与情报, （3）: 53-58, 97.

王忠宏, 石光. 2010. 发展战略性新兴产业 推进产业结构调整[J]. 中国发展观察, （1）: 12-14.

王尊新. 2005. 高校图书馆网站评价指标体系研究[J]. 现代图书情报技术, （3）: 60-62.

魏巍. 2012. 促进战略性新兴产业发展的政策体系研究[D]. 南京: 南京工业大学.

温芳芳. 2017. 国外科学数据开放共享政策研究[J]. 图书馆学研究, （9）: 91-101.

温家宝. 2009. 让科技引领中国可持续发展[EB/OL]. https://www.chinanews.com.cn/gn/news/2009/11-23/1979809.shtml[2020-10-30].

温俊丽, 刘兴万. 2013. 城管业务开放数据接口模型设计[J]. 测绘与空间地理信息, （6）: 46-48.

吴建中. 2012. 转型与超越: 无所不在的图书馆[M]. 上海: 上海大学出版社: 4.

吴明隆. 2010a. 问卷统计分析实务——SPSS 操作与应用[M]. 重庆: 重庆大学出版社: 225, 485.

吴明隆. 2010b. 结构方程模型: AMOS 的操作与应用[M]. 2 版. 重庆: 重庆大学出版社: 52.

吴琼. 2014. 面向需求的企业信息本体构建及应用研究[D]. 南京: 东南大学.

吴群, 王玥, 张胜杰. 2017. 江苏省高端装备制造业自主创新机制及创新能力研究[J]. 经济界, （4）: 32-38.

吴绍波, 顾新, 吴光东, 等. 新兴产业创新生态系统的技术学习[J]. 中国科技论坛, （7）:

30-35，42.

武海东. 2011. 用结构方程模型构建图书馆读者满意度评价指标体系[J]. 情报科学，29（2）：227-230.

武建龙，王宏起. 2014. 战略性新兴产业突破性技术创新路径研究——基于模块化视角[J]. 科学学研究，（4）：508-518.

习近平. 2016-10-10. 习近平：建设全国一体化的国家大数据中心[N]. 新京报，A05 版.

夏大文，张自力. 2016. DT 时代大数据人才培养模式探究[J]. 西南师范大学学报（自然科学版），41（9）：191-196.

项本武，齐峰. 2015. 中国战略性新兴产业技术效率及其影响因素[J]. 中南财经政法大学学报，（2）：3-11，158.

相东升. 2006. 17 种图书情报学期刊基金资助论文统计分析[J]. 情报杂志，（1）：143-145.

肖希明. 2008. 信息资源建设[M]. 武汉：武汉大学出版社：21-22.

谢倩. 2017. 大数据背景下政府数据开放策略探析[J]. 法制与社会，（1）：141-142.

谢新洲，周静. 2015. 新编科技查新手册[M]. 北京：人民出版社：204.

新华每日电讯. 2017. 数字经济开启发展“大时代”[EB/OL]. http://news.xinhuanet.com/yuqing/2017-05/29/c_129620775.htm[2017-08-31].

邢文超. 2009. 我国高校网站评价体系研究[D]. 济南：山东师范大学.

许婷，杨建君. 2016. 战略性新兴产业研究动态展望[J]. 科技管理研究，（2）：117-122.

严骏. 2014. 关联开放数据概念及应用[J]. 信息与电脑（理论版），（12）：115.

闫晓丽. 2015. 大数据安全开放的“度”[J]. 中国信息安全，（7）：98-99.

杨柳，叶继元. 2015. 战略性新兴产业微博信息服务现状调查与分析——以太阳能产业为例[J]. 图书馆学研究，（10）：48-55.

杨青青. 2014. 我国战略性新兴产业网络信息资源建设与需求研究[D]. 南京：南京大学.

杨山石. 2013. 疾病专题网站评价指标体系的构建与应用[D]. 南京：南京大学.

杨银厂，李光文. 2015. 荷兰战略性新兴产业发展空间逻辑及对中国的启示——以荷兰信息通信产业为例[J]. 科技进步与对策，（1）：72-76.

叶继元. 2010a. 人文社会科学评价体系探讨[J]. 南京大学学报（哲学·人文科学·社会科学），47（1）：97-110，160.

叶继元. 2010b. 信息组织[M]. 北京：电子工业出版社：3.

叶继元. 2011. 理论与应用:哲学社会科学评价体系研究[EB/OL]. https://www.wendangwang.com/doc/e3199e30ca047f1d30830754[2016-05-08].

叶继元. 2012. 建立和完善以质量和创新为主的哲学社会科学评价体系[EB/OL]. https://dar.cwnu.edu.cn/info/1052/1798.htm[2016-05-08].

叶继元. 2013. 图书馆学期刊质量“全评价”探讨及启示[J]. 中国图书馆学报，（4）：83-91.

叶继元. 2015. 学术期刊质量评价具有多元性与复杂性[J]. 清华大学学报（哲学社会科学版），（2）：182-186.

叶继元. 2016. 学术图书、学术著作、学术专著概念辨析[J]. 中国图书馆学报，42（1）：21-29.

叶继元，陈铭. 2013. 开放存取期刊学术质量“全评价”体系研究——以“中国科技论文在线优秀期刊”为例[J]. 图书与情报，（2）：81-87.

叶继元,陈铭,谢欢,等. 2017. 数据与信息之间逻辑关系的探讨——兼及 DIKW 概念链模式[J]. 中国图书馆学报,（3）：34-43.

余文婷. 2015. 知识元视角下的社会科学开放数据标引研究[J]. 图书馆学研究,（6）：31-36，30.

余文婷,梁少博,吴丹. 2015. 基于 CKAN 的社会科学开放数据服务平台构建初探[J]. 情报工程,（5）：68-76.

喻登科,涂国平,陈华. 2012. 战略性新兴产业集群协同发展的路径与模式研究[J]. 科学学与科学技术管理,（4）：114-120.

袁润,钱过. 2013. 战略性新兴产业核心专利的识别[J]. 情报杂志,（3）：44-50，24.

袁曦临. 2008. 从封闭走向开放：关于创业型大学图书馆的思考[J]. 图书馆杂志,（10）：46-50，45.

袁曦临. 2017. 制约我国智库研究与发展的瓶颈问题——跨学科研究与专题性研究资源保障[J]. 情报资料工作,（5）：99-104.

袁曦临,刘利. 2013. "非营利性图情联盟"中介信息服务模式研究[J]. 图书馆建设,（9）：58-61.

袁曦临,刘利. 2019. 从"有形学院"到"无形学院"——高校智库建设的逻辑与组织结构模型[J]. 情报资料工作,40（3）：6-12.

袁曦临,陆美,刘利. 2014. 基于机构知识库的国际学术论文管理模式探讨[J]. 情报资料工作,（2）：87-91.

袁曦临,阎丽庆. 2009. 外向型大学图书馆学科服务创新模式探析——以南京高校（江宁地区）图书馆联合体为例[J]. 图书馆建设,（6）：62-65.

袁曦临,申艺苑,孟祥保,等. 2012. JALIS 十五年建设状况调查及成员馆反馈[J]. 新世纪图书馆,（11）：70-76.

袁小姗. 2011. 科技信息网站评价研究[D]. 长春：吉林大学：42.

袁毅. 2005. 核心网站评选的理论与方法[M]. 北京：北京图书馆出版社：89，94，98，103，108，115.

岳剑波. 1999. 信息管理基础[M]. 北京：清华大学出版社：141.

曾世宏. 2011. 基于产业关联视角的中国服务业结构变迁——"自增强"假说及其检验[D]. 南京：南京大学.

查先进,曹晨. 2010. 近 20 年我国信息资源配置研究文献计量分析[J]. 图书情报工作,（20）：6-10.

张福学. 2002. 信息生态学的初步研究[J]. 情报科学,（1）：31-34.

张红莉,马迪倩. 2013. 信息不对称下的高校文献传递工作探赜[J]. 图书馆工作与研究,（6）：122-124.

张洁. 2013. 河北省战略性新兴产业的科技政策研究[D]. 天津：河北工业大学.

张磊. 2016. 大数环境下我国政府数据开放机制研究[J]. 电子商务,（10）：8-9.

张晓东,霍国庆. 2013. 战略性新兴产业信息资源服务模式与竞争力分析[J]. 科技进步与对策,（2）：74-78.

张晓东,霍国庆,李天琪,等. 2012. 我国战略性新兴产业信息资源服务能力评价与模式探讨[J]. 图书情报工作,（12）：18-24.

张晓娟,王文强,唐长乐. 2016. 中美政府数据开放和个人隐私保护的政策法规研究[J]. 情报理论与实践,（1）：38-43.

张新明，王振，张红岩. 2007. 以人为本的信息生态系统构建研究[J]. 情报理论与实践，（4）：531-533.

张新兴，杨志刚. 2010. 高校图书馆数据库用户满意指数模型——假设与检验[J]. 图书情报工作，（3）：76-80.

张学锋. 2016. DT 时代开放数据下个人隐私的全方位保护[J]. 网络安全技术与应用，（9）：59-60.

张烨，刘利，袁曦临. 2015. WorldCat 与 CALIS 联合目录数据库比较研究[J]. 新世纪图书馆，（8）：26-30.

张毅菁. 2014. 从信息公开到数据开放的全球实践——兼对上海建设"政府数据服务网"的启示[J]. 情报杂志，（10）：175-178，183.

张咏. 2002. 环境科学网络信息资源评价研究[D]. 南京：南京大学.

张玉超. 2006. 试论学科核心网站评价指标与测定方法[J]. 情报杂志，（6）：58-60.

张志宏. 2010. 关于培育和发展战略性新兴产业的思考[J]. 中国高新区，（11）：26-29.

赵洁，马铮，王雪雅，等. 2014. 面向战略性新兴产业的竞争情报服务：需求分析与体系构建[J]. 情报理论与实践，（6）：22-27.

赵蓉英，梁志森，段培培. 2016. 英国政府数据开放共享的元数据标准——对 Data. gov. uk 的调研与启示[J]. 图书情报工作，（19）：31-39.

赵雁. 2006. 图书馆要为党政机关领导决策提供服务[J]. 齐齐哈尔师范高等专科学校学报，（2）：98-99.

赵艳枝，龚晓林. 2016. 从开放获取到开放科学：概念、关系、壁垒及对策[J]. 图书馆学研究，（5）：2-6.

赵云泽. 2003. 网络战争传播强弱悬殊[J]. 传媒观察，（5）：22-24.

郑磊. 2015. 大道之行：政府数据开放[J]. 上海信息化，（9）：20-23.

郑磊，高丰. 2015. 中国开放政府数据平台研究：框架、现状与建议[J]. 电子政务，（7）：8-16.

郑磊，关文雯. 2016. 开放政府数据评估框架、指标与方法研究[J]. 图书情报工作，（18）：43-55.

郑跃平，刘美岑. 2016. 开放数据评估的现状及存在问题——基于国外开放数据评估的对比和分析[J]. 电子政务，（8）：84-93.

中国工程科技发展战略研究院. 2020. 中国战略性新兴产业发展报告 2021[M]. 北京：科学出版社.

钟清流. 2010. 战略性新兴产业的推进策略[J]. 经济研究导刊，（23）：24-25，64-65.

仲秋雁，王彦杰，裘江南. 2011. 众包社区用户持续参与行为实证研究[J]. 大连理工大学学报（社会科学版），32（1）：1-6.

周承聪. 2011. 信息服务生态系统运行与优化机制研究[D]. 武汉：华中师范大学.

周慧. 2016-05-26. 80%的数据在政府：业界呼吁数据开放以应用为导向[N]. 21 世纪经济报道，（2）.

周丽艳. 2017. 信息技术服务企业商业模式的绩效影响研究——网络嵌入性的调节作用[D]. 杭州：浙江工商大学.

周文泓. 2015. 加拿大联邦政府开放数据分析及其对我国的启示[J]. 图书情报知识，（2）：106-114.

朱雷. 2010. 我国医院网站医疗信息服务综合评价模型及实证研究[D]. 长沙：中南大学.

朱丽波. 2010. 基于信息不对称理论的现代档案咨询服务研究[D]. 太原：山西大学.

朱玲，聂华，崔海媛，等. 2016. 北京大学开放研究数据平台建设：探索与实践[J]. 图书情报工作，60（4）：44-51.

朱前东，高波. 2008. 德国的图书馆信息资源共享模式[J]. 大学图书馆学报，（5）：43-48.

朱瑞博. 2010. 中国战略性新兴产业培育及其政策取向[J]. 改革，（3）：19-28.

朱瑞博，刘芸. 2011. 我国战略性新兴产业发展的总体特征、制度障碍与机制创新[J]. 社会科学，（5）：65-72.

朱雪宁. 2011. 我国信息资源市场政府监管主体的建构[J]. 图书情报工作，（19）：44-48.

朱永海. 2008. 信息系统演进述评及其发展趋势——兼论信息生态论的内涵演变[J]. 情报理论与实践，（4）：631-636.

Agarwal R，Bayus B L. 2004. Creating and surviving in new industries[J]. Advances in Strategic Management，（21）：107-130.

Agarwal R，Bayus B L，Tripsas M. 2014. Abandoning innovation in emerging industries[J]. Customer Needs and Solutions，1（2）：91-104.

Aldrich H，Ruef M. 2006. Organizations Evolving [M]. 2nd. London：Sage Publications.

Amit R，Zott C. 2012. Creating value through business model innovation[J]. MIT Sloan Management Review，（3）：126-135.

Armentano M G，Godoy D，Amandi A A. 2013. Followee recommendation based on text analysis of micro-blogging activity[J]. Information Systems，38（8）：1116-1127.

Baldwin C Y，Clark K B. 2000. Design Rules：The Power of Modularity [M]. Cambridge：MIT Press：37.

Bilsel R U，Büyüközkan G，Ruan D. 2006. A fuzzy preference-ranking model for a quality evaluation of hospital web sites[J]. International Journal of Intelligent Systems，21（11）：1181-1197.

Blank S C. 2008. Insiders' views on business models used by small agricultural biotechnology firms：economic implications for the emerging global industry[J]. AgBiForum，11（2）：71-81.

Blankenhorn D. 1997. New industry.net owners to return to information roots[J]. Advertising Age's Business Marketing，82（11）：3-4.

Brobst J L. 2012. United States Federal Health Care websites：a multimethod evaluation of website accessibility for individuals with disabilities[D]. Tallahassee：Florida State University.

Carden M. 2004. Library portals and enterprise portals：why libraries need to be at the centre of enterprise portal projects[J]. Information Services and Use，24（4）：171-177.

Chandler G N，Lyon D W. 2001. Issues of research design and construct measurement in entrepreneurship research：the past decade[J]. Entrepreneurship Theory and Practice，25（4）：101-113.

Choros K，Muskala M. 2009. Block map technique for the usability evaluation of a website[C]// Nguyen N T，Kowalczyk R，Chen S M. Computational Collective Intelligence. Semantic Web，Social Networks and Multi agent Systems. Berlin，Heidelberg：Springer：743-751.

Combs J，Muffler L J P. 1972. Exploration for geothermal resources[J]. Transactions of the American Nuclear Society，15（1）：15.

Commission of the European Communities. 2005. Proposal for a Decision of the European

Parliament and of the Council.

Conway M, Dorner D. 2004. An evaluation of New Zealand political party websites[J]. Information Research, 9 (4) : 196.

Crawford S Y. 2016. Evolution of biomedical communication as reflected by the National Library of Medicine[J]. Journal of the Medical Library Association, 104 (1) : 67-71.

Crum J A, Cooper I D. 2013. Emerging roles for biomedical librarians: a survey of current practice, challenges, and changes[J]. Journal of the Medical Library Association, 101 (4) : 278-286.

Daft R L, Lengel R H. 1986. Organizational information requirements, media richness and structural design[J]. Management Science, 32 (5) : 554-571.

Davenport T H, Prusak L. 1997. Information Ecology-Mastering the Information and Knowledge Environment[M]. New York: Oxford University Press: 6-26.

Davidsson P, Wiklund J. 2001. Levels of analysis in entrepreneurship research: current research practice and suggestions for the future[J]. Entrepreneurship Theory and Practice, 25 (4) : 81-100.

de Angeli A, Hartmann J, Sutcliffe A. 2009. The effect of brand on the evaluation of websites[C]//Gross T, et al. Human-Computer Interaction–INTERACT 2009. Berlin, Heidelberg: Springer: 638-651.

Dean M A, Shook C L, Payne G T. 2007. The past, present and future of entrepreneurship research: data analytic trends and trainning[J]. Entrepreneurship Theory and Practice, 31 (4) : 601-618.

de Jong M, Lentz L. 2006. Scenario evaluation of municipal web sites: development and use of an expert-focused evaluation tool[J]. Government Information Quarterly, 23 (2) : 191-206.

DeLone W H, McLean E R. 1992. Information systems success: the quest for the dependent variable[J]. Information Systems Research, 3 (1) : 60-95.

Edquist C. 2001. Innovation policy in the systems of innovation approach: some basic principles[C]// Fischer M M, Frohlich J. Knowledge Complexity and Innovation Systems. Berlin: Springer Verlag: 46-57.

Edquist C. 2011. Design of innovation policy through diagnostic analysis: identification of systemic problems (or failures) [J]. Industrial and Corporate Change, 20 (6) : 1725-1753.

Eliasson G. 2000. Industrial policy, competence blocs and the role of science in economic development[J]. Journal of Evolutionary Economics, 10 (1) : 217-241.

Elling S, Lentz L, de Jong M. 2007. Website evaluation questionnaire: development of a research-based tool for evaluating informational websites[C]//Wimmer M A, Scholl J, Grönlund A. Electronic Government. Berlin: Springer Science+Business Media: 293-304.

Eschenfelder K R, Beachboard J C, McClure C R, et al. 1997. Assessing US federal government websites[J]. Government Information Quarterly, 14 (2) : 173-189.

Espadas J, Calero C, Piattini M. 2008. Web site visibility evaluation[J]. Journal of the American Society for Information Science and Technology, 59 (11) : 1727-1742.

Featherstone R M, Lyon B J, Ruffin A B. 2008. Library roles in disaster response: an oral history project by the National Library of Medicine[J]. Journal of the Medical Library Association, 96 (4) : 343-350.

Feldmann L M. 2014. Academic business librarians' assistance to community entrepreneurs[J].

Reference Services Review, 42（1）: 108-128.

Freeman C, Perez Z. Structural crises of adjustment, business cycles and investment behavior[C]// Dosietal G. Technical Change and Economic Theory. London: Pinter: 38-66.

González F, Palacios T. 2004. Quantitative evaluation of commercial web sites: an empirical study of Spanish firms[J]. International Journal of Information Management, 24（4）: 313-328.

Gorsuch R L. 1983. Factor Analysis[M]. 2nd ed. Hillsdale: Lawrence Erlbaum Associates: 5-15.

Gort M, Klepper S. 1982. Time paths in the diffusion of product innovations[J]. The Economic Journal, 92（367）: 630-653.

Greenfield H. 1998. Informix digital media solutions: the emerging industry standard for information management[C]//Press I, Sanchez A. Informix Dynamic Server with Universal Data Option. Upper Saddle River: Prentice Hall: 313-340.

Guo X Y, Hui X F. 2013. Research on regional strategic emerging industry selection and business model innovation[C]//Qi E, Shen J, Dou R. Proceedings of 20th International Conference on Industrial Engineering and Engineering Management . Berlin, Heidelberg: Springer : 643-651.

Gustafson D H, Hawkins R P, Boberg E W, et al. 2002. CHESS: 10 years of research and development in consumer health informatics for broad populations, including the underserved[J]. International Journal of Medical Informatics, 65（3）: 169-177.

Hirschman A O, Sirkin G. 1958. Investment criteria and capital intensity once again[J]. The Quarterly Journal of Economics, 72（3）: 469-471.

Hong S, Kim J. 2004. Architectural criteria for website evaluation–conceptual framework and empirical validation[J]. Behaviour & Information Technology, 23（5）: 337-357.

Jaeger P T. 2006. Assessing Section 508 compliance on federal e-government web sites: a multi-method , user-centered evaluation of accessibility for persons swith disabilities[J]. Government Information Quarterly, 23（2）: 169-190.

Jin T. 2011. Understanding the role of corporate information agencies in competitive intelligence practices[R]. Baton Rouge: School of Library and Information Science, Louisiana State University.

Josephine, Helen B. 1989. University libraries and information services for the business community[C]. Proceedings of the Thirteenth International on line Information Meeting. London: Oxford and Medford: 169-176.

Keizer J A, Halman J I M, Song M. 2002.From experience: applying the risk diagnosing methodology[J]. Journal of Product Innovation Management, 19（3）: 213-232.

Kluver R. 2005. The architecture of control: a Chinese strategy for e-governance[J]. Journal of Public Policy, 25（1）: 75-97.

Kremer M. 1993. Population growth and technological change: one million B.C. to1990[J]. The Quarterly Journal of Economics, 108（3）: 681-716.

Kumar N, Benbasat I.2006. Research note: the influence of recommendations and consumer reviews on evaluations of websites[J]. Information Systems Research, 17（4）: 425-439.

Lampel J, Shapira Z. 1995. Progress and its discontents: data scarcity and the limits of falsification in strategic management[J]. Advances in Strategic Management, (12): 113-150.

Lant T, Phelps C. 1999. Strategic groups: a situated learning perspective[J]. Advances in Strategic Management, (16): 221-247.

Lee S, Lee S, Seol H. 2008. Using patent information for designing new product and technology: keyword based technology roadmapping[J]. R&D Management, 38 (2): 169-188.

Levitt T. 1965. Exploit the product lifecycle[J]. Harvard Business Review, (11/12): 81-94.

Li S Q. 2011. Study on the credit evaluation model of C2C e-commerce websites[C]// Gong Z G, Luo X F, Chen J J, et al. Emerging Research in Web Information Systems and Mining. Berlin, Heidelberg: Springer, 2011: 150-157.

Love C B, Arnesen S J, Phillips S J. 2013. National Library of Medicine Disaster Information Management Research Center: establishment and growth, 2008–2010 [J]. Information Services & Use, 33 (3/4): 273-298.

Love C B, Arnesen S J, Phillips S J, et al. 2014. National Library of Medicine Disaster Information Management Research Center: achieving the vision, 2010–2013[J]. Information Services & Use, 34 (1/2): 149-170.

Low M B, Abrahamson E. 1997. Movements, bandwagons, and clones: industry evolution and the entrepreneurial process[J]. Journal of Business Venturing, 12 (6): 435-457.

MacDonald R J. 1985. Strategic alternatives in emerging industries[J]. Journal of Product Innovation Management, 2 (3): 158-169.

MacMillan I C, Katz J A. 1992. Idiosyncratic milieus of entrepreneurial research: the need for comprehensive theories[J]. Journal of Business Venturing, 7 (1): 1-8.

Mani S. 2006. Growth of new technology-based industries in India, the contrasting experiences of biotechnology and information technology industries[J]. International Journal of Technology and Globalisation, 2 (1/2): 200-216.

Marcella R. 2002. Women on the Web: a critical appraisal of a sample reflecting the range and content of women's sites on the Internet, with particular reference to the support of women's interaction and participation[J]. Journal of documentation, 58 (1): 79-103.

Martinez L, Pérez L G, Sánchez P J, et al. 2005. A Heterogeneous Multi-criteria Hierarchical Evaluation Model For Website Services[R]. Salt Lake City: The 10th International Conference on Fuzzy Theory and Technology.

Masoud F, Rababah O, Hamtini T M. 2008. A critique of e-commerce website evaluation models[R].Orlando: 12th World Multi-conference on Systemics, Cybernetics and Informatics.

Massis B. 2014. Today's business libraries: a vital local resource in a challenging economy[J]. New Library World, 115: 61-64.

McGahan A M, Argyres N, Baum J A C. 2004. Context, technology and strategy: forging new perspectives on the industry life cycle[J]. Advances in Strategic Management, (21): 1-21.

McIntyre D. 2008. Energy companies are adopting emerging industry best practice: integrated HSE management information systems for sustainability[R]. Nice: The SPE International Conference on Health, Safety, and Environment in Oil and Gas Exploration and Production.

McKinney V, Yoon K, Zahedi F M. 2002. The measurement of web-customer satisfaction: an expectation and disconfirrmation approach[J]. Information Systems Research, 13（3）: 296-315.

Mehra A, Floyd S W. 1998. Product market heterogeneity, resource imitability and strategic group formation[J]. Journal of Management, 24（4）: 511-531.

Meng X M. 2011. Research on coordination development between electronic commerce and modern service industry[J]. Journal of Computers, 6（7）: 1461-1468.

Miller N, Lacroix E M, Backus J E. 2000. MEDLINEplus: building and maintaining the National Library of Medicine's consumer health Web service[J]. Bulletin of the Medical Library Association, 88（1）: 11-17.

Morris M, Boruff J T, Gore G C. 2016. Scoping reviews: establishing the role of the librarian[J]. Journal of the Medical Library Association, 104（4）: 346-354.

Nardi B A, O'Day V. 1999. Information Ecologies: Using Technology with Heart[M]. Cambridge: MIT Press: 30-62.

Ngai E W T. 2003. Selection of web sites for online advertising using the AHP[J]. Information & Management, 40（4）: 233-242.

Olleros F J. 1986. Emerging industries and the burnout of pioneers[J]. Journal of Product Innovation Management, 3（1）: 5-18.

Osterwalder A, Pigneur Y. 2004. Investigating the use of the business model concept through interviews[R]. Beijing: International Conference on E-business.

Ozman M. 2011. Modularity, industry life cycle and open innovation[J]. Journal of Technology Management & Innovation, 6（1）: 26-34.

Parasuraman A, Zeithaml V, Berry L. 1988. SERVQUAL: a multiple-item scale for measuring consumer perceptions of service quality[J]. Journal of Retailing, 64（1）: 12-37.

Porter M. 1980. Competitive Strategy Techniques for Analyzing Industries and Competitors[M]. New York: Free Press: 120-125.

Ragu-Nathan B, Ragu-Nathan T S, Tu Q, et al. 2001. Information management（IM）strategy: the construct and its measurement[J]. The Journal of Strategic Information Systems, 10（4）: 265-289.

Rambo N. 2009. E-science and biomedical libraries [J]. Journal of the Medical Library Association, 97（3）: 159-161.

Rayport J F, Jaworski B J. 2002. Introduction to e-Commerce[M]. Boston: McGraw-Hill.

Romanelli E. 1991. The evolution of new organizational forms[J]. Annual Review of Sociology, 17: 79-103.

Russo M. 2003. The emergence of sustainable industries: building on natural capital[J]. Strategic Management Journal, （24）: 317-331.

Saeid M, Ghani A A A, Selamat H. 2011. Rank-order weighting of web attributes for website evaluation[J]. The International Arab Journal of Information Technology, 8（1）: 30-38.

Satyapal S, Petrovic J, Read C, et al. 2007. The U. S. Department of Energy's National Hydrogen Storage Project: Progress towards meeting hydrogen-powered vehicle requirements[J]. Catalysis

Today, 120 (3/4): 246-256.

Sawabe N, Edashira S. 2007. The knowledge management strategy and the formation of innovative networks in emerging industries[J]. Journal of Evolutionary Economics, 17 (3): 277-298.

Scheel C. 2002. Knowledge clusters of technological innovation systems[J]. Journal of Knowledge Management, 6 (4): 356-367.

Sherwood, T K. 1976. Process design for geothermal power[J]. Chemical Engineering Progress, 72 (7): 83-88.

Sheth J N, Newman B I, Gross B L. 1991. Why we buy what we buy: a theory of consumption values[J]. Journal of Business Research, 22 (2): 159-170.

Singh R I, Sumeeth M, Miller J. 2011. A user-centric evaluation of the readability of privacy policies in popular web sites[J]. Information Systems Frontiers, 13 (4): 501-514.

Smith A G. 2001. Applying evaluation criteria to New Zealand government websites[J]. International Journal of Information Management, 21 (2): 137-149.

Song Y E, Gnyawali D R. 2017. Innovation choices in emerging industries[J]. Academy of Management Annual Meeting Proceedings, (1): 12708.

Spencer N, Ruston P, Duncan S. 2004. Using business information services at the British Library: a case study in breadth and diversity[J]. Business Information Review, 21 (1): 53-61.

Taher M. 2007. Automated web site evaluation: researchers' and practitioners' perspectives[J]. Information Processing & Management, 43 (1): 288-290.

Teece D J. 1991. Support policies for strategic industries: Impact on home economies[C]. OECD. Strategic Industries in a Global Economy: Policy Issues for the 1990s. Paris: OECD Publishing: 35-50.

Testi D, Quadrani P, Viceconti M. 2010. PhysiomeSpace: digital library service for biomedical data[J]. Philosophical Transactions: Mathematical Physical & Engineering Sciences, 368 (1921): 2853-2861.

Tillotson J. 2002. Website evaluation: a survey of undergraduates[J]. Online Information, 26 (6): 392-403.

Trajtenberg M. 1990. Product innovations, price indices and the (mis) measurement of economic performance[R]. National Bureau of Economic Research, Working Papers 3261.

Walker V. 2017. Implementing a 3D printing service in a biomedical library[J]. Journal of the Medical Library Association, 105 (1): 55-60.

Watanabe K, Ando M, Sonehara N. 2008. Website Credibility-A Proposal on an Evaluation Method for e-Commerce[R]. Porto: The International Joint Conference on e-Business and Telecommunications.

Wickham M. 2005. Reconceptualising Porter's diamond for the Australian context[J]. Journal of New Business Ideas and Trends, 3 (2): 40-48.

Wilson T D. 1997. Information behaviour: an interdisciplinary perspective[J]. Information Processing & Management, 33 (4): 551-572.

Wong S T C, Hoo K S, Knowlton R C, et al. 1997. Issues and applications of digital library technology in biomedical imaging[J]. International Journal on Digital Libraries, 1(3): 209-219.

Xu G N, Wang J K, Wu Y C, et al. 2015. Secondary innovation in emerging industry: a case study[R]. Portland: International Conference on Management of Engineering and Technology.

Zhang C Q, Lin M. 2008. Comprehensive evaluation of e-commerce websites based on PCA and SVM[J]. Proceeding of the 2008 International Conference on Information Management, Innovation Management and Industrial Engineering, 2: 355-358.

Zhao F G, Li J Z, Deng Q W, et al. 2013. Developing emerging industries through innovation of business model: the case from Guangdong LED industry, China[R]. San Jose: Technology Management in the IT-Driven Services.

索　引

　　本索引款目结构为"标目+页码"。标目以著作正文重点论述且具有检索价值的主题概念、语词或短句表示，标目从全书正文中选取，为便于检索，选取标目时对原文中的个别标目词做了修改。出处以标目所在原文页码的阿拉伯数字表示，标目和页码之间用全角逗号"，"隔开。中文款目按汉语拼音音序排列，外文款目按外文单词顺序排列。相同标目不同页码只保留一个标目，页码依从小到大的顺序依次接连，中间用半角逗号"，"相连。索引由唐佳苗、汤心怡、王娴、成永娟、马梦恬、戴怀平、王雅戈等编制，编者邮箱 wyg@cslg.edu.cn、微信18051826909、QQ398536346。